沖 季語別選句集

創刊45周年記念

沖俳句会

『沖季語別選句集』刊行にあたって

「沖」は昭和四十五年（一九七〇）に能村登四郎によって創刊された。以来、個性ある多彩な俳人を世に輩出してきた。

平成十三年、私が主宰を継承して十四年の歳月が過ぎたが、「沖」の創刊理念である「伝統と新しさ」を引き継ぎ、さらには登四郎美学を守りながら、新たに「沖ルネッサンス」を掲げ「沖」の句友と句座を共にしてきた。

本年、創刊四十五周年を迎えるにあたり『沖季語別選句集』を刊行することになった。

これまで、平成二年の創刊二十周年に『沖季語別俳句集』、平成十二年の創刊三十周年に『沖歳時記』をそれぞれ刊行した。

今回の『沖季語別選句集』は、これまでの二冊の内容を踏まえながら、「沖」人の優れた作品の集大成となるように心掛け編纂に当った。それぞれの俳句を通して、「沖」人の個性溢れる作句姿勢、「沖俳句」の幅の広さなどがこの一書から窺えれば幸いである。

本書の編纂には三年の歳月を費やしたが、各編集委員の献身的なご尽力に感謝を申し上げたい。

平成二十七年八月

能村研三

凡例

一、『沖季語別選句集』は、同人・会員が自選・応募した作品と、能村登四郎、林翔、物故者および僚誌主宰等の作品（あとがき参照）、ならびに能村研三主宰の自選作品より成る。

二、季の配列は、春・夏・秋・冬・新年の順とし、さらに季ごとに時候・天文・地理・生活・行事・動物・植物の順とした。

三、見出し季語、傍題の選定および収録順は、『日本大歳時記』（講談社）、『俳句大歳時記』（角川書店）に準拠した。が、『沖季語別俳句集』『沖歳時記』も参考にした。

四、見出し季語の**太字**は主季語を表す。

五、見出し季語、例句は歴史的仮名づかい、ルビは現代仮名づかいで統一した。

六、例句の用字・用語は、原則として、作者の表記通りとした。例えば、伊予は〈伊豫〉のままとした。

七、主季語については、巻末に五十音順の索引を付けた。

冲季語別選句集　目次

春

夏

秋

装丁・林 昭太郎

時候

春（はる）

春の地震地球の背伸びかも知れぬ　ガルシア繁子
気泡めく硝子の春のエレベーター　小嶋　洋子
放哉の話となりし春焚火　広渡　敬雄
メロンパンぽろぽろひざに春こぼれ　笠井　令子
裏山に春がぐづぐづしてをりぬ　菊川　俊朗
陽春やふいに扉を開けしごと　河野　絢子
非常口の人がた動きさうな春　菅原　健一
天空へ春押しあげて太極拳　杉原かほる
走り根の春の大地をわしづかみ　中坪　一子
幹抱く春の胎動聞きたくて　中山めぐみ
島は春留守を預かる巫女ふたり　水木　沙羅
北へ旅ゆつくり春の巻き戻る　諸岡　和子
コロッケの楕円は春のかたちかな　梅村すみを
湖を背に路通に似たる春の藁塚　松本　圭司
てのひらにそのまんま載る春の島　川島真砂夫
突然に春の空白地震止まず　能村　研三
剝落を夢に癒やさむ春菩薩　林　翔
春ひとり槍投げて槍に歩み寄る　能村登四郎

二月（にがつ）

解釈は自由二月のチョコレート　大橋　忍
指先に静電スパークある二月　佐々木　群
影よりもひかりの濃ゆき二月かな　髙橋あさの
二月富士旅の絵手紙枕辺に　藤井ふさ子
二ン月のひかり己の身のひかり　古山　智子
筆の穂を嚙めば筆の香二月来る　能村　研三
寡作なる人の二月の畑仕事　能村登四郎

睦月（むつき）

棲むものの泡こまかなり青睦月　吉田　明
翁一人背筋伸ばして睦月山　林　翔

寒明（かんあけ）

オリオンの楯傾けて寒明くる　中島あきら
寒明けや花束と入る夜のホール　辻前冨美枝
味噌玉をぱつしと打ちて寒明くる　河野　智子
柔道着竿にひろぐる寒の明け　棚橋　朗
吹きガラスまるくまあるく寒明くる　原　ひろ子
山脈は大魚の背鰭寒明くる　宮坂　恒子
寒明けや障子あかりに音細か　宮本せつ子
寒明けの陸より海の盛り上がる　小澤　克己
雨戸繰る出隅入隅寒の明　能村　研三
豆一粒ほどの幸あり寒明くる　林　翔

立春（りっしゅん）

春立つ　立春大吉

上棟の木の香木のこゑ春立ちぬ　五十畑悦雄

春立つや木に戻りたき大柱　関根　瑶華
立春大吉黒留袖のをんな紋　阿部　順子
能衣装身幅ゆつたり春立ちぬ　中田とも子
和紙の鶴かさね重ねて春立ちぬ　藤井ふさ子
立春大吉ホットケーキの返しごろ　本池美佐子
苦も楽も同じ秒針春立つ日　山越　朝子
哺乳瓶の穴を拡げて春立てり　和田　満水
待望の産声上がる春連れて　佐藤　淑子
春立つや妻の息ぬきほどの雲　松本　圭司
立春大吉土間より見ゆる角屋敷　能村　研三

早春（そうしゅん）

早春の産院と言ふたから箱　酒本　八重
早春の口の端ふいと革命歌　荒井千瑳子
早春の西湖は西施の涙雨　三輪　水岬
早春の水ゆさぶりて和紙生るる　森本　和子
つつかけで出て早春の桃畠　能村登四郎

春浅し（はるあさし）

泡のまま乾く石鹼春浅し　小嶋　洋子
水尾ひとつ追ふ水尾ひとつ春浅し　能美昌二郎
岩鼻に構へし鳶や春浅し　内田　順治
足場組む軍手の動き春浅し　桑島みつ子
扇面にめでたき字句を浅き春　種山　知子
星石の地球に降りて春浅し　中村喜美子
浅春やドクターヘリの重低音　町山　公孝

灯されて湖の輪郭春浅し　能村研三
春浅き水音めぐる都府楼址　能村登四郎

冴返る（さえかえる）

翡翠の紛れなき色冴返る　根本世津
冴返る板書のチョーク折れやすく　浅沼久男
畳屋の肘に肘当冴返る　栗城静子

余寒（よかん）

甲冑になほ反骨の余寒かな　柴﨑英子
本陣の黒き廊下や余寒なほ　永井収子
余寒なほたたみいわしに微塵の眼　能村研三
宇陀杉の枝切りすみし余寒かな　能村登四郎

春寒（はるさむ）　料峭

塗箸の先の剝落春寒し　金田誠子
料峭や女人高野の杉木立　吉澤濱子
春寒やクロワッサンにある空洞　清部祥子
料峭や黄ばみ深まる戦死遺書　河野美千代
料峭や手に馴染みたる唐津焼　鈴木一広
春寒の卓上に置くソフト帽　東良子
料峭や瞳大きな印度の子　深川峰子
料峭や釣り師も鷺も身じろがず　深見祐子
料峭の真水の上の火の粉かな　渡辺昭
断崖の松の根力春寒し　能村研三
春寒きつれづれは眼の光るとき　林翔

春めく　春動く　春きざす

一瞬の風紋に春動き出す　鈴木真砂枝
木倚子にて聴く協奏曲春兆す　小島　史子
木も石ももの言ふ国の春兆す　関根　瑶華
鵜の嘴に光る銀鱗春きざす　古居　芳恵
春めくやボンタン飴のオブラート　齊藤　實
枯山の背骨腰骨春めきぬ　林　翔
久に逢ふ女弟子あり春めける　能村登四郎

魚氷に上る

数式の解の糸口魚は氷に　阿部　順子
愛のことば人斬ることば魚は氷に　千田　敬

雨水

雨水かないつ気に開く農具小屋　大浦　郁子
枝なべて上へ上への雨水かな　永澤千恵子
昼酒の酔のさみしき雨水かな　松村　武雄
生ける根の微動も見たく雨水かな　林　翔
畦の木に夕靄のぼる雨水かな　能村登四郎

二月尽

にはとりの少し汚れて二月尽　林　昭太郎
二月尽夜の窪みに月満てり　平松うさぎ

三月

三月や何を断ち切るチェーンソー　頓所　友枝
三月や校名はづし学舎閉づ　上野　翠子
口紅を変へ三月を突き放す　石田　静

ホッチキス分厚きを嚙み三月へ　能村研三
残り餅焼く三月のくらき炉火　能村登四郎

如月（きさらぎ）

如月の燐寸ためらひつつ点きぬ　林　昭太郎
きさらぎや指輪ケースの細き溝　甲州千草
きさらぎや仏の母へ湯気のもの　座古稔子
如月の野は何んとなくけむつたき　佐山文子
硯海へ如月の水五六滴　鈴木美智子
きさらぎの含みて釘にある甘さ　松村武雄
眼を灼かむほどの火が欲し如月は　能村登四郎

啓蟄（けいちつ）

啓蟄のポケット一度うらがへす　田辺博充
啓蟄やメトロ地底を横走り　福田　肇
啓蟄やサラダの真ん中に卵　小林奈穂
啓　蟄　や　新　刊　本　の　頁　追　ふ　新橋しげを
啓蟄やまだまだ屈伸ぎこちなき　山越朝子
啓蟄やプリンのゆるる匙の上　吉田輝夫
孫といふ一啓蟄を愛すべし　今泉宇涯
啓蟄のわが大き手の吾子洗ふ　能村研三
啓蟄の土中の深さ思ひけり　能村登四郎

鷹化して鳩と為る（たかかしてはととなる）

鷹化して鳩となる世の電子辞書　千田　敬
鷹鳩と化して余生のありにけり　小林和世
鷹鳩と化し訥弁の講義聴く　東　良子

鷹鳩と化し鉄拳もいづれ死語　三留早苗
鷹鳩と化すいくらかは税還付　渡辺昭
他郷は知らず鷹化して鳩となる　能村研三

竜天に登る（りゅうてんにのぼる）

竜天に登り岩木の雲食らふ　小野寿子
竜天に昇る秘色の青磁碗　関洋子

彼岸（ひがん）

牛の仔の鼻輪をとほす入彼岸　和田満水
生き返る柱時計や彼岸入り　工藤篤子
春彼岸風狂は死後そやされて　渡辺昭

晩春（ばんしゅん）

晩春の魞粗挿しに沼ぐらし　能村登四郎

四月（しがつ）

一日毎に四月は魚影濃くなれり　林一郎
ジャズピアノ軽き指先四月来る　金井双峰
母からの手紙のやうに四月来る　藤森すみれ

弥生（やよい）

鍵穴に弥生の光集まれり　広渡敬雄

清明（せいめい）

清明や通事の墓に若きひと　松尾信太郎

春暁（しゅんぎょう）　春曙

春暁や光の傘となる一樹　吉田政江
春はあけぼの渋民に山二つ　工藤節朗
春曙覚めて黄泉ともこの世とも　藤井晴子

若々し師の夢さめて春あけぼの　林　翔

春暁に醒めてまざまざ生身なる　能村登四郎

春昼（しゅんちゅう）

春昼の家並かき分け荒川線　五十嵐章子

春昼や車輛の基地にならぶ黙　頓所友枝

ジグザグに覗く仲見世春の昼　市瀬千加子

春昼やスプーンひとつ皿一枚　辻　直美

春昼へ自由型なる身を浮かす　今泉宇涯

地水火風空即いのち春の昼　大畑善昭

春の夕（はるのゆう）

春ゆふべ「卯波」にいまも波郷の座　秋葉雅治

春の暮（はるのくれ）

春の暮老人と逢ふそれが父　能村研三

遊び子のこゑの漣はるのくれ　林　翔

春の宵（はるのよい）

千金の夜

辻ヶ花きて春宵を会ひもせで　渕上千津

ハンドルの遊びのやうな春の宵　七田文子

春宵の明るい人体模型かな　菅原健一

モビールの影の踊れる春の宵　町山典子

喧騒のなかに独りや春の宵　宮下桂子

春宵や楽器はからだごと使ふ　小菅暢子

春宵や出待ち入待ち楽屋口　能村研三

十指乱舞す千金の夜のピアノ　林　翔

春宵にたのしむもよしもどき芸　能村登四郎

春の夜（はるのよ）

無機物として春の夜の会計簿　今泉　宇涯

春の夜の眠りの壺と折り合はず　能村　研三

春の夜の夢の浮橋耕二佇つ　能村登四郎

暖か（あたたか）

羊皮紙の彩色海図あたたかし　細川　洋子

あたたかやベビーカーより足の出て　渡辺　輝子

あたたかやルーペの文字は丸みおび　神戸やすを

あたたかし生きてゐる事楽しいよ　柴田　詩子

人指さぬ人指し指のあたたかし　菅原　健一

源氏絵の金箔ぬくし貝の殻　宮田　陽子

母が呼ぶ麻酔台上あたたかし　遠藤真砂明

低山へ雲の目くばせあたたかし　福永　耕二

腕立て伏せ地べたに尽きてあたたかし　能村　研三

あたたかし鞄を置けと石があり　林　翔

暖かといふそれだけで足ひをり　能村登四郎

麗か（うららか）

春うらら園長いつもカメラ下げ　五十嵐章子

良き知恵はいつもあとからうららなり　ガルシア繁子

洗ふもの腕にあふれ春うらら　石田　静

浮雲は富士の簪うららけし　小林もりゑ

春うらら影が教へるかくれんぼ　酒井　敏子

うららかや常陸訛の促音便　佐々木よし子

春うららまだ伸びたさうスカイツリー　殿地　毬子

縁側は家の糊代うららけし　福島　茂
うららかや犬にものいふ散歩道　山根タケ子
さはらせてもらふ胎動うららけし　吉田　政江
うららかに手足の中の骨うごく　吉田　汀史
舟うらら塩商ひの運河あり　能村　研三
妹山に逢ひ背山見ずうららなり　林　　翔
うららかや長居の客のごとく生き　能村登四郎

長閑（のどか）
駘蕩

長閑なり電波時計の狂ふほど　大沼　遊魚
のどけしや介護日誌に余白あり　藤代　康明
のどかさや僧の説教ながながと　石戸　キコ
長閑しや眼を細めたる道祖神　鈴木　齊夫
駘蕩や老をたのしむ昼の酒　梅村すみを
のどかさや大和屋敷の板目壁　能村　研三
駘蕩や裏返るまで海月見て　能村登四郎

日（ひ）永（なが）

交番に岡持とどく日永かな　菊地　光子
永き日の川筋ものの胴間声　能村　研三

遅（ち）日（じつ）

はとバスの終着点の遅日かな　高木　嘉久

花（はな）冷（びえ）
桜（さくら）冷（びえ）

硝子つたふ雨滴のよろけ桜冷　楠原　幹子
花冷の二つに仕切る大広間　長岡　新一
花冷や象牙の箸が手にあまり　井澤　禎子

花冷や鳴らして締める博多帯　岩崎喜美子

花冷の手で探らるる脈どころ　長谷川鉄夫

花冷えの高さ揃はぬ弥撒の椅子　中尾　杏子

ちかごろの短気をかしく桜冷　松村　武雄

さくら冷えして供待といふ小部屋　北村　仁子

肌着てふ呪縛の白ささくら冷　坂巻　純子

花冷や逝くのは早き遅筆堂　能村　研三

吉凶に同じ黒着てさくら冷　林　　翔

木の芽時（このめどき）

木の芽晴ほつほつ印す仕付糸　吉武　美子

卒乳のさびしさに泣く木の芽風　古居　芳恵

みどりごに生るる握力木の芽風　荒井千佐代

花時（はなどき）　花過ぎ

花過ぎの髪の乾きを母に見る　福永　耕二

筬とほる紺糸伊豫はさくら季　高瀬　哲夫

花時の石鼎旧居竈冷ゆ　能村登四郎

蛙の目借時（かわずのめかりどき）　目借時

鉄橋の長さを耳で目借時　渡部　節郎

目借時床屋はすぐに椅子倒し　諸岡　和子

味噌樽のごろ寝許さる目借時　塚本　初美

五線譜に音符混み合ふ目借どき　富川　明子

伝承の浜唄きこゆ目借時　松尾信太郎

髪の根のなまあたたかき目借どき　北村　仁子

水飲みてすこしさびしき目借時　能村登四郎

穀雨（こくう）

農道を獣の渡る穀雨かな　水木沙羅
人に倦み縁側にゐる穀雨かな　松村武雄

春深し（はるふかし）

人声に似たるチェロの音春深し　能村研三
肝吸の肝嚙み春も深きかな　林　翔

八十八夜（はちじゅうはちや）

八十八夜コロッケ俵積みにして　田所節子
炊きあがる鶏めし八十八夜寒　川畑良子
足湯して羽織りて八十八夜かな　渡辺　昭
当てにせぬ芽が出て八十八夜寒　能村登四郎

暮の春（くれのはる）　暮春

テレビのみはしやぐ暮春の待合室　五十嵐章子

行く春（ゆくはる）

逝く春を沖の巨船に託しけり　森岡正作
行く春や木椅子に節の穴開きて　おかたかお
逝く春や介護記録の以下余白　佐野敏江
逝く春や郁夫入眼（じゅげん）の大壁画　座古稔子
行く春や母校に坐る大時計　河浦正樹
行く春を死でしめくくる人ひとり　能村登四郎

春惜しむ（はるおしむ）

惜春や燭のゆらめく隠れ宿　近藤鉦子
停年の校長囲み春惜しむ　種山知子
背伸びして追ふ惜春の落暉かな　本池美佐子

木の橋をくぐる木の舟春惜しむ　北村　幸子

自転車の立ち漕ぎに春惜しみけり　能村　研三

惜春の指を伸ばさば触れむ湖　林　翔

師のごとく正座して春惜しみけり　能村登四郎

夏近し（なつちか）

夏近しエスカレーター交差して　小嶋　洋子

九十九里素足がよくて夏近し　三輪　水岬

弥生尽（やよいじん）

亀石の鳴かず動かず弥生尽　吉武　美子

天文

春の日（はるのひ）　春日向

東京に背を向け春のひなたぼこ　千田　百里

満行の髯の喜色や春日影　髙久　正

こだはりを二つ三つ捨て春日向　金井　双峰

聖堂を嫁す子と歩む春日差し　能村　研三

左目に春の陽両目つむりけり　林　翔

春光（しゅんこう）

春光に巨き錨を放ちけり　遠藤真砂明

春光をこぼしては盛る子の遊び　湯橋　喜美

春光や小函のやうな光堂　福島　茂

やさしさを春の光に貫ひをり　石橋みどり

鳥瞰の街春光のガスタンク　板橋　昭子

ひと針の先に春光帯かがる　野村　敏子

春光や海の果てとは空の果て　渡辺　満枝

春景色とは消ゴムにて消えさうな　秦　洵子

洗はれしごとき春光呱呱の声　能村　研三

春の雲（はるのくも）

春の雲仰ぐ羅漢やさくら句碑　柴田　一世

春の月（はるのつき）

くろもじで切るカステラや春の月　広渡　敬雄

出来たてのチーズのやうな春の月　千葉　恵美
春月やなみなみ注ぐ白ワイン　中山めぐみ
春月や亡き夫いつも我とあり　吉田　陽代
春月をひだりへ右へ無名の木　正木ゆう子
失速の電車曳きずり春の月　今泉　宇涯
独り居て二人の思ひ春の月　林　翔

春三日月（はるみかづき）

一湾に春三日月の船がかり　佐久間由子
春三日月退職の荷は軽くあり　能村　研三

朧月（おぼろづき）

閉店を決めたる夜の朧月　須藤紀枝子
指痛くなるまで握手月おぼろ　西山　禎一
切れ目なく二度の勤めへ朧月　能村　研三

朧（おぼろ）

鐘朧

朧夜の湯葉のからまる箸の先　宮内とし子
遠景に灯しひしめく身のおぼろ　岡本　富子
おばしまの朱の薄れゆく朧かな　長尾きよか
潮鳴のお百度石やおぼろ濃し　石﨑　和夫
「ぼくはねえ」師の声いまも夕おぼろ　楠原　幹子
もののいろやさしく見ゆる朧かな　児玉　明子
朧夜のおぼろの影を連れ帰る　小松　誠一
おぼろ夜や高架に浮いて行く電車　佐野ときは
朧夜のやがて声なす師の遺墨　柴﨑　英子
二千円札朧の街に使ひけり　高木　嘉久

メンチカツさくと浅草おぼろなる　馬場由紀子
奪衣婆の声もかすれし鐘おぼろ　原田　耕作
おぼろ夜や写楽の謎に深入りし　藤代　康明
だまされてみたしと思ふおぼろかな　町山　公孝
朧濃きかな連れ合ひといふ寝顔　松井志津子
朧より朧に抜ける廓町　三好千衣子
おぼろ夜の母にかよひし父の舟　吉田　汀史
おぼろ夜に紛れゆくべく盲縞　福永　耕二
朧濃し一生一郷棲まひかも　能村　研三
おぼろ夜の霊のごとくに薄着して　能村登四郎

春の星（はるのほし）

心経の深の春星なりしかな　遠藤真砂明
檜山杉山春星空に呼び交し　林　　翔

春の闇（はるのやみ）

源氏香柱にのこる春の闇　丹羽　昭子
遊女屋のむかしがひそむ春の闇　柴田　雪路
けものらの鼻先伸びし春の闇　能村　研三

春風（はるかぜ）

春風やまだ濡れてゐる水彩画　林　昭太郎
駈けくる子抱き上ぐ春の風ぐるみ　望月　晴美
春の風子に逆らはず従はず　関根　瑶華
春風駘蕩として浮雲の不定形　長岡　新一
掛け替へる一茶の軸や春の風　平嶋　共代
春風に注がねば倒る紙コップ　森本　和子

校門といふ春風の出入口　松本　圭司
春風の松を讃へて伊予にをり　鈴木　鷹夫

東風（こち）

陶絵師の小筆の乾く桜東風　柴田　近江
夕東風や台地の端をゆく家路　五十嵐章子
鋤き返す棚田は天へ雲雀東風　上田　玲子
鈴本の一番太鼓東風吹けり　大野　秀夫
櫻東風釣師一人に竿五本　倉田千津江
転車台がしやんと東風に合はせけり　中田とも子
津軽三味たたきて東風の五能線　工藤　節朗
伊吹東風枡木積みあぐ燻し窯　能村　研三

貝寄風（かいよせ）

貝寄風や鹿角万本潮枯れて　能村　研三

涅槃西風（ねはんにし）

むずかゆき翼のつけ根涅槃西風　正木ゆう子
鶏のつま先走り涅槃西風　木村　公子
涅槃西風てつぱう狭間抜けて行く　平岡由美子
ゆるき弧に畝生れゆけり涅槃西風　中尾　杏子
にはとりの仰天走り涅槃西風　北村　仁子
鰐園の檻つつぬけに涅槃西風　三浦青杉子
行徳は塩で栄えし涅槃西風　能村　研三

彼岸西風（ひがんにし）

諸鳥のこゑのまばゆき彼岸西風　髙橋あさの
蕎麦打に妻かり出さる彼岸西風　水上　陽三

比良八荒（ひらはっこう）

比良八荒紅刷きをへし女かな　松村武雄

春一番（はるいちばん）

春一番キリンの首にばねぢから　七種年男
マンザナや広野をなでる春一番　ガルシア繁子
春一番大地ひと皮剝いてゆく　内山照久
真向へば舳先となりぬ春一番　関　洋子
春一番はねて喜ぶ絵馬同士　西本　幸
春一番浅草に買ふベレー帽　根本世津
春一番合格通知の舞ひ来たり　保泉孟史
腕白の従へてきし春一番　森本裕子
つま先にかろき重心春一番　坂巻純子
春一番老の強気を叱しけり　能村登四郎

風光る（かぜひかる）

工房の帽子の木型風光る　土屋和子
巨船浮かべて一湾の風光る　網代ユウ子
長刀部員募集ポスター風光る　溝口美代子
風光る人がことばをもつかぎり　古山智子

春疾風（はるはやて）　春嵐

春荒れの雲の底ひを高速艇　上谷昌憲
春疾風握る拳に修羅ひとつ　峰崎成規
百千の絵馬のぶつかる春疾風　川畑良子
春疾風微動だにせぬスカイツリー　小出美保子
春嵐自動扉ののつと開く　前川京子

灯台の白きが軋む春疾風　増谷和子
武家門は薩摩の気骨春荒るる　水木沙羅
家も吾も節ぶし痛む春嵐　林翔
春疾風掌中の珠奪ひ去る　能村登四郎

春北風（はるきた）
春ならひ

星のみな濡れて出揃ふ春北風　田所節子
幾万の瞳に涙春北風　近藤鉦子
少年に男の翳り春北風　梅村すみを
春ならひ舟屋舟屋の路地を漉く　能村研三

桜まじ（さくらまじ）

桜まじ「田端組」てふ画家文士　能村研三

春塵（しゅんじん）

印結ぶ御手にも春のほこりかな　小松誠一
春塵に机上の硯乾きけり　後藤松渓
引き抜いて買ふ週刊誌春埃　梅本豹太

霾（つちふる）
黄沙降る　霾晦

黄砂降る一千キロも誤差のうち　今瀬一博
霾や漢字に馴染み二千年　千田敬
よなぐもり新車といふはいつまでを　吉田政江
つちふるや辞書を砦の校閲部　遠城健司
霾やコルクの栓が壜に落ち　大網健治
年輪の楕円に歪み黄砂降る　おかたかお
つちふるや地下に潜りし送電線　佐山文子
少しづつ忘るる漢字黄砂降る　塩野谷慎吾

黄砂降る日本の土となりにけり　田中　数江

来し方も行く手も霾の山河かな　朝長美智子

黄砂ふる壁画の美女に罅はしり　岩崎喜美子

霾ぐもりひと日を義理に使ひ捨て　中尾　杏子

霾ぐもり倒し走りのバイクかな　能村　研三

胡人泊めし夜深の空の霾にごり　能村登四郎

春雨（はるさめ）
春の雨

身の奥に余震棲みつく春の雨　加藤久仁子

春雨やきりとり線といふ別れ　石田　静

燈を消して音の生まるる春の雨　頓所　友枝

春時雨（はるしぐれ）

入母屋の銅葺き光る春しぐれ　中野　栄吉

デパートの軒を借りをり春しぐれ　小出美保子

花の雨（はなのあめ）

花の雨マナーモードのやうな日よ　小嶋　洋子

洗礼名の墓誌の真中に花の雨　能村　研三

花の雨石くろぐろと精気あり　林　翔

春驟雨（はるしゅうう）

春驟雨通事築きし橋洗ふ　田川美根子

春の雪（はるのゆき）

アドリブのごとく銀座に春の雪　七種　年男

無言館出て無言なり春の雪　堀口　希望

知恵の輪に力はいらず春の雪　阿部　順子

春の雪ふはりとなにもかも白紙　荒原　節子

安らかな母の寝息や春の雪　大川ゆかり
全集の一書抜けをり春の雪　七田　文子
春雪やほんのり淡い砂糖菓子　新橋しげを
窯変の碗のぬくもり春の雪　鈴木美智子
忘れゐる言葉のやうに春の雪　千葉　惠美
春の雪ブルカの人とすれ違ふ　中山　寛子
窯出しの壺まだぬくし春の雪　町山　典子
春の雪頁繰るごと失せにけり　山越　朝子
春の雪子の片言は琴のごとし　辻　直美
貧し世はかならず春の雪降らす　高瀬　哲夫
風評のかけらとなりて春の雪　今泉　宇涯
傷なめて指(およ)いとしむ春の雪　林　翔
積るより濡らして終る春の雪　能村登四郎

淡雪(あわゆき)
牡丹雪

淡雪の降りをり粥のふきこぼれ　佐藤　洋子
牡丹雪励ますときは肩敲く　松島不二夫
睡りたき眼に合はせ降る牡丹雪　西山　禎一
食べ初めの朱の椀しまふ牡丹雪　能村　研三

斑雪(はだれ)

斑雪嶺や男は大股なるがよし　おかたかお
斑雪山林相すでに見えて来し　能村　研三
翁一人出湯にのこして斑雪踏む　林　翔

雪(ゆき)の果(はて)
涅槃雪

退職日止まず降りふるなごり雪　石山　孝子

開校の太鼓轟く別れ雪　佐藤淑子
涅槃雪昭和の役者又逝けり　吉田春美
煙突の火花遊べり涅槃雪　松村武雄
酒肆の灯が路地より洩れし忘れ雪　能村研三
けぶりゐる田母木や越も雪の果　能村登四郎

春の霙（はるのみぞれ）

ありあはせ一枚羽織る春みぞれ　高瀬哲夫
はつきりと春の霙となりにけり　林翔

春の霜（はるのしも）

アメリカは銃に病むなり春の霜　ガルシア繁子

春の虹（はるのにじ）

普陀落の海は藍濃し春の虹　櫛引明江
次の世も師弟の絆春の虹　渡辺昭
神の歩も子連れは遅々と春の虹　林翔

春雷（しゅんらい）　虫出しの雷

虫出しの雷や戦災記念の碑　鈴木良戈
大仰に虫出しの雷江戸市中　上田玲子
飴切りのリズムくづるる春の雷　荒原節子
春の雷トマトジュースの濃く澱み　笠井令子
春雷やしづかにひらく貝の口　島田浩美
二面石めぐれば春雷一度きり　渡辺輝子
春雷に覚むる朝なり炒卵　能村研三

佐保姫（さおひめ）

佐保姫に憑かれて左舷ゆすらるる　小野寿子

佐保姫はまだトンネルの向う側　佐々木みき子
佐保姫の乗りすてし雲筑波山　森本 和子
佐保姫の懐に入り楽天家　大橋 俊彦

霞（かすみ）

海底に都市あるごとく霞みをり　森岡 正作
浮くもののみな孤島めく春霞　菊川 俊朗
春がすみ水晶体の濁りかも　座古 稔子
何時よりの流離ごころや遠霞　佐藤 淑子
神休みをりしか三輪の棚霞　中坪 一子
吉野山いろ連なりて霞みけり　原田 耕作
水軍のごとく帆船春がすみ　福山 和枝
日向より肥後山霞海がすみ　藤原 照子
月山と蔵王をつなぐ春霞　槙 孝弘
春霞ふるさとの橋かけ替はり　望月 晴美
飼鶴の浅き水踏み昼がすみ　久保田 博
春帆楼見えて海峡霞みけり　能村 研三
鳴門ほのぼの淡路ほのぼの大霞　林 翔
瓜人先生羽化このかたの大霞　能村登四郎

陽炎（かげろう）

かげろふや人の百年木の千年　大畑 善昭
かつて職場のA4出口かぎろへる　千田 百里
陽炎やシルクロードと奈良の距離　内山 照久
陽炎を掬うて発てり滑走路　荒木 澤子
陽炎や亡き人多き映画見て　菊地 光子

かげろふや民主的とふ多数決　佐々木よし子
甲斐駒を遠景に置きかぎろへる　鈴木　千年
かげろふや鏡に我とちがふ人　関　洋子
陽炎や一両電車浮いて来る　髙木　春夫
陽炎をぬけ透明となる齢　藤井　遥
烈女にはなれず陽炎身にまとふ　古山　智子
乗り継ぎの列車かげろふより現るる　松井志津子
かげろふやふにやふにやと来てバスとなる　田所　節子
陽炎に売るジーンズの褪せ加減　長谷川鉄夫
立ちくらみして陽炎とこころづく　森山　夕樹
かげろふの彩瞑りて紅とせり　高瀬　哲夫
陽炎に地図の縮尺疑へり　能村　研三
陽炎に魅せられ無為の日なりけり　林　翔
先ざきの陽炎を追ひ遠江　能村登四郎

春陰（しゅんいん）

絵文字の男逃げ春陰の非常口　千田　百里
春陰の主なき時計とき刻む　清部　祥子
春陰や雲洞庵の石畳　熊倉　松太
春陰や蠟走らせし敷居溝　能村　研三

花曇（はなぐもり）　養花天

忽然とセスナ現る花曇　東島　若雄
追想とふひとりの遊び花曇　栗原　公子
縄文の土偶の丘や花ぐもり　原田　耕作
花曇り文士つてやつの情死自死　安居　正浩

レグホンの白が混みあふ花曇　福永耕二
養花天父青春の地の遡行　能村研三
我病めば妻が釘打つ花曇　林翔

鳥曇（とりぐもり）

鳥曇湾は静かに真珠抱く　森本和子
分岐点人にもありて鳥曇　河野絢子
襖絵の鷹にも及ぶ鳥曇　鈴木鷹夫
曲り家の屋根の曲り目鳥ぐもり　能村登四郎

蜃気楼（しんきろう）　海市

海市行き船を待ちゐてもう晩年　北川英子
神の領域越えし原子炉海市立つ　内山花葉
管弦の音は聞こえず蜃気楼　大森春子
糸電話つながりますよ海市まで　富川明子
匙ふかく海市たつ日のオムライス　藤井遥
昔船沈みしあたり蜃気楼　能村研三

春の夕焼（はるのゆうやけ）

照明は春の夕焼石舞台　会田三和子

地理

春の山

ピーナッツの殻に二つの春の山　安居　正浩
点睛となりし気球や春の山　森本　裕子
春の富士裾を略して浮かびたる　黒岩武三郎
グライダー降り春嶺を高くせる　西山　禎一

山笑ふ

山笑ふ父の谺に子の谺　池田　崇
山笑ふ一日水の音ばかり　浅沼　久男
山笑ふだれも来ぬ家鍵掛けて　伊藤　文
伐採の跡をゑくぼに山笑ふ　内山　照久
唐臼のリズム単調山笑ふ　大石　恵子
山笑ふはち切れさうな握り飯　大沼　遊魚
山笑ふゆるみて抜けしねぢ山も　岡部　玄治
ペダル踏む尼僧の裾や山笑ふ　桑島みつ子
花丸を見せ合ふ園児山笑ふ　佐々木泰子
鈍行は暮しの匂ひ山笑ふ　七田　文子
宮司履く木靴ごとごと山笑ふ　下出　君子
山笑ひ哀しみは宙吊りのまま　菅原　健一
礼服のともに老いたり山笑ふ　須山　登
一車輛同じ広告山笑ふ　深川　峰子

ふところに憩へとばかり山笑ふ　堀口　希望
山笑ふ吾は苦笑の物忘れ　渕上　千津
あかんぼに溜息があり山笑ふ　松村　武雄
山笑ふ蛇腹折りなる予定表　能村　研三

春の野（はるの）

和菓子フェア春の野山をゆくごとし　森岡　正作

焼野（やけの）　末黒野

末黒野を神のごとくに鳥歩む　宮坂　恒子
末黒野やどこかで僧の堕ちてゐし　大牧　広
末黒野の果ての一川淀青し　能村登四郎

春の水（はるのみず）　春水

ふくらんで水車へ急ぐ春の水　曽出きよの
栗石をころがす遊び春の水　川崎登美子
ゆるやかに加速の付きし春の水　林　一郎
春水の影も手を組む恋人ら　林　翔
掌にすくひてこぼす春の水　能村登四郎

水温む（みずぬるむ）

塗箸の丸や四角や水温む　篠藤千佳子
母在るは考のはからひ水温む　望月木綿子
水温み太りし鯉の面構へ　大浦　郁子
水温み一駅歩く途中下車　倉田千津江
水温みまだ頑張れるかと思ふ　佐野　敏江
光琳水はた観世水ぬるみけり　能村登四郎

春の海（はるのうみ）　春の湖

網人を影絵となせり春の湖　　伊藤　式郎

春の波（はるのなみ）　春怒濤

春怒濤勝も竜馬も海が好き　　齊藤　實

春の波うまくゆくことゆかぬこと　　小林　奈穂

紺青がつひに白吐く春の波　　林　翔

春潮（しゅんちょう）

巌門へ夕日引き入れ春の潮　　藤原　照子

春潮に転舵の渦の大きかり　　渡部　節郎

隅田川今春潮の満つ勢ひ　　佐藤　克江

春潮の翼ある橋渡りけり　　多田ユリ子

春潮の遠鳴る能登を母郷とす　　能村登四郎

彼岸潮（ひがんじお）

信夫・登四郎み魂相寄る彼岸潮　　渕上　千津

橋脚を洗ふ遡上の彼岸潮　　能村　研三

潮干潟（しおひがた）　忘れ潮

穴の数いのちの数や大干潟　　藤原　照子

忘れ潮忘られてゐる身もよけれ　　能村登四郎

春田（はるた）

耕せば湯気立つ春田土匂ふ　　水谷　昭代

苗代（なわしろ）

結といふ華やぎにあり苗代田　　藤森すみれ

凜として苗代寒のこゑ通す　　小澤　克己

うぶ毛田と言はむ信濃の苗代田　　林　翔

苗時の信濃は水のはしる国　能村登四郎

春の土（はるのつち）

幼虫の勾玉めきて春の土　齊藤　陽子

春泥（しゅんでい）

宙吊りに春泥の子を洗ひけり　工藤　節朗

ベランダに置く春泥の靴二足　岡崎ひさし

春泥や根をつよくして野の木橋　能村　研三

逃水（にげみず）

逃水にペダル踏む子の沈みけり　稲垣　尤子

逃げ込める逃水追うて隧道へ　秋葉　雅治

身体のまるごと元素逃水も　大畑　善昭

逃水を取り逃したる急カーブ　小松　誠一

逃げ水を追うて故郷間近にす　佐山　文子

逃水を極めん終の免許証　北川　英子

逃水の逃げの一手を肯ふか　中尾　杏子

逃水を見てよきことのあと虞れ　高瀬　哲夫

逃水の車間捉へし後続車　能村　研三

逃水を追ふ旅に似てわが一生（ひとよ）　能村登四郎

堅雪（かたゆき）

雪泥

雪泥のこの街角のこの活気　吉田　陽代

残雪（ざんせつ）

残雪の早池峰遥か夫婦鳶　永澤千恵子

残雪や杜氏の錆びし祝唄　木村　治

賜りし齢をいだく残り雪　能村登四郎

雪間（ゆきま）

ちはやぶる神の運筆雪間川　林　翔

雪崩（なだれ）

轟音の遅れて届く底雪崩　杉本光祥

炉の釜の滾る夜更けや遠雪崩　棚橋　朗

ことの外真赤な夕日雪崩あと　川島真砂夫

雪崩れたる後のさびしさ父の胸　松村武雄

黒牛のとがりて立てる遠雪崩　森山夕樹

雪解（ゆきどけ）　雪解川　雪滴

靄を生み靄を走れり雪解川　広渡敬雄

みづうみの水皺たたみ融雪期　小野寿子

床固め越えて勢ふ雪解川　菅井悦子

雪解川水のことばのあふれだす　富川明子

雪解水優しさのみで生きられず　中田とも子

雪解田に大きな夕日落ちにけり　市川和子

大江山の鬼の気性の雪解川　おかだかお

木の根元より月山の雪解かな　森谷一芳

八ヶ岳雪解伏流水の底力　草野良子

胸中を抜けゆるやかな雪解川　森岡正作

昇る日に生身多感の雪解川　森田旅舟

めんどりの胸拍子とる雪しづく　北村仁子

木の根明く（きのねあく）

湖の遠く光れる根開きかな　大沢美智子

木の根開く円錐形の叫びとも　鈴木伸一

木遺歌八ヶ岳山麓の木の根明く　矢崎すみ子

雪しろ（ゆきしろ）

雪しろの町に箸買ひ棲みつくか　吉田　明

飛騨越中雪しろの水ひた走り　能村　研三

凍解（いてどけ）

もの食べて始まる一日凍ゆるむ　能村登四郎

薄氷（うすらい）

水口に来て薄氷の立ち上がる　久染　康子

うすらひやかつての任地まだ訪はず　阿部眞佐朗

離れゆく薄氷第二反抗期　今瀬　一博

来し方を問ふ薄氷の渦模様　熊倉　松太

薄氷や昔が映る金盥　峰　幸子

あかときのビルの返照うすごほり　上谷　昌憲

葛桶に薄ら氷ゆらぐ宇陀にをり　能村登四郎

氷解く（こおりとく）　浮氷

浮氷藻の一片をひしと抱き　林　翔

流氷（りゅうひょう）

流氷の南下の旅と会ふ機窓　北川　英子

大鵬逝く流氷怒濤の輝きに　杉本　光祥

流氷の来るぞ来るぞと酒を酌む　鈴木　浩子

石舞台ほどの流氷あそびだす　林　玲子

なんの飢かな流氷を見に来たり　望月　晴美

流氷やわが旅の間も父母老ゆる　坂巻　純子

流氷を見て来し人の酒つよし　能村登四郎

生活

花衣（はなごろも）

花衣掛け置きしまま米を研ぐ　石田　静

花ごろも奥千本に合はすかな　北川　英子

春服（しゅんぷく）

オペラ観し余韻を吊す春ごろも　川畑　良子

春服のまぶしき彼が仮想敵　久保田　博

気に入りの春服を出す心当て　能村登四郎

春セーター（はるセーター）

曖昧なばんざい春のセーター脱ぐ　安藤しおん

春日傘（はるひがさ）

春日傘きらきら廻し遺跡行く　伊澤きよ子

花菜漬（はななづけ）

花菜漬箸の終りに香りけり　能村登四郎

桜漬（さくらづけ）　桜湯

めでたさを言ふ桜湯の熱きうち　高瀬　哲夫

桜漬白磁の碗にひらきけり　花田　心作

桜湯を出す子よ粗相なきやうに　池田　崇

蕗味噌（ふきみそ）

蕗味噌や土踏むことの無き一日　塩原　洋子

箸先をはつかに染めて蕗の味噌　能村登四郎

木の芽和（きのめあえ）

ふるさとは木の家にして木の芽和　大牧　広

独活和（うどあえ）

だんまりに筋を通して独活膾　能村　研三

青饅（あおぬた）

青饅や少しありたる拗ね心　能村　研三

青饅や四五人の座の内祝　能村登四郎

蜆汁（しじみじる）

水戸つぽの血を濃くしたり蜆汁　今瀬　一博

聞き役にまはる母ゐて蜆汁　平間　洋子

干鰈（ほしがれい）

海に出て山に入る日や干鰈　吉田　汀史

灘の日を木の葉つなぎの干鰈　中尾　杏子

まどろみの後の夕餉の干鰈　能村登四郎

白子干（しらすぼし）

白子船

神島を消してはよぎる白子船　鈴木美智子

漕ぎ回（た）むは白子船らし安礼の崎　柴田　雪路

目刺（めざし）

頭から食はれて目刺冥利かな　長岡　新一

焦げ目刺嚙んで俄の旅ごころ　能村　研三

行儀よき目刺よ遠き日の生徒　林　　翔

鶯餅（うぐいすもち）

ひとつ家にうぐひす餅とあかんぼと　辻　美奈子

数ふるにうぐひす餅を一羽二羽　梅本　豹太

泪もろくて鶯餅の粉こぼす　能村登四郎

草餅　蓬餅

遠き日の母の声する蓬餅　菅谷たけし
行列の先は老舗の草餅屋　永津国明
草餅におのづと出来しくぼみかな　能村登四郎

桜餅

対岸の風見えてゐる桜餅　菊地光子
ときめきを呼び覚ます色桜餅　伊藤照枝
硝子戸に老舗の重さ桜餅　佐々木群
つれあひと呼ばれて老いてさくら餅　梅村すみを
すこしづつ世はやさしくて桜餅　能村登四郎

椿餅

三つ目は海を讃へて椿餅　川島真砂夫

雛あられ

子育ての昭和は遠し雛あられ　石川雪江

白酒

眠さうに白酒瓶を出できたる　北川英子
謙譲語重ねすぎたるお白酒　能村研三

味噌豆煮る　味噌玉

味噌玉に食ひこむ藁のちからかな　中原道夫

春燈　春灯

春灯や夫在りし日の老眼鏡　柴田一世
春燈に端役だまりといふところ　能村研三
翳にさへ語りかけたく春灯　林翔

春障子（はるしょうじ）

死が葬にすばやく変る春障子　北村　仁子

春の炉（はるのろ）　春炉

出庇を三分開けゐて春炉焚く　能村　研三

春炬燵（はるごたつ）

医者ぎらひ薬嫌ひの春炬燵　金井　双峰

翔ぶ男ばかり見てをり春炬燵　能村登四郎

春暖炉（はるだんろ）

洋館の煤鏽しるき春暖炉　能村　研三

炉塞（ろふさぎ）

炉塞の灰やとてつもなく冷えて　能村登四郎

廏出し（うまやだし）　まや出し

馬柵にある去年の嚙み痕廏出し　河口　仁志

廏出しのまづめでたさの尿降らす　坂巻　純子

北窓開く（きたまどひらく）

北開く牛舎にラジオ流れをり　伊藤よし江

グーグルに我が家覗かれ北開く　杉本　光祥

遅れ馳せ北窓開けし明日香人　寺田　和子

推理作家の北窓の開かるる　北村　仁子

北開き笙献奏の神楽殿　能村　研三

北窓の用心ぶかき細びらき　能村登四郎

雪割（ゆきわり）　雪掘

宿命と耐へる外なし雪を掘る　熊倉　松太

雪囲とる（ゆきがこい）　雪吊解く

雪囲解かれて時間動きだす　佐々木よし子
雪吊を解かれし松の息づかひ　平岡豊子
雪吊を解くや天より加賀訛　近藤敏子
雪吊解く一瞬空の胴震ひ　柴田近江

屋根替（やねがえ）

屋根替の真下に蕎麦を啜りけり　能村研三

垣繕ふ（かきつくろ）

垣手入れ庭師は黒の身ごしらへ　能村研三

野焼（のやき）　野火　堤焼く

野火を追ふ男ら戦火など知らず　羽根嘉津
野火敵意あるかに筋を違へけり　酒本八重
一村の揃ひの法被堤焼く　浅野吉弘
一番星野火美しくなりにけり　岡崎伸
野火哮る微かに揺らぐ伯耆富士　島崎洋子
野火ふいに走り出しては叩かれて　須山登
叩かれてはたかれて野火吉良の里　岩崎喜美子
野火捌く棒一本の男かな　原教正
野火放つまで全景を見下ろして　川島真砂夫
野火走る固き拳がポケットに　能村研三
野火の炎の千枚舌や空舐むる　林翔
茫々と野焼を待てり鵜殿葭　能村登四郎

山焼（やまやき）

雨を無視して山焼の始まりぬ　能村登四郎

畑焼く（はたやく）　畦焼く　畦火

畦焼きの棚田に残る火の匂ひ　小平　昭七

するするときて人形を焼く畦火　坂巻　純子

芝焼く（しばやく）

芝焼いていづれは夫婦だけの家　大牧　広

麦踏（むぎふみ）

後ろ手は働く形麦を踏む　福島　茂

麦踏みの歩幅に合はせゆく軽さ　武藤　嘉子

麦踏の後ろにいつも山があり　柴﨑　英子

麦を踏む風の間にまに父の声　堀　園子

児を負うて麦踏みしこと昔あり　高橋　才子

麦踏むや一歩一歩に老いてゆく　冨岡夜詩彦

寸分も昨日と違はず麦を踏む　川島真砂夫

耕（たがやし）　**春耕**（しゅんこう）

春耕を称へて鳥の応援歌　松井　のぶ

風にまだ芯ある畑耕せり　田所　節子

耕人の土と語らふ鍬の先　内田　順治

耕運機自在にをみな日を均す　加藤　房代

海光の金銀のなか耕せり　波戸岡　旭

束ね髪の耕人見ゆる屋敷畑　能村　研三

田打（たうち）　春田打

威のゆるぶ山の稜線春田打つ　松井志津子

今暫し睡りたき田を起しけり　おかたかお

田を返す滅法晴れに薄目して　小椰　鳩子

畑打（はたうち）

土嚙んで春田起しの鍬使ひ　能村　研三
生涯に引き時いくつ畑を打つ　岡崎ひさし
隅々の光返して畑を打つ　平間　洋子
宇陀びとの屈み畑打ち石も打つ　高瀬　哲夫
畝糸にひかりを這はせ畑を打つ　能村　研三

畦塗（あぜぬり）

畦塗つてほろりほろりと夕の雨　久保田　博
継ぐ人の無き畦を塗る父の影　石山　孝子
不器用もきつとゐる筈畦を塗る　能村　研三

種物（たねもの）　種袋

種袋振れば命の音のせり　小栗　八重
客一人見えて灯ともす種物屋　峰　幸子
こころ軽き夜は種袋振つてみる　吉田　明
先代の顔となりたる種物屋　能村　研三

種選（たねえらび）

掬ひてはこぼす日の粒種選び　湯橋　喜美
片意地の未だ失はず種選び　能村登四郎

種井（たない）　種池

筑波よく晴れ種池の気泡かな　坂巻　純子

種浸し（たねひたし）　種俵

早池峰にかかる雲あり種浸す　上野　節子
籾俵ひたして星を波だたす　今瀬　剛一
雨音の土間に置かれし種俵　能村登四郎

種蒔（たねまき）　花種蒔く

両子嶺の膝下を出でず種を蒔く　林　一郎

赴任地に花種蒔きて根付くかな　伊藤　照枝

花の輪となるやうに蒔く花の種　矢崎すみ子

みちのくの出作入作種蒔けり　能村　研三

苗木市（なえぎいち）

七輪を据ゑ参道の苗木市　水木　沙羅

苗木植う（なえぎうう）

お手植ゑに朴の苗木の選ばるる　佐々木みき子

剪定（せんてい）

中空を画布と見立てて剪定す　熊倉　松太

接木（つぎき）

夜気どこかづきんづきんと接木あと　北川　英子

老人の耽美のはじめ接木して　松村　武雄

帯結ぶほどの手ごころ接木藁　北村　仁子

偉丈夫で優しき人よ接木せり　能村　研三

挿木（さしき）

挿し木して見守る月日生れけり　吉田　陽代

お釣りほどの人生に生き挿木する　能村登四郎

菊植う（きくうう）

日輪の中に分け入り菊を植う　ガルシア繁子

菖蒲根分（しょうぶねわけ）

菖蒲根の赤さをたのみ植ゑにけり　能村登四郎

若布刈る（わかめかる）

海神のふところ深し若布刈棹　松島不二夫

海苔掻き（のりかき）　海苔篊

海苔篊の見ゆる航空写真かな　能村研三

牧開（まきびらき）

天気晴朗カルストの牧開き　近藤実

桑解く（くわとく）

遠嶺いま鈍色にして桑ほどく　辻前冨美枝

頼もしきほどに放埒桑を解く　渡部節郎

桑摘（くわつみ）

夜桑摘む梯子一段づつ濡れて　川島真砂夫

蚕飼（こがい）　捨蚕

朝の日のとどかぬところ蚕を捨てし　今瀬剛一

茶摘（ちゃつみ）

雄大な無言劇めく茶摘かな　上田玲子

魞挿す（えりさす）

蕉門の末弟子のごと魞見てをり　能村登四郎

磯竈（いそかまど）

磯かまど海女の手櫛の艶めきて　沖島孝光

磯開（いそびらき）

磯開けの明日へ満々たる入日　遠藤真砂明

海女（あま）

躍動の海女鰭よりも透きとほり　小椰鳩子

海女潜きいのちの気泡音も無し　林翔

磯遊び(いそあそび)

握り飯ひかり合ふなり磯遊び　能村研三

潮干狩(しおひがり)

干満をマイクの告ぐる潮干狩　塩野谷慎吾

潮干狩映る日輪かき消えぬ　森山夕樹

遠足(えんそく)

孔雀全開いま遠足のお昼どき　林玲子

遠足のどつと淋しくなる電車　齊藤實

遠足のしんがり拾ふ副担任　山越朝子

遠足の後尾はいまだ舟の中　今泉宇涯

遠足の列は余さず森に入る　能村研三

踏青(とうせい)

青き踏む

浮雲を呼ぶ踏青の指笛か　遠藤真砂明

直に生き英傑の地の青き踏む　森岡正作

踏青の足裏何かと跳びたがる　おかたかお

日を追うて踏青といふ足馴らし　加藤久仁子

生きて在るかぎり途中よ青き踏む　楠原幹子

せせらぎの音を離れず青き踏む　塩野谷慎吾

青き踏む自然治癒力信じつつ　塙誠一郎

青き踏む靴に浮力の生れけり　松本圭司

職辞して只人として青き踏む　能村研三

青き踏み来て野石墓踏まむとは　林翔

ジーパンに詰め込む肢体青き踏む　能村登四郎

野遊（のあそび）

わらんべの野遊びぼてり重かりし　甲州　千草

野遊びの子等は天使の羽根を持つ　田中　君子

野遊びにしては無粋な男たち　能村　研三

摘草（つみくさ）　草摘む

草摘むやあの日あの飯あの疎開　千田　敬

摘草や拾ひ始めは一羽毛　能村　研三

花見（はなみ）　花人

賑やかに女の仕切る花見かな　須藤紀枝子

をんな坂より花人となる歩幅　渡辺　満枝

人形浄瑠璃花人として出会ひけり　関　洋子

桜狩（さくらがり）

妻知らぬ月日の中のさくら狩　能村登四郎

花筵（はなむしろ）

花筵巻けばはこべら立ち直る　藤井　晴子

花筵なぜか胴上げはじまりし　梅本　豹太

赤ん坊が真中にゐる花筵　原　教正

花筵端の暗さを重ねあふ　能村　研三

夜桜（よざくら）

夜桜や和紙色の月高遠に　岩佐　政子

花篝（はなかがり）

印泥を篦で練り上げ桜の夜　能村　研三

花篝こぼれ火こそはしづかなれ　能村登四郎

花守（はなもり）

実直なかつての上司花守に　能村研三

花疲（はなづかれ）

クラクション鳴らされてゐる花疲れ　山崎ふじ子

花疲れまづ眼に来ての袱紗鮨　能村登四郎

ボートレース　レガッタ

レガッタや覇者の余韻の流し漕ぎ　大沢美智子

凧（たこ）

いかのぼり

飾られて未だ空知らぬ津軽凧　池田崇

束縛といふいのち綱いかのぼり　石川笙児

いかのぼり身に添ふ風を探りあて　渡辺輝子

子の凧の雪嶺越えしとき光り　館野たみを

大凧のいのちあやつる一糸かな　能村研三

かの童まだ遠凧につながれる　林翔

凧の子の恍惚の眼に明日なき潟　能村登四郎

風船（ふうせん）

適齢期なき世風船飛んでゆく　宮内とし子

叶へたき夢風船の手を離す　篠藤千佳子

風船やあこがれに紐ついてをり　辻直美

風船の風となるため離れけり　大矢恒彦

風船の糸の長さにある自由　佐々木群

ゴム風船ちやほやされて飛ばされて　佐野ときは

児が去りて風船居間を漂へり　須田千代

紙風船つく手にぽんと音残す　松丸佳代

紙風船銀の口より細き息　能村研三

風車（かざぐるま）

風車回りて色の無くなりぬ　大橋俊彦
かざぐるま買はれて愛想廻りせり　大牧広

石鹼玉（しゃぼんだま）

消ゆるまで祈りの器しやぼん玉　伊藤文
競ひ合ふ肺活量としやぼん玉　秋葉雅治
しやぼん玉消えて空気の新しく　石山孝子
シャボン玉新たな時へ飛び出せり　鈴木新一
児の息が空を彩りしやぼん玉　宮坂秋湖
生きるとは佳き日悪しき日しやぼん玉　渡辺輝子
かのやうに地球は浮かぶ石鹼玉　辻直美
石鹼玉壊すこととは創ること　能村研三

鶯笛（うぐいすぶえ）

鶯笛くちびる鳥になつてゐし　宮内とし子

ぶらんこ　半仙戯

鞄置き夜のぶらんこ漕ぎにけり　福島茂
鞦韆や立ち漕ぎすれば翼出づ　中田とも子
ふらここを漕いで無敵の気分なり　五十嵐章子
引力に引き戻さるる半仙戯　小栗八重
竹林のそよぎふらここ揺らしけり　柴田久恵
背中押す人の温もり半仙戯　髙木春夫
ぶらんこの影のうへ漕ぐ子供かな　廣田健人
還暦や鎖の冷えてゐる鞦韆　田辺博充

ふらここの着地いづれも窪みをり　能村研三

春の風邪（はるのかぜ）

春風邪といふ暖色のやまひかな　菅原健一

学校が遠くに見ゆる春の風邪　波戸岡旭

白粥に身の薄くなる春の風邪　三浦青杉子

峻厳な人より貰ふ春の風邪　能村研三

花粉症（かふんしょう）

すべりよき朝戸となりて花粉症　内山花葉

花粉症人事企つ男にも　能村研三

種痘（しゅとう）

昔むかしの種痘の痕のまだ痒し　能村登四郎

朝寝（あさね）

雨音の睡魔にやさし大朝寝　伊藤よし江

花いまだ咲かぬ吉野の朝寝よし　高瀬哲夫

百彩の顕ちくる刻を朝寝して　林翔

世はすべて先行くおもひ朝寝して　能村登四郎

春眠（しゅんみん）

春眠や魚の頃の蒼き海　石﨑和夫

春眠の浅瀬にあそび過したり　森山夕樹

春眠や進化のあとの尾骶骨　諸岡和子

春の夢（はるのゆめ）

春の夢鳩サブレーの抱卵す　森岡正作

「鎌足」の部屋に泊りて春の夢　加藤富美子

どこか醒めゐて春の夢見了んぬ　能村登四郎

春興（しゅんきょう）

爪割れてなほ春興のギタリスト　林　翔

春意（しゅんい）

春意とはことば運びのなめらかに　能村研三

榛原の春意ためらふ風の中　能村登四郎

春愁（しゅんしゅう）

息吸つて止めて春愁撮られけり　杉本光祥

日めくりの切り跡の層春愁ふ　高木嘉久

カーテンの襞の春愁引きにけり　上田明子

アイロンをかけて春愁平らにす　大森春子

春愁を知らぬ男とゐる疲れ　岡崎　伸

春愁を飼ひならしては粥を吹く　小山田子鬼

春愁を椅子の堅さに重ねをり　柿本麗子

春愁のぽろんと終るオルゴール　清部祥子

グラタンの糸引く長さ春愁　佐々木　群

通勤の吊革あまた春愁ひ　田川美根子

針箱にむかしのボタン春愁　舘　千咲

手鏡の春愁ぐいとひと拭ひ　二瓶重子

春愁の灯透きたる吉野和紙　根本世津

春愁や睦みあひたる弦と弓　東島若雄

春愁のクリオネ落下しつづける　古山智子

春愁や四十年の職去る日　保泉孟史

春愁や母の手筥に父のふみ　堀口希望

マネキンの笑みに隠れてゐる春愁　水谷昭代

春愁やくはへ莨の市川崑　望月木綿子

春愁や夫の世今も胸に生き　頼田幸子

回転椅子くるり春愁より抜ける　柴田雪路

古書店の奥の奥にて春愁　能村研三

春愁を告げ来しふみの余白かな　林翔

うすうすとわが春愁に飢もあり　能村登四郎

納税期（のうぜいき）

納税期高さ揃はぬ椅子に掛け　内山花葉

入学試験（にゅうがくしけん）　合格

合格を決めて怒濤に会ひにゆく　今瀬一博

水たまり一気に跳んで合格子　近藤鉦子

受験子の夜々の木椅子のきしみけり　須山登

あした受験の子に満天の星があり　吉田陽代

喜びといふ黙があり合格す　松本圭司

大試験（だいしけん）

千人の中なる孤独大試験　佐藤みほ

大試験破顔の絵文字届きけり　桑島みつ子

黒々と鯉が沈めり大試験　広渡敬雄

卒業（そつぎょう）

ラッピングして卒業の花になる　安居正浩

卒業生総代の声変はりかな　広渡敬雄

句点なき証書一枚卒業す　今瀬一博

庇ひ合ふいい奴なんだと卒業す　小田原益子

卒業子養蜂箱に見送らる　草野良子

卒業の写真にいまも在る明日　菅原健一
壇上の生徒の楽士卒業歌　鈴木秋雲
モニュメントに己が顔描き卒業す　田中君子
今朝生れし子山羊抱きて卒業す　土屋和子
無事帰宅せし卒業の借袴　長谷川鉄夫
窓に積むほんたうの雪卒業歌　川島真砂夫
卒業論文師に譲らざるひとところ　吉田明
卒業子等身鏡より出発す　能村研三
石蹴つて石光らしむ卒業期　林翔

春休（はるやすみ）

春休み音読の子につき合うて　金子なか
春休み餓鬼大将の交替期　浅野吉弘

入学（にゅうがく）　一年生

一度だけ母へ振向き入学す　大沢美智子
マシュマロのやうな消しゴム一年生　林玲子
よく動く大きな瞳入学す　遠城健司
鉄棒は一の字に似て入学子　佐藤みほ
一年生ランドセルより手足生ゆ　中坪一子
巻尺の弾みて戻る入学期　松本明子
入学の列にも飛んで海つばめ　三浦青杉子

新社員（しんしゃいん）

紺服の芯の細頸新入生　林翔
きびきびと廊下を曲り新社員　吉田輝夫
つややかに髪を逆立て新社員　宮坂恒子

行事

建国記念の日(けんこくきねんのひ)　建国日

二十歳まで皇紀なりしよ建国日　水上　陽三

箸といふ文化が不思議建国日　林　翔

東京大空襲忌(とうきょうだいくうしゅうき)　三月十日

竹とんぼ飛ばし三月十日なる　堀口　希望

川渺茫三月十日暮れにけり　岡崎ひさし

東日本大震災忌(ひがしにほんだいしんさいき)　三月十一日

三月十一日野原を撫づる風の哭く　ガルシア繁子

昭和の日(しょうわのひ)

レコードの終りは無音昭和の日　林　昭太郎

御名御璽知らぬ妻なり昭和の日　千田　敬

昭和の日産土神へ詣づべく　鈴木　良戈

みどりの日(みどりのひ)

みどりの日プリンに淡き蜜の色　堀　園子

父島を発つ銅鑼の音やみどりの日　伊澤きよ子

寝袋のはらわた干さるみどりの日　大島　雄作

絵踏(えぶみ)　踏絵

天草五橋絵踏のごとく渡りけり　齊藤　實

十字架のイエスが踏絵ふめといふ　荒井千佐代

憲法記念日（けんぽうきねんび）

珈琲はブラック憲法記念の日　頓所友枝
憲法記念日刺のある木を摑む　大島雄作

初午（はつうま）　一の午

初午や戦で逝きし馬の数　鈴木良戈
田にすこし潤ひ出でて一の午　能村登四郎

二月礼者（にがつれいじゃ）

長男の二月礼者のごと来る　安居正浩
赤ん坊見せにと二月礼者なり　宮内とし子
久々の会合二月礼者めき　能村登四郎

事始（ことはじめ）

山盛り蜜柑潰えて家塾事始め　林翔

二日灸（ふつかきゅう）

芋伏せの農の始めの二日灸　江崎孝彦

針供養（はりくよう）

レコードに溝は一筋針供養　内山照久
やはらかき雲を浮かべて針供養　篠藤千佳子
遠い木がひかり初めたる針供養　髙橋あさの

雛市（ひないち）　雛の店

雛市の猫の香箱座りかな　辻美奈子
男来て鍵開けてゐる雛の店　鈴木鷹夫

雛祭（ひなまつり）　雛飾る　紙雛　雛の間

裏山のしづかな日なり雛飾る　広渡敬雄
雛出すために男の爪を切る　森岡正作

折るほどに祈りに変る紙雛　市瀬千加子
待針の玉のうるみも雛の日　大沢美智子
繭雛息止めて描くおちよぼ口　清水　栄子
石段の千余のひひな安房の宮　鈴木　秋雲
紅殻に雛軸掛くる塗師の町　中津　正克
挨拶の仕草まねをり雛あそび　林　慶太
雛飾る一年蟄居解くやうに　深見　喜子
玻璃越しの海光まぶし座敷雛　堀　園子
嫁ぐてふ言葉ゆかしき雛調度　三好千衣子
自分史を語りて雛の客傘寿　森谷　一芳
廊下まで座布団敷かれひなまつり　久染　康子
箱を出て一つ背伸びの雛座る　古守　弓子
係累のはづれにありて雛飾る　北村　仁子
箱攻めの雛段の下見えてをり　能村　研三
死者は老いずあはれ雛も老いざるよ　林　翔
通されて雛の間までの間取よき　能村登四郎

雛納め（ひなおさめ）

鼻筋のつめたき雛納めけり　細川　洋子
雛は箱に夕日は山に沈みけり　河野美千代
遠嶺はや黒々と暮れ雛納　峰　幸子
ひとつづつ目を合はせては雛納む　頼田　幸子
手のちがふ添書出でて雛納め　長谷川鉄夫
ひとすぢのおくれ毛もなし雛納む　北村　仁子
身ごもりの厚みを加へ雛納む　能村　研三

紐すこし貫ひに来たり雛納め　能村登四郎

雛流し（ひなながし）
流し雛

思ひ川に流せし雛をおもひ寝る　舘野たみを

遙かなる水は青かれ流し雛　林　翔

流し雛見えなくなりて子の手取る　能村登四郎

鶏合（とりあわせ）
負鶏

まだ猛りゐる負鶏をきつく抱く　菅谷たけし

雁風呂（がんぶろ）
雁供養

雁風呂や吾もこの地の異邦人　齊藤　陽子

瓦礫まだ残る浜辺の雁供養　河口　仁志

十三詣（じゅうさんまいり）
知恵詣

悪さうな顔をしてをり智恵詣　梅本　豹太

義士まつり（ぎしまつり）

子供等の両手に駄菓子義士祭　鈴木　良戈

水口祭（みなくちまつり）

水口祭男が作るあんこ餅　佐川三枝子

四月馬鹿（しがつばか）
エイプリルフール　万愚節

宙を飛ぶピザ生地エープリルフール　千田　百里

エイプリルフールとがなくてよいお米　井原　美鳥

舌を出すアインシュタイン四月馬鹿　佐藤　洋子

とめどなく鳥来てエイプリルフールの樹　小澤　克己

箱に箱すつぽり入る万愚節　能村　研三

緑の週間（みどりしゅうかん）

この春の緑の羽根は弔意めく　能村　研三

東踊（あずまおどり）

教師に一夜東をどりの椅子紅し　能村登四郎

春祭（はるまつり）

綿飴は雲すくふごと春祭　秋山ユキ子

春まつり酢をもて締むる青魚　能村研三

旅で逢ふ春の祭をこころ当て　能村登四郎

若狭のお水送り（わかさのおみずおくり）　送水会

瀬響きに火の列うねる送水会　能村研三

先帝祭（せんていさい）

先帝祭宮の参道海に入る　能美昌二郎

靖国祭（やすくにまつり）

靖国祭雨後の玉砂利音鎮め　上田玲子

涅槃会（ねはんえ）　涅槃図　涅槃変

涅槃図の隅に在るごと坐りけり　大橋忍

日当らぬ方が逃げ部屋涅槃寺　坂本俊子

涅槃図の北に海置く伯耆かな　吉田汀史

海底を地震はしりくる涅槃変　松本圭司

白布いま涅槃の色の夕日浴ぶ　藤井晴子

百畳の風を背に涅槃像　能村研三

涅槃図の泣きむし象がわが先祖　林翔

お涅槃の庫裏にて貰ふ傷ぐすり　能村登四郎

浦佐の堂押（うらさのどうおし）

浦佐の堂押ひと日賑はふかじか酒　渡辺輝子

お水取（みずとり）

たたたたた松明走るお水取　和田満水

遍路（へんろ）

花遍路

石段のかくも減りたる遍路道　森田潤子

己が句を茶店に吊す花遍路　仁藤輝男

遍路脱ぐ沓それぞれの長き紐　高瀬哲夫

似たれども吾の筈なき遍路かな　能村登四郎

仏生会（ぶっしょうえ）

川の面に絹の雨脚仏生会　松井志津子

甘茶（あまちゃ）

ぬるるほど光りたまへり甘茶仏　西本幸

花御堂（はなみどう）

九つの御仏こもれる花御堂　能村登四郎

壬生念仏（みぶねんぶつ）

壬生狂言

壬生念仏眠りを誘ふ調べかな　礒山恭行

壬生狂言身ぶりやるかたなかりけり　森山夕樹

うす闇を鉦がひきよせ壬生狂言　松村武雄

壬生狂言鉦方若くつかまつる　能村登四郎

二十六聖人祭（にじゅうろくせいじんさい）

致命祭

千の祈り一つの波に致命祭　柿本麗子

バレンタインの日（ひ）

愛の日のどうせならウィスキーボンボン　和田満水

森の巣箱かけ替へバレンタインの日　大島雄作

四旬節（しじゅんせつ）

常節の岩に抱かるる四旬節　米光　徳子

聖木曜日（せいもくようび）

固きパン買うて聖木曜暮るる　千田　百里

聖金曜日（せいきんようび）　受難日

受難日や尻ゆたかなる蜂来たる　能村登四郎

復活祭（ふっかつさい）

復活祭パセリを森のやうに盛り　荒井千佐代

卵白の泡立ちあがる復活祭　大森　春子

復活祭にて米の寿の誕生日　水上　陽三

ダイバースーツ烏賊干しにして復活祭　能村　研三

良寛忌（りょうかんき）

一日を無欲でゐたき良寛忌　佐藤　洋子

ぬばたまの黒飴さはに良寛忌　能村登四郎

夕霧忌（ゆうぎりき）

絃一本切れたる琵琶や夕霧忌　岩崎喜美子

椀の中花麩うす咲く夕霧忌　西山　禎一

実朝忌（さねともき）

春潮のくだけて白し実朝忌　礒貝　尚孝

実朝忌サーファーなべて黒づくめ　大森　春子

衣擦の音すれ違ふ実朝忌　能美昌二郎

西行忌（さいぎょうき）

筑波嶺にかかる絹雲西行忌　鈴木　良戈

み吉野もかく深く来て西行忌　能村　研三

月負うて雲も旅する西行忌　林　翔

利休忌（りきゅうき）

うべなひて死を賜りし利休の忌　吉田　汀史

菜の花忌（なのはなき）

この国のかたち揺らぎて菜の花忌　塙　誠一郎

安吾忌（あんごき）

安吾忌や両手にかこふ酒のあり　熊倉　松太

多喜二忌（たきじき）

吊革に凭れて眠る多喜二の忌　座古　稔子

真砂女忌（まさじょき）

沖じめの鰆一本真砂女の忌　石﨑　和夫

三鬼忌（さんきき）

こんにやくに七味きかせて三鬼の忌　金田　誠子

三鬼忌の飛んで戻らぬブーメラン　菊川　俊朗

虚子忌（きょしき）

むら雲に寂と日のある虚子忌かな　高瀬　哲夫

ピカソ虚子ともに逞しその忌なり　林　翔

啄木忌（たくぼくき）

啄木忌生命の森へ歩をしるす　佐藤　みほ

杳か来て雨の啄木忌とはなりぬ　能村登四郎

梅若忌（うめわかき）

金平糖のほろとこぼれて梅若忌　井澤　禎子

不消化の言葉呑み込む梅若忌　湯橋　喜美

梅若忌わすられをりて雨に暮れ　林　翔

荷風忌（かふうき）

放縦の裏に孤高や荷風の忌　仁藤 輝男

降りみ降らずみ男傘干す荷風の忌　大沢美智子

修司忌（しゅうじき）

少年に莨の匂ひ修司の忌　鈴木 浩子

動物

孕鹿（はらみじか）

孕鹿日に向く口の匂ふなり　久保田　博

落し角（おとしづの）

落し角捨てたき過去の二つ三つ　二瓶　重子

猫の恋（ねこのこい）　孕み猫

孕猫人を見る眼の定まらず　石山　孝子
うかれ猫三十三間堂を抜け　望月木綿子
恋はややこし人の世も猫の世も　菊川　俊朗
猫にして恋の王者のひとゆすり　中尾　杏子
しのびてもあるべきものを猫の恋　森山　夕樹
恋猫に鈴鳴る猫の加はれり　岡本　富子
隣家より恋を重ねし猫が来て　能村　研三
恋遂げし猫の細髭ふるへをり　林　翔

猫の子（ねこのこ）

名のついてより猫の子の末子めく　辻　美奈子
はなびらのやうな舌出す子猫かな　大川ゆかり
見栄えせぬ方の仔猫のよく育つ　北村　仁子

亀鳴く（かめなく）

亀鳴くや家事のいろはを夫に説く　成宮紀代子
隕石は星の散骨亀鳴けり　安藤しおん

もう鳴きし亀か一日を甲羅干し　鈴木　浩子
亀鳴けり恋は難解方程式　田辺　博充
亀鳴くや今聴きしこと今忘れ　中田とも子
新宿の地下に迷ひて亀鳴けり　東　良子
亀鳴くやダムに沈むと言ふ村に　深見　祐子
人生きてたかが百年亀鳴けり　河口　仁志
俳諧にあらはれて亀鳴きにけり　吉田　汀史
亀鳴けり世に出づ定家申し文　渡辺　昭
活字力衰ふままに亀鳴けり　能村　研三
ベレー何故かぶると亀に鳴かれけり　林　翔
亀鳴くや亀の旧字はもう書けず　能村登四郎

蟇穴（ひきあな）を出（い）づ

蟇の出て大愚とならむこころざし　渡辺　昭

蛇穴（へびあな）を出（い）づ

蛇穴を出でて身の丈持て余す　鳥居　公子
蛇穴を水の流れのやうに出る　河口　仁志

お玉杓子（たまじゃくし）　蝌蚪

園児らのはるばる蝌蚪の国に着く　森岡　正作
新薬のいつか出るはず蝌蚪の紐　石川　笙児
水面にも磁気うすうすと蝌蚪ぐもり　樋口　英子
湖国いま水の微熱の蝌蚪ぐもり　小澤　克己
どこからか拍手がおこり蝌蚪生る　松本　圭司
大ゆれの学校蝌蚪をよろこばす　川島真砂夫
蝌蚪生れトレモロの尾を振り始め　林　翔

蝌蚪ほどの誤植と笑ひとばしけり　能村登四郎

蛙（かわず）

夜蛙の包囲を躱し寝まるなり　岡澤　田鶴

夜の蛙澎湃と田にも沖あらむ　森山　夕樹

蛙鳴く田を知つてゐる子の熟睡　鈴木　節子

春の鳥（はるのとり）　春禽

くれなゐの舌を使へり春の鳥　鈴木　鷹夫

春禽散らし海吼幾重迫り来る　能村　研三

貌鳥（かおどり）

貌鳥の剽軽な声羽ばたけり　大橋　俊彦

呼子鳥（よぶこどり）

姉川にこゑを濡らして呼子鳥　柴田　近江

百千鳥（ももちどり）

百千鳥どの花も持つ茎いつぽん　辻　直美

墨磨つて何も書かぬ日百千鳥　鈴木　鷹夫

風と来る諸鳥のこゑ紗のごとし　林　翔

鶯（うぐいす）　初音

調律の途上の初音かと思ふ　林　一郎

正調の一声なりし初音なり　木村　治

ふと頰のふくらむ思ひ初音せり　林　翔

菊戴（きくいただき）

ゆく道に現れて消ゆ菊戴　松本　圭司

菊戴山窪すこし水を溜め　能村登四郎

雉（きじ）

石笛や遠く応へて雉子鳴く　林　翔

雲雀（ひばり）　告天子

雲雀ひばり走れば風が泪ふき　岡澤　田鶴

ふたがみの山垣くもる告天子　中野　了一

雲雀鳴く城下八丁味噌の蔵　平岡由美子

堰音の日増しの勢ひ揚ひばり　米田　紀子

あげひばり一直線は無限にて　辻　直美

鷽（うそ）

鷽の声聞かせてもらふ電子辞書　杉本　光祥

みねばりの花のさ青に鷽の声　林　翔

燕（つばめ）　初燕

ダンディーと言へば燕の方が上　安居　正浩

つばくらめ農衣翼のごと干さる　藤森すみれ

燕来て山河眩しくなりにけり　栗城　静子

日本の子供が好きで燕来る　樋口　英子

追悼のサイレン海へ初燕　森本　裕子

一閃のあきらかに初燕なり　小澤　克己

乙鳥の宙搏つて鳴る馭者の鞭　福永　耕二

逆吊りに自転車売らる燕来て　能村　研三

岩燕（いわつばめ）

夕映えの画賛となりし岩燕　大沼　遊魚

放流のダムのしぶきや岩つばめ　藤原　照子

引鶴（ひきづる）　鶴帰る

鶴引きし後の欠航つづきかな　辻　直美
引鶴のこゑ逆縁を悼むかに　水木　沙羅
につぽんの夕日離さず鶴帰る　川島真砂夫
目放さば消ゆ引鶴のうねり棹　中尾　杏子
水の章空の章へと鶴帰る　能村　研三
腋羽の汚れをまざと鶴帰る　能村登四郎

白鳥帰る（はくちょうかえる）

白鳥帰る尾羽に仕舞ふ足二本　鈴木　秋雲
白鳥帰る月下にあはく影を曳き　菅井　悦子
まだ濡れてをり白鳥の引きし空　樋口　英子
引き際の白鳥にして争はず　能村登四郎

帰雁（きがん）

使徒像の遠まなざしを帰る雁　中尾　杏子

引鴨（ひきがも）

引き鴨の磁気あるごとく列となり　網代ユウ子
鴨去りしあと東京の女医がくる　川島真砂夫
ゆく鴨や遠つあふみは潮ぐもり　林　翔
近江にて水遠き野やもどり鴨　能村登四郎

残る鴨（のこるかも）　春の鴨

残り鴨人のぬくみへ向き変ふる　北村　幸子
月曜の午後は退屈春の鴨　岡澤　田鶴
薄日差す水脈が水脈追ふ春の鴨　溝呂木信子
はつと胸白くて春の夕の鴨　久保田　博

一夫一婦のはみ出しの鴨残りけり　岡本　富子
残り鴨片足立ちの眠りかな　能村　研三
氷啄いてゐる胸中の残り鴨　能村登四郎

鳥帰る（とりかえる）

鳥帰る点一列の視力表　安藤しおん
目薬もひとつの涙鳥帰る　辻前冨美枝
指切りは小指の役目鳥帰る　小川　流子
鳥帰る岬は風の音ばかり　西村　渾
鳥帰る母ある限り通ふ道　二瓶　重子
蒼穹に鎖を投げて鳥帰る　藤代　康明
鳥帰るわが七十路も通過点　河口　仁志
鳥帰る水際はものの影ふえて　松村　武雄
鳥帰るよりも遙かを吾子逝けり　西山　禎一
海流の濃きをしるべに鳥帰る　能村　研三

鳥雲に入る（とりくもにいる）　鳥雲に

まだ音を置かぬ五線紙鳥雲に　井原　美鳥
鳥雲に架けては外す船の橋　関　洋子
飛鳥路の石みな有情鳥雲に　成宮紀代子
鳥雲に途中下車など許されず　東　良子
灘二つ分つ岬や鳥雲に　藤原　照子
酒棄てし友のたれかれ鳥雲に　林　翔
鳥雲に入るがごとくに吾子嫁ぐ　能村登四郎

囀（さえずり）

囀りや家事は俯くこと多し　小林　奈穂

さへづりといふ高らかな相聞歌　堀口　希望
さへづりやしつかり食べる朝ごはん　大川ゆかり
枝替へて枝かへてまた囀れり　岡崎　伸
囀りの高音よきつと合格す　酒井　敏子
囀りや木の瘤水をたたへをり　中村　久子
さへづりの中に身を置く大樹かな　増谷　和子
囀やときめき何時も未然形　峰崎　成規
うすれゆく墓誌に囀り降りしきる　宮坂　恒子
囀のふくらみ包む大樹かな　茂呂　昇平
ただけぶる落葉松にして囀れり　林　翔
開眼経のあひ間あひ間を囀れる　能村登四郎

鳥交る（とりさかる）　鳥の恋

ステンドグラスの左右対称鳥の恋　細川　洋子
熊笹はいつもいきいき鳥の恋　松井　のぶ
読み返す本の行間鳥の恋　秋山ユキ子
新しき補聴器鳥の恋拾ふ　菅谷たけし

雀の子（すずめのこ）

雀の子翔ちそれからの力湧く　三浦青杉子
虫けらに勝つて芝跳ぶ雀の子　林　翔

鳥の巣（とりのす）

鳥の巣は街一望の高さかな　清水佑実子
鳥の巣に地球の色の卵かな　浅沼　久男
鳥の巣の梢八合の位置にあり　能村　研三

巣箱（すばこ）

巣箱あり鳥のきさうな素朴な木　佐野ときは

裏山のどの巣箱にも母校の名　久染　康子

鳥の卵（とりのたまご）

抱卵期

抱卵の鳩に見らるる私生活　石川　笙児

森は音洩らさぬやうに抱卵期　北川　英子

巣立鳥（すだちどり）

巣立鳥いま鋭角の世界あり　林　翔

桜鯛（さくらだい）

日蓮の海を染めたる桜鯛　大森　慶子

庖丁の銘透くほどや桜鯛　小菅　暢子

髪へ飛ぶうろこひとひら桜鯛　正木ゆう子

ほむらなす老人の息桜鯛　鈴木　鷹夫

桜鯛その大きさに値切られず　能村　研三

さむき日の鱗を立てて桜鯛　能村登四郎

鰊（にしん）

船絵馬がゆれて出港鰊船　中村　久子

故地樺太より亡命の鰊かも　藤井　晴子

鱵（さより）

針魚舟

安房暮色さよりのたづな造りかな　大沢美智子

一湾の凪真ふたつに針魚舟　近藤　敏子

品がきの一つに鱵薄づくり　網代　鏡子

匕首の青さのさより糶られけり　梅村すみを

鯥五郎（むつごろう）

鯥五郎求愛ジャンプの潟ゑくぼ　米光　徳子

鮊子（いかなご）

いかなごのへつぽこ釘の如くなり　鈴木　伸一

白魚（しらうお）　白魚網

白魚のさかなたること略しけり　中原　道夫

白魚はさびしや雨の味したり　森山　夕樹

珍重の数しかとれず白魚網　能村　研三

諸子（もろこ）

近江なる諸子の寸を嘉しけり　吉田　汀史

注ぎたる酢のうつくしき初諸子　能村登四郎

公魚（わかさぎ）

公魚の網曳く課外授業かな　長岡　千波

桜鯎（さくらうぐい）

花うぐひ耶馬も奥なる水のいろ　中尾　杏子

柳鮠（やなぎはえ）　鮠

あやふきに遊ばむ鮠の走りけり　松村　武雄

乗込鮒（のっこみぶな）

乗込の背鰭夕日に翻る　吉田　政江

子持鮒（こもちぶな）　春鮒

春鮒を頒ち貧交十年まり　能村登四郎

若鮎（わかあゆ）　上り鮎

しろがねの水の修羅浴ぶ上り鮎　松島不二夫

上り鮎跳んで人智の圏外へ　林　　翔

雪代山女（ゆきしろやまめ）

掌の鼓動たしかに雪代山女なり　能村登四郎

菜種河豚（なたねふぐ）

身の内を波立たせたる菜種河豚　大沼　遊魚

螢烏賊（ほたるいか）

昼酒の淡くまはりて螢烏賊　辻前冨美枝

さびしさが焼きころがして螢烏賊　能村登四郎

花烏賊（はないか）

花烏賊やまばゆき魚は店になし　林　翔

飯蛸（いいだこ）

飯蛸に猪口才の口ありにけり　中原　道夫

飯蛸を炙る加減に口出せり　能村登四郎

栄螺（さざえ）

火にかける栄螺ことりと動きけり　菅谷たけし

朝市や栄螺まじめに潮吹ける　木村　治

ころがりてとまる栄螺の多角形　花田　心作

海神の彫琢の作栄螺置く　能村　研三

蛤（はまぐり）

口割らぬ大蛤の直火焼　渕上　千津

蛤の柱をはづす指南あり　中原　道夫

浅蜊（あさり）　浅蜊売

足すよりはこぼし上手に浅蜊売　久染　康子

島裏に日だまり増えて浅蜊掻く　三好千衣子

酒あびて踊りだしたる浅蜊かな　溝口美代子

潮吹（しおふき）　潮吹貝

浅蜊掻く男の黙に近寄れず　柴田　雪路

次の世は潮吹貝にでもなるか　能村登四郎

桜貝（さくらがい）

拾はねば波が攫ひぬ桜貝　福島　茂

追憶のたびに色増す桜貝　石田　静

はらわたのありさうもない桜貝　関根　瑶華

夢のやうな増穂浦なりさくら貝　小島　史子

少年の傷つきやすし桜貝　浅沼　久男

蜆（しじみ）

重くしてことりともせぬ蜆桶　能村登四郎

田螺（たにし）

叙勲とや田螺の道に朝日差し　大畑　善昭

休み田の臍をくすぐる田螺かな　加藤久仁子

わが句また独り言めく田螺かな　能村登四郎

桜蝦（さくらえび）

量りこぼして一尾はあはきさくら蝦　岡本　富子

寄居虫（やどかり）　ごうな

寄居虫（がうな）ゐて午後すこし減る忘れ潮　能村登四郎

地虫穴を出づ（じむしあなをいづ）

ファーブルの一喝に覚め地虫出づ　河本　功

地虫出てまつすぐに行くところあり　中原　道夫

臥すための庵の寸法地虫出づ　林　翔

蟻穴(ありあな)を出(い)づ

蟻出でて花街なるをよろこべり　大牧　広
蟻穴を出でて臆病風に会ふ　高瀬　哲夫
蟻出でて模索のあそび歩きかな　岡本　富子

初蝶(はつちょう)

初蝶に音叉の震へありにけり　内山　照久
初蝶にあへさう白紙ふたつ折り　楠原　幹子
初蝶に今日の空あり風のあり　北村　幸子
初蝶の辺りの空気華やげり　髙橋　和枝
初蝶と指さす先はひかりのみ　長岡　千波
初蝶や今日は良きことありさうな　藪下　謙二
たつぷりと寝て初蝶に会へる筈　柴田　雪路
初蝶のうろ覚えなるみぎひだり　坂巻　純子
初蝶に会ふ着くづれのせぬうちに　北村　仁子
初蝶を追ふ目遠き日追ふ目かな　林　翔
まつしぐらなる初蝶の我に来よ　能村登四郎

蝶(ちょう)

投手交代外野手の目は蝶に　高木　嘉久
暗算に割り込んでくる紋黄蝶　井原　美鳥
蜆蝶ギリシャの空の恋しき日　正木　浩一
濡れ縁は祖母の腰かけしじみ蝶　伊藤　真代
藁饐えてゐてむせつたき蝶の昼　坂巻　純子
雌伏とは雄飛のばねぞ蝶の羽化　伊藤　式郎
巻尺の相棒走る蝶の昼　大石　誠

天上でお会ひしましよう蝶の昼　北村幸子
無言館の絵に涙して蝶の昼　鈴木千年
蒔絵筆油に浸し蝶の昼　中津正克
てふてふの羽音訳せばあそぼあそぼ　馬場由紀子
スカートの襞よりたちてしじみ蝶　藤井遥
うたた寝の指の先より蝶生るる　松井のぶ
しばらくは蝶の追ひくる小海線　水澤紀代子
仮縫ひの両手は宙に蝶の昼　望月木綿子
紋白蝶汚れてをれば生き易し　荒井千佐代
蝶生まれどこかに呱呱の声すなり　林翔
しじみ蝶ふたつ先ゆく子の霊か　能村登四郎

蜂（はち）

黒と黄を不易の盾に蜂生るる　岡本富子

春の蚊（はるのか）　春蚊

春蚊ふはりとセロテープ貼る途中　甲州千草

植物

梅（うめ）

白梅　梅日和

どの道をどう行かうかな梅日和　池田崇

小吉を喜ぶ妻の梅日和　坂本徹

能登一の宮梅のほころぶ先師句碑　会田三和子

梅咲くや廄舎の敷藁日に干して　岩佐政子

梅ほつほつ信仰の血をしかと継ぎ　柿本麗子

もののふのごとき古木に梅開く　廣瀬倭子

ほのぼのとほのぼのと朝梅一輪　保坂要

元禄を語る唐破風しだれ梅　水木沙羅

死ぬことの目出たさ吾は梅の頃　大畑善昭

白梅の混み合ふところ日が好む　鈴木節子

梅真白読経を了へし後に似て　西山禎一

「帰り鐘」撞かぬならひや梅日和　能村研三

紅梅（こうばい）

紅梅や乙女凛々しく矢場に立つ　笹原茂

蒼穹の中に紅梅香を放つ　坂田和子

紅梅や武士ならば斬る人ひとり　森山夕樹

紅梅を宝珠と映す潦　林翔

紅梅に刻が触れては鈴鳴らす　能村登四郎

椿(つばき)

落椿

落椿瑕瑾なき身を全うす　東　良子
海鳴りを力に咲けり島椿　沖島　孝光
落椿一つ二つは行儀よく　宮内とし子
手のひらに今日の重さの落椿　吉武　千束
椿落つ神は死のみを平等に　荒井千佐代
椿山一穂の水躍りいづ　吉田　明
みな椿落ち真中に椿の木　今瀬　剛一
落つる時椿に肉の重さあり　能村登四郎

初花(はつはな)

初桜

初花や青きと聞きしこの星に　大川ゆかり
堰を越す漲流きらと初桜　おかたかお
初花や紅をほのかに老仕度　清水　由惠
初花や高松塚の星宿図　深川　峰子
簪をぷすりと山へ初ざくら　正木ゆう子
雲中に空ぽつかりと初桜　林　翔
中空に風すこしある初ざくら　能村登四郎

枝垂桜(しだれざくら)

糸桜

あえかなる風の存問糸ざくら　富川　明子
地軸指す持統桜の枝垂かな　林　翔
霊地より天降るしだれざくらかな　能村登四郎

桜(さくら)

朝桜　夕桜

ワイシャツのひやりと朝の桜かな　林　昭太郎
さくらさくら連絡網のゆきわたり　楠原　幹子

今生のかほのあつまる夕ざくら　吉田　汀史
灯の入りてさくら重たくなりにけり　石川　笙児
桜咲く母校に古き歴史あり　石戸　キコ
授業中ただいま桜真盛り　稲垣　尤子
耀よへるさくら上枝の時空かな　上野　翠子
散る瞬の風待つ淡墨桜かな　大浦　郁子
さくら咲きみちのくの空せつに紺　岡部　玄治
寧歳を重ねる句碑や松さくら　加藤　房代
まつ新な卓布に折目朝ざくら　佐々木よし子
鎮魂の色かと朝の桜かな　佐野　敏江
青空のどこにも触れず桜咲く　菅谷たけし
校門に出向ふ教師朝ざくら　高橋　才子
変遷の駅を見守る朝ざくら　永井　収子
人とゐてひとりの時間夕ざくら　武藤　嘉子
朝ざくら堰音今日へ拡がれり　舘野たみを
遠く散るひかりこまかに朝桜　森山　夕樹
押切りの藁のふくらみ遠ざくら　松島不二夫
遠桜いのちの距離とおぼえけり　林　翔
睦みあふごとし雨中の松さくら　能村登四郎

花（はな）

花便り　花明り

撞く鐘に花齢しづもる真昼かな　藤森すみれ
花のくも舳先まはして待つ渡船　栗城　静子
花三分風の気負へる土管坂　太田　鈴代
昼時の高遠花に酔ひに行く　金井　双峰

静けさや川灯台は花の蔭　熊本富美子
花に酔ひ人にも酔うて隅田川　倉田千津江
咲き満ちて花は無心の刻にあり　佐々木　昭
花万朶停めて輪になる車椅子　佐藤　克江
花に逢ふためのいのちと思ひけり　中田とも子
予報士の声の弾みや花便り　西村　渾
咲き満ちて影の重さよ花の道　服部　実生
ゆくさきに幸せありと花あかり　花田　心作
花の昼母校の庭の逆上がり　東島　若雄
地震速報さくら便りに割込めり　牧田　雪子
背中の子くるりと抱いて花の下　三輪　水岬
花になる夜景の中の観覧車　山崎ふじ子
途中下車花にも逢うて子にも会ふ　古守　弓子
コニャックの胃の腑に燈り花夕　久保田　博
記紀の地に根づく句碑なり花明り　能村　研三
一花だに散らざる今の時止まれ　林　翔
花充ちて祝ぎの刻まつ句碑しづか　能村登四郎

山桜（やまざくら）

七堂伽藍一塊の山桜　熊倉　松太
句を詠むも生きる力ぞ山桜　小林　勝子
巻狩りを今に残せる下馬櫻　鈴木　齊夫
たましひの白一塊のやまざくら　吉田　明
言満つる封書の重み山ざくら　林　翔
山ざくら濃くしてつのる盆地冷え　能村登四郎

八重桜（やえざくら）

ものゝふの濃き地三河の八重桜　吉田　政江
嬰眠る重さに朝の八重桜　荒井千瑳子
八重桜見上ぐ牛歩の通り抜け　中坪　一子
山車倉の裏の一樹は八重桜　舘野たみを
夜がくれば夜の冷えおくる八重桜　能村登四郎

遅桜（おそざくら）

遅ざくら生地谷中の名を今も　能村登四郎

落花（らっか）　花筏（はないかだ）　花吹雪

花筏乱れず先を争はず　能美昌二郎
人あまたゐて人遠し花吹雪　荒木　澤子
花筏よどみなきこと美しき　伊藤　朝海
花吹雪チャイムが子らを放ちけり　大矢　恒彦
しづしづと伝通院の落花かな　小田原益子
だるま船追ふ子を追うて花吹雪　小坂　士朗
花屑を掃いて一と日の始まれり　後藤　松渓
船頭はそよ風ならむ花筏　小林もりゑ
花筏紅き椿を正客に　斎藤　衛
花吹雪浴び来し夜の微熱かな　柴﨑　英子
終章となりて一気に花ふぶき　花田　心作
一途とはこんなに桜吹雪かな　樋口　英子
花吹雪あびて振り切る恋もあり　平松うさぎ
来し方の流れ早きよ花筏　村田ヤス子
心まだ阿修羅にありて落花浴ぶ　望月　晴美

一吹きの落花まよはず海に飛ぶ　山田松治
散る桜月のひかりを引きながら　鈴木真砂枝
花舞へり額づくわれに師の句碑に　植村一雄
花舞ふ日重たき辞令手渡さる　大場亨
這ひ這ひの指が花びら見つけをり　村田正子
花吹雪走せ去る時を追ふごとし　林翔
午後からはあそびのごとく花散れり　能村登四郎

桜蘂降る（さくらしべふる）
桜蘂

桜蘂降るテニスコートに声弾け　平城静代
竹炙る焔のうへの桜しべ　渡辺昭
桜蘂降り乗り継ぎの切符買ふ　能村研三
やつと半どん桜蘂がち嫩葉がち　林翔
桜蘂出家ごころの小半日　能村登四郎

牡丹の芽（ぼたんのめ）

大輪の兆しありあり牡丹の芽　岡崎伸
嫁ぐ子へ日の剝がれゆく牡丹の芽　林翔
ゆつくりと光が通る牡丹の芽　能村登四郎

山茱萸の花（さんしゅゆのはな）
花山茱萸

仰ぎみて光の粒の花山茱萸　久保喜代子

黄梅（おうばい）
迎春花

念願の試歩ゆるされて迎春花　松尾信太郎

辛夷（こぶし）

名は知らず辛夷の家とおぼえけり　五十嵐章子
辛夷咲き闇のすみずみまで静か　町山公孝

花辛夷清暉を吸ひて迷ひなし　五十畑悦雄
咲き満つる辛夷は空をはみ出して　曽出きよの
山裾のこぶしほぐるる日和かな　中野　了一
静かなる暴発辛夷大樹かな　藤原　照子
裏日本表の顔で辛夷咲く　小澤　克己
死の賑ひにも似て辛夷花ざかり　能村　研三
白き小鳥千羽の舞か辛夷咲く　林　　翔

花水木（はなみずき）

花水木夢動き出す設計図　宮本せつ子
国防の町を明るく花水木　水木　沙羅

ミモザ

花ミモザ窓全開にコーラス部　栗原　公子
ひそと閉づ小さき酒房や花ミモザ　須崎　輝男
花ミモザ抱へて顔をなくし来る　菅谷たけし

沈丁花（じんちょうげ）

父よりも母が大柄沈丁花　掛井　広通
ぱつちりと眼ひらく雨の沈丁花　水上　陽三

連翹（れんぎょう）

連翹にものぐるほしき思ひあり　古山　智子
不調法とは連翹の咲きつぷり　中島あきら
連翹のかがやきに書く悼み文　勝田みつ子
芽吹く中黄なるは咲きて連翹に　林　　翔

ライラック　リラの花

彫像は永久に青春リラの花　金田　誠子

川沿ひに住む人多しリラの花　中井　桂雨
リラの花また間に合はぬ帰郷かな　五十嵐章子
リラ挿せば羽ばたき過ぎし月日かな　林　翔
もはや巴里見るはなからむリラ咲いて　能村登四郎

馬酔木の花（あしびのはな）　花あせび

地名みな霊地の響き花あせび　清水佑実子
花あしび語りて神護寺さま若き　能村登四郎

満天星の花（どうだんのはな）

満天星の花の囁き遠筑波　増谷　和子

躑躅（つつじ）

断崖に投入れのごと岩つつじ　松井　のぶ
吉保の落款ぽんと紅つつじ　安藤しおん
雑踏もジオラマのごと躑躅燃ゆ　新橋しげを
無機質な景色に似合ふ躑躅かな　加藤富美子
つつじ燃えさかるや井伊の赤備（ぞなへ）　成宮紀代子

雪柳（ゆきやなぎ）

雪柳揺れ綯ひ交ぜの幸不幸　柴田　雪路
雪やなぎ白曼陀羅に凡夫婦　中尾　杏子

木蓮（もくれん）　はくれん　白木蓮

はくれんの千の祈りは声もたず　中島あきら
白木蓮の蕾蜂起の刻を待つ　廣瀬　倭子
見上ぐれば千の天女や白木蓮　坂部　英子
孵化を待つ白木蓮のふつくらと　柿本　麗子

藤（ふじ）

山藤

山藤の垂水のごとく溢れけり　菅谷たけし
藤棚の下先客のつづまやか　久保喜代子
やさしさの時に重たし藤の花　栗原　公子
藤の雨どつちつかずの七分袖　成宮紀代子
一花揺れ百花揺れ出す藤日和　宮坂　恒子
あてがはる駐車真上へ藤垂るる　小沢きく子
藤波のふしぎは音を持たざりし　北村　仁子
小添木に凭れし藤の蕾かな　能村　研三
くもり来し重さの藤の熊野（ゆや）供養　能村登四郎

山吹（やまぶき）

渓流のたぎちに揺るる濃山吹　髙橋　和枝
ヴィヴァルディの四季の始の濃山吹　岡本　富子

桃の花（もものはな）

肩幅の中に君ゐて桃の花　福島　茂
いつまでもご飯嚙む児や桃の花　広渡　敬雄
甲州の一村一宇桃の花　河浦　正樹
決着はいつもじやんけん桃の花　髙木　春夫
もの埋めて土のあまりし桃の花　吉田　汀史
桃活けて地酒の瓶のうすみどり　能村　研三
遙かなる襲ねの色目靄の桃　林　翔

李の花（すもものはな）

うち孫に外孫花のもものすもも　能村登四郎

梨の花

梨の花気圧の谷の次々と　板橋昭子
梨摘花生絹のやうな日暮来る　大沢美智子
やはらかく手首を使ひ梨花授粉　諸岡和子
韓国に瑠璃の坏あぐ梨花の夜　能村研三

林檎の花

花林檎津軽に大き津軽富士　小野寿子

木の芽

芽落葉松　木の芽張る　芽吹山

信濃いま喝采の色芽落葉松　吉田政江
木の芽張る馬の身幅の切通し　栃内和江
銀の笛欲し全山を芽吹かせむ　栗原公子
芽吹き急乳房のとがりたる土偶　須山登
芽ぶき初む息吹もさはに山毛欅林　棚橋朗
雨滴得てけやき芽吹きの宙となる　千田敬
芽吹山まるで混声合唱団　殿地毬子
芽吹かむと小揺らぎ止まぬ梢なり　中井桂雨
芽木光る円型校舎の大き窓　前川京子
姨石の千々の尖りや桂の芽　宮坂恒子
山毛欅山の芽吹き促す水こだま　山崎ふじ子
まだ怯えごころの艶の辛夷の芽　吉田陽代
雪折れの桜大樹に芽の立てる　柴田ふさこ
靄割つて朝日子生まる芽からまつ　吉田明
芽吹く中いつも急いで青年期　正木浩一
朴の芽を鳥科植物とも思ふ　能村研三

春雪に地熱の色の木の芽かな　林　翔

いたどりは芽吹き遠野に馬ほろぶ　能村登四郎

蘖（ひこばえ）

蘖の競ひし芯のこころざし　田中　数江

まだ意地の残る木の瘤蘖ゆる　酒本　八重

若緑（わかみどり）

緑立つ　松の芯

種牛の眼きりりとみどり立つ　藤森すみれ

帰化なさるキーン先生松の芯　楠原　幹子

斧の音ひびく一山緑立つ　伊藤　朝海

筆勢の弾む子の書や松の芯　松本　明子

緑立つ水分け石は音の景　能村　研三

雄心や直立こぞる松の芯　能村登四郎

柳の芽（やなぎのめ）

芽柳の誘ふ名画座ありし路地　五十嵐章子

月山に笠雲少し柳の芽　後藤　松渓

芽柳や洋食屋とある硝子窓　塙　誠一郎

芽柳や今戸猿若花川戸　平城　静代

芽柳や娘が携へし図面筒　能村　研三

山椒の芽（さんしょうのめ）

ぐい呑みに出すさつと煮の山椒の芽　田所　節子

楤の芽（たらのめ）

楤の芽を情つ張り味と覚えけり　久染　康子

柳（やなぎ）

聖鐘が賜ふ目ざめは柳いろ　林　翔

金縷梅（まんさく）

知恵の輪の解けずまんさく花ざかり　関根瑶華
給食室裏のまんさく咲いてをり　上田明子
まんさくの花びら現在進行形　大石誠
まんさくの潔癖と言ふ花つぷり　池田崇

櫨子の花（しどみのはな）

花しどみ田毎の畦はつくろはず　能村登四郎

松の花（まつのはな）

松の花放つ光のひとところ　下村辰枝

杉の花（すぎのはな）

杉花粉

猫鳴ける夜を滔々と杉花粉　上谷昌憲

猫柳（ねこやなぎ）

ねこやなぎ殻をふはりと脱ぐちから　阿部順子

柳絮（りゅうじょ）

柳絮飛ぶ

渡し場の名のみ残りて柳絮飛ぶ　長岡千波
空いつまで無償の青さ柳絮飛ぶ　小澤克己

接骨木の花（にわとこのはな）

接骨木の花や飲食に酢を効かせ　井原美鳥
接骨（たづ）木咲いて耳標の青き兎たち　林翔

通草の花（あけびのはな）

花通草目立たぬことの父に似て　おかたかお

竹の秋（たけのあき）

ひつそりと命育む竹の秋　河野智子
アルバムに多くの故人竹の秋　内山照久

あの時といふ傷誰も竹の秋　菅谷たけし

春の筍（はるのたけのこ）

春筍の届き即ち快癒の報　馬場由紀子

春筍や峡の一戸の煙出し　水木　沙羅

春落葉（はるおちば）

月差してからりころりろ春落葉　林　玲子

春落葉くれなゐつくす残夢かな　吉田　汀史

春落葉人の世をみるうらおもて　西山　禎一

三色菫（さんしきすみれ）　遊蝶花

遊蝶花小さき旅にさそはるる　武藤　嘉子

諸葛菜（しょかつさい）

思はざる裏戸に咲いて諸葛菜　能村登四郎

金盞花（きんせんか）

日の色のまま鋤きこまる金盞花　大沢美智子

金盞花安房の岬畑日のなだれ　遠藤真砂明

貝母の花（ばいものはな）

花貝母おん指ゆらぐ半跏像　丹羽　昭子

日の当たる貝母の花のうらおもて　五十畑悦雄

シネラリア　サイネリア

サイネリア切符鋏に刃のなくて　甲州　千草

サイネリア黙つておとなになつてゆく　辻　美奈子

アネモネ

アネモネの芯漆黒の重さかな　佐藤　みほ

フリージア

フリージア買うて花言葉は無邪気　中村喜美子

チューリップ

さよならはもう少し後チューリップ　石橋みどり

チューリップ籬の外れしやうに散り　佐野ときは

クロッカス

ころころと笑ふ少女らクロッカス　小川　流子

忘れもの思ひ出すかにクロッカス　佐藤　淑子

シクラメン

日のかけら集めて窓のシクラメン　殿地　毬子

立ちくらみしてシクラメン濃さを増す　鈴木　節子

ヒヤシンス

理科室に放課後の冷ヒヤシンス　大島　雄作

苧環の花（おだまきのはな）

をだまきを咲かせ浦曲に住み古るる　吉田　明

スイートピー

スイートピー妻より欠伸もらひけり　梅村すみを

菜の花（なのはな）　花菜

セスナ機のはづみつつ着く花菜風　小嶋　洋子

菜の花やレール曲りて海に落つ　塙　誠一郎

花菜畑雨のち花の地平線　矢崎すみ子

尻取りの言葉とぎれて花菜風　河野　絢子

何気ないいつもが一番花菜風　島田　浩美

菜の花や小舟は竿を傾けて　中村　久子

菜花和みづみづしさを箸の先　宮本せつ子
菜の花や光も風も波打ちて　舘　千咲
鉄道を高く支へる花菜土手　河野美千代
一万のランナーを待つ花菜晴　小澤　利子
目の聡き児とゐて菜の花盛りかな　ガルシア繁子

豆の花（まめのはな）

坂下に地番のとんで豆の花　頓所　友枝
かう言へばああ言ふ豆の花ざかり　岡本　富子
空へ眼がふくらむ島の豆の花　林　翔

葱坊主（ねぎぼうず）

太陽と一語を交し葱坊主　今泉　宇涯
葱坊主のひそひそ話村は市に　高木　嘉久

茎立（くくたち）

茎立つやわづかの意地を支へにし　岡本　富子
茎立の雨に一日が長きかな　能村　研三

春菜（はるな）

ざつくりと切られ水吹く春菜かな　能村登四郎

萵苣（ちしゃ）　レタス

野辺山の風どこまでもレタス畑　原　ひろ子

菠薐草（ほうれんそう）

茹でこぼす菠薐草の勝気色　菊地　光子
北国が気になる赤根菠薐草　能村登四郎

水菜（みずな）

逆うらみかなとも思ひ水菜食ふ　能村登四郎

芥菜（からしな）

からし菜に塩ふる父の海ゆくころ　吉田汀史

独活（うど）

現世を隔てて室の独活ぐもり　安藤しおん
独活めばる独酌もまた旬の頃　斉藤棹歌
独活刻み晒すその夜の水入らず　柴田雪路
独活食べてゐるなかなかの美髯かな　能村登四郎

春菊（しゅんぎく）

春菊のすぐ煮えすぐに忘れらる　菅原健一

韮（にら）

韮粥にわすれぬ落し味噌なりし　能村登四郎

蒜（にんにく）

にんにくのかたちとなりていぢをはる　菅原健一

山葵（わさび）

山葵沢

石積を水越え弾む山葵沢　棚橋朗

慈姑（くわい）

慈姑煮て齢の艶もここあたり　能村登四郎

青麦（あおむぎ）

青麦を行き青麦を帰るはず　辻直美
一揆史に疼く農の血麦青む　柿添ひと志

春の草（はるのくさ）

人は人に会うて伸びゆく春の草　石橋みどり

下萌（したもえ）

草萌

貝塚に貝殻失せず草萌ゆる　平城静代

下萌や三尺の溝まだ跳べて　水上　陽三
草萌や炎の跡残る廃れ窯　太田　鈴代
大利根の流れは豊か草萌ゆる　高瀬　良枝
草萌ゆる地球は芯に火を抱き　千葉　惠美
下萌ゆる五体投地の猫の伸び　角田　光世
草萌えや佛刻みし石の屑　中島あきら
波ひかる砂丘の萌えの貧しさに　松島不二夫
赤坂より御油へ下萌づたひかな　松村　武雄
草萌や並び坐るに足らぬほど　林　　翔

草(くさ)の芽(め)

菖蒲の芽

一途さを直系の継ぎ菖蒲の芽　藤原　照子
まつすぐに思ひを空に菖蒲の芽　河野　絢子
菖蒲の芽まだ刃渡の二三寸　北村　仁子

ものの芽(め)

ものの芽やかすかにゆるび空の青　多田ユリ子
ものの芽の山肌の色うねりだす　槙　　孝弘
ものの芽に触れをり指も芽吹かむと　林　　翔

蔦(つた)の芽(め)

蔦の芽の幼な手よはや這ひそめし　林　　翔

雀隠れ(すずめがくれ)

雀がくれ捨て自転車の錆びてゆく　梅村すみを
雀隠れ芭蕉李白の時間ほど　大関　靖博

若芝(わかしば)

痛む脚曳けば若芝辛からう　林　　翔

菫（すみれ）

妖精の靴のかたちのすみれかな　花田心作

菫に風光年といふ距離羨し　久保田博

紫雲英（げんげ）

げんげ田

げんげ田に座せば童にかへる我　宮野稔子

苜蓿（うまごやし）

白詰草

白詰草遠き記憶にうさぎ飼ふ　浅野吉弘

いまも欲し白詰草の花冠　鈴木浩子

薺の花（なずなのはな）

ままごとのとうさんかあさんなづな咲く　溝呂木信子

蒲公英（たんぽぽ）

蒲公英の絮

どこを踏んでもたんぽぽの明るさに　安居正浩

多作多捨たんぽぽの絮飛ぶばかり　工藤節朗

たんぽぽの黄を敷きつめし分譲地　市川和子

鉄の爪きて蒲公英の野を掘れり　大畑善昭

土筆（つくし）

つくづくと子規の食欲つくしんぼ　大沢美智子

五線譜を飛び出す元気つくしんぼ　島田浩美

まだ風の素気なき土手土筆摘む　木村公子

ほつほつと影引き出づる土筆かな　山下ひろみ

日だまりと言へど土筆はさびしいぞ　安居正浩

土筆野に摘み敵来てはかどれり　能村研三

土筆煮て明日は異国へ旅立つ子　林翔

桜草（さくらそう）

買物かごの一番上に桜草　小野　筍

指組めば指が湿りぬ桜草　鈴木　鷹夫

翁草（おきなぐさ）

うら若き蝶に添はれし翁草　林　翔

一輪草（いちりんそう）　一花草

地震に耐ふ土柔らかくいちげ咲く　槇　孝弘

虎杖（いたどり）

虎杖を四五本摑み山離る　吉田　汀史

酸葉（すいば）　すかんぽ

すかんぽやまだ健在の骨密度　平城　静代

蕨（わらび）　早蕨

薄紙に国栖の早蕨ひとにぎり　林　玲子

振り向けば目こぼれ蕨ありにけり　望月　晴美

薇（ぜんまい）

ぜんまいのやさしき鼓膜赤子の掌　永津　国明

薇やどちらの道を選ばんか　島崎　洋子

芹（せり）

名水にもまれて芹の浮き沈み　小平　昭七

野蒜（のびる）

古き世のままの畦割り野蒜萌ゆ　吉武　千束

からすのゑんどう

からすのゑんどう野は微熱帯びてゐし　辻　美奈子

犬（いぬ）ふぐり

犬ふぐり水湧くやうに咲き継ぎぬ　小川　流子
青空の欠片蒔きたる犬ふぐり　田谷ひろし
いぬふぐり鈴をころがすごとく咲く　大橋　俊彦
いぬふぐり一花一花に深空あり　林　翔

錨（いかり）草（そう）

錨草をとこ翳りて佇めり　小澤　克己

熊谷草（くまがいそう）

熊谷草神にも匠居たまひて　藤井　晴子
幌大き熊谷草の男寂び　大畑　善昭

一人静（ひとりしずか）

一人静群れて灯して夕べ来る　鳥居　公子
義経寺の昏さに一人静咲く　小野　寿子

蕗（ふき）の薹（とう）

くにさきや仏性蕗の薹にまで　田辺　博充
膨らみし夢は小出しに蕗の薹　米光　徳子
蕗の薹両手を上げて赤児泣く　中村　宏枝
そこここに風のつまづく蕗の薹　赤松千代子
地震のあと蟄居旬余の蕗のたう　秋葉　雅治
師弟ほどのへだたり蕗の薹二つ　今瀬　剛一

蓬（よもぎ）

蓬摘む
脚あるを誰も忘れて蓬摘　辻前冨美枝
風の蓬はいくら摘んでもひと握り　今瀬　剛一

茅花（つばな）

海昏れてなほしろがねの茅花かな　山田 松治

ポケットの小銭鳴らして茅花道　宮下 桂子

四駆車の茅花月夜を直走す　能村 研三

雀の鉄砲（すずめのてっぽう）

雀の鉄砲踏んで関所の裏街道　近藤 敏子

雀のてつぽう吹き晴れやかな変声期　甲州 千草

片栗の花（かたくりのはな）　かたかごの花

かたかごは森の踊り子風を待つ　藤原 照子

片栗の一花の揺れに千倣ふ　深見 喜子

別れゐし子に逢ふごとくかたかごに　林 翔

猩々袴（しょうじょうばかま）

猩々袴源流といふ気位に　岡本 富子

猩々袴ささやき咲きに花ふたつ　能村登四郎

蘆の角（あしのつの）　蘆の芽

葦の角くすぐつてゆく櫂の先　茂呂 昇平

潮引くや禽も避けたる蘆の角　中西 恒弘

葦の芽や湖の波透きとほり　宮坂 秋湖

日矢受けて水面に楚々と蘆の角　廣瀬 倭子

蘆の角ときに小渦の日を廻し　西山 禎一

どこかで産湯捨てしと思ふ葦芽ぐむ　坂巻 純子

薊（あざみ）　薊の絮

プラットホーム薊の絮の通過中　関 洋子

座禅草（ざぜんそう）

座禅草白山を背に畏まる　鳥居公子

せせらぎの音を唄とし座禅草　中野光子

陽に風にひたすら趺坐の座禅草　羽根嘉津

若布（わかめ）

海の色ぎゆつと若布の秤売り　菊地光子

真昼間の昏みを若布流れけり　久保田博

志賀島の荒雄の裔や和布刈る　能村研三

焼若布もんで余生の裏にをり　能村登四郎

角叉（つのまた）

角叉や思考回路のつながらず　沖島孝光

海雲（もずく）

呂律ややあやしき海雲啜りけり　梅本豹太

海雲啜る懸命に唇とがらせて　能村登四郎

石蓴（あおさ）

釣竿を礁に預けて石蓴掻く　二瓶重子

海苔（のり）

海苔あをく焙り師の忌の来たりけり　柴﨑英子

三番瀬昔ありしや海苔の海　矢野美沙子

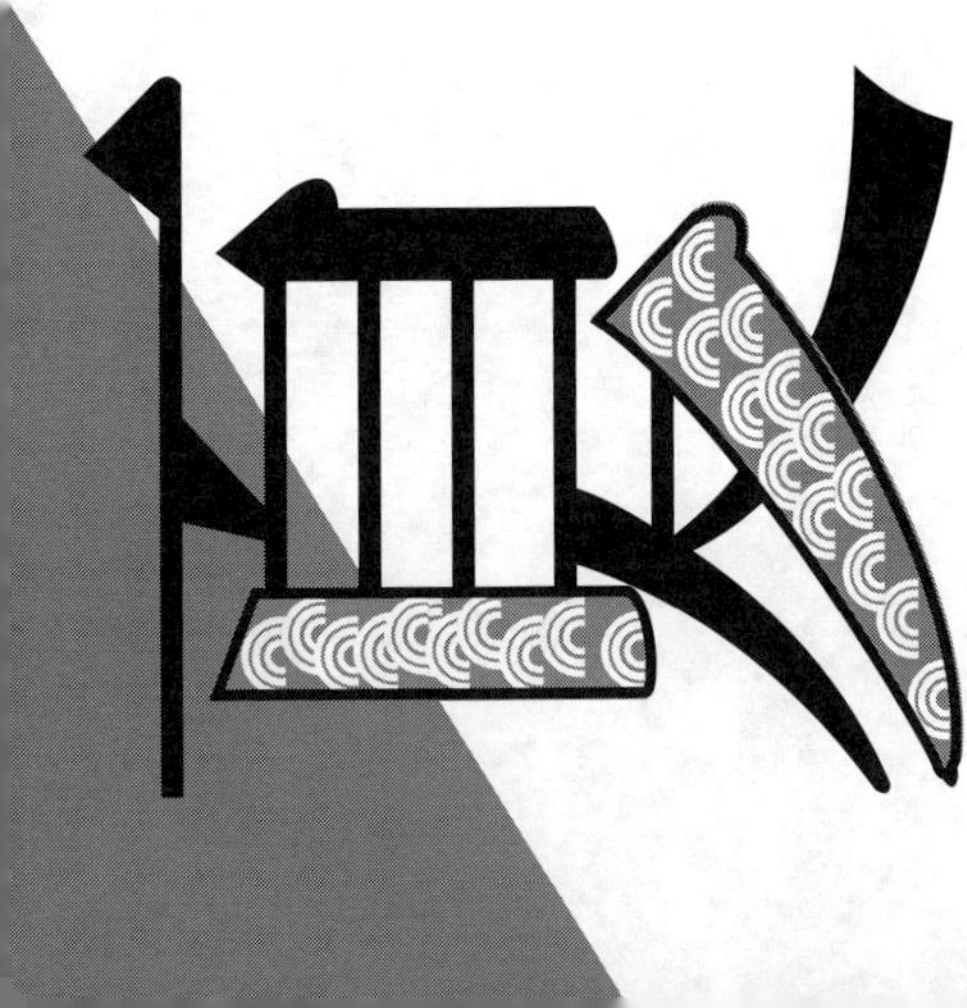

時候

夏（なつ）

朱夏　炎帝

スカイツリーに古塔の匠活きて朱夏　渕上　千津
抽斗にかの夏ねむるハーモニカ　松井志津子
エピローグ夏の球児の砂袋　福田　肇
仲見世はまるでジオラマくわつと夏　会田三和子
月を得て切絵のごとき夏の森　荒井千瑳子
球児の夏去りゆくものの深き礼　大網　健治
炎帝の怒り沸点四十度　大野　秀夫
炎帝を睨み返して鬼瓦　大橋　忍
炎帝に吾をさしだす歩道橋　栗原　公子
夏ざらひびしつと膝の揃ひけり　柴田　詩子
炎帝よ来たれと塩をひとつまみ　須崎　輝男
夏旅のどこか空虚な心連れ　三輪　水岬
炎帝に根性無しにされにけり　久染　康子
船頭の荒瀬一棹夏しぶき　古守　弓子
連句碑を建てていみじき夏とおもふ　今泉　宇涯
炎帝に召されしなかに母もをり　能村　研三
弟子になるなら炎帝の高弟に　能村登四郎

初夏（しょか）

夏始

初夏の略図川より書きはじむ　栗原　公子

幾筋の川が切込み尾瀬は初夏　浅野吉弘
大寺の首夏の風きる鬼瓦　大浦郁子
初夏の街を見下す砲台址　中井桂雨
伏流の青き水底夏はじめ　平嶋共代
ストローをぐいと「くの字」に夏初め　林翔

五月（ごがつ）

聖五月

全山が胸張つてゐる五月かな　伊藤文
店頭へはみ出すギター五月来ぬ　五十嵐章子
担任にあだ名が付いて五月来る　渡辺満枝
五月来る狭き花屋に老紳士　平城静代
堰越ゆる水音高き五月かな　遠城健司
海に来て先づ駆けてみる五月かな　大網健治
聖五月卵に天地ありにけり　楠原幹子
聖五月産むとは生まれ変はること　小林奈穂
無職にもホリデープラン聖五月　七種年男
湾風へ艇庫を開く五月かな　田川美根子
襟釦外し五月を取り込みぬ　角田光世
髪切つて一歩踏み出す聖五月　中山めぐみ
モナリザの永久のほほゑみ聖五月　西本幸
聖五月カルボナーラは汝のために　馬場由紀子
聖五月水脈一線の白つくす　堀園子
弥増しに多忙の五月水躍る　米田紀子
展帆は羽化のごとしや聖五月　小菅暢子
口中に五月漂ふレタス食む　勝田みつ子

聖五月内から卵つつく音　北川英子
雲五月棕梠は羽搏く木となりぬ　中尾杏子
聖五月鳥語シャワーを浴びにけり　能村研三
八雲立つ嶺々は甲斐なる五月かな　林翔
肌着などやさしきものの五月かな　能村登四郎

清和（せいわ）

清和かな甘き匂ひの洋書棚　能村研三

立夏（りっか）

夏来る　夏立つ

立夏かな信濃は水の生るる国　矢崎すみ子
帆船の名は「あこがれ」や夏に入る　小林奈穂
夏来る連山わつと背伸びして　七田文子
神官の沓は木の音夏来る　石川笙児
地震に止む時計の針に夏は来ぬ　大場亨
幣ゆるぶ毘沙門天の夏に入る　佐藤みほ
つつましき土偶の乳房夏来る　長岡新一
夏立つや津々浦々に若葉町　東島若雄
園児らの真白き帽子夏来る　町山典子
車田に風のまあるく夏来る　溝口美代子
ふいに子の遊びが変り夏に入る　小澤克己
青年の好意まつすぐ夏立てり　藤井晴子
気塞ぎの世を晴らすなり夏立てり　能村研三
少女三人素足六本夏が来る　林翔
老の家に樫の木の夏来たりけり　能村登四郎

夏めく（なつめく）　夏きざす

舟留に水音ひたと夏兆す　市瀬千加子
夏きざす刺繍の光る提げ袋　河野美千代
細描きの線の夏めく弥生土器　塚本初美
夏めくや文字知り立ての児へはがき　荒井千瑳子

薄暑（はくしょ）　薄暑光

夕薄暑貝殻路地をさくさくと　佐々木よし子
薄暑なり亀の甲羅の重からむ　東　良子
復刻本に奥付ふたつ夜の薄暑　井原美鳥
薄暑光ビルの谷間の斜め射し　大野秀夫
帆船の勢揃ひして薄暑かな　河野智子
街薄暑レーニン像を素通りす　下村辰枝
夕薄暑島への切符うすみどり　堀　園子
検診のレントゲン室薄暑かな　吉村陽子
薄暑光聖歌廊への急梯子　能村研三
小布施町栗咲くゆゑの薄暑かな　能村登四郎

麦の秋（むぎのあき）　麦秋

麦秋や筆遣ひとは息遣ひ　細川洋子
利根川の支流も大河麦の秋　福島　茂
麦秋の沸点として赤ん坊　中島あきら
麦秋や国民服といふことば　浅沼久男
漕げるだけ漕いで自転車麦の秋　伊藤　文
麦秋や忘れさられし古番屋　稲垣尤子
いちまいの空持ち上ぐる麦の秋　齊藤　實

結返しの小昼にぎはふ麦の秋　笹原　茂
麦秋のど真ん中行く七尾線　二瓶　重子
焦げくさきまでに麦秋村晴るる　堀　園子
懺悔後の喉の渇きよ麦の秋　荒井千佐代
寺の名の駅で乗り継ぐ麦の秋　吉田　政江
拳骨は父の匂ひや麦の秋　鈴木　節子
少年の拳もて泣く麦の秋　岩崎喜美子
湖へ向く農道太し麦の秋　角田登美子
魚屋がきて麦秋の端にぎはふ　川島真砂夫
麦秋の子の足ふとく眠りをり　松島不二夫

小満（しょうまん）

小満の風や瞑る蒸しタオル　能村　研三

六月（ろくがつ）

黒牛のやうな六月ぬつと来る　中田とも子
投函にゆく六月の傘の中　中村　宏枝
六月の鹿の背の斑は木洩日よ　正木みえ子

芒種（ぼうしゅ）

自転車に空気押し込む芒種かな　辻　美奈子
熱湯に布巾を晒す芒種かな　佐山　文子
芒種かな撫でては和紙の裏表　佐藤　克江
枡酒の表面張力芒種かな　須山　登
生きの身の微衰の中の芒種かな　能村登四郎

入梅（にゅうばい）

梅雨兆す

風呂場より手桶の音や梅雨に入る　斎藤　衛

部屋ごとに静けさありて梅雨兆す　能村登四郎

梅雨寒（つゆさむ）

梅雨寒やすぼめて尖る女傘　樋口英子

朱が枯れし父の落款梅雨の冷　能村研三

夏至（げし）

聖堂の絵硝子夏至の陽をすかし　佐々木みき子

夏至の夜の時はゆるりと流れけり　寺田和子

夏至の日の少し遠出の山歩き　宮下桂子

夏至光に朝一礼の宮大工　能村研三

夏至の日のはんぱに終る書き仕事　能村登四郎

白夜（はくや）

劇場の跳ねて白夜へ押し出さる　佐々木みき子

半夏生（はんげしょう）

ファスナーの咬んで動かず半夏生　梅村すみを

折り鶴を解けば真四角半夏生　佐野ときは

回数券の湿りを切りし半夏生　永井収子

雲上に雲上の師や半夏生　中坪一子

回転ドアくるりくるりと半夏生　平間洋子

火を入れて鍋高返す半夏生　能村研三

湯沸してつかはずにゐる半夏生　能村登四郎

晩夏（ばんか）

晩夏光

晩夏光ボトルシップに帆の弛み　菊川俊朗

牛の尾の鞭打つしぐさ晩夏光　宮坂恒子

本閉ぢるやうに本屋の閉ぢ晩夏　大矢恒彦

船よりも水脈の耀く晩夏かな　河本　功

山並を一筆画きに甲斐晩夏　倉田千津江

晩夏光スカイツリーの多面体　座古　稔子

岩稜の影の深きも晩夏かな　佐藤　克江

美しき魚籠の曲線晩夏光　篠藤千佳子

晩夏光もう機関車は走らぬか　菅原　健一

一行詩書かむ晩夏のガラスペン　朝長美智子

火山灰払ふ耕二の町に来て晩夏　能村　研三

だしぬけに樹上声ある晩夏かな　能村登四郎

七月（しちがつ）

七月やポプラは風の木となりぬ　菊地　光子

七月の濤よりまぶし濡れ礁　中尾　杏子

炎陽の七月透かし男の子生る　能村　研三

師の忌すぎすぐに妻の忌暑七月　能村登四郎

水無月（みなづき）

水無月や鼓しめらす薬指　井澤　禎子

小暑（しょうしょ）

鰥夫（やもお）の字小暑何やらなまぐさし　能村登四郎

梅雨明（つゆあけ）

抱き上ぐる嬰の一蹴り梅雨明けぬ　藤井　遥

梅雨明けや藍の鼻緒の下駄下ろす　溝呂木信子

梅雨明けて鴉の饗宴かしましや　林　翔

もち古りし目鼻にも梅雨明けにけり　能村登四郎

冷夏（れいか）　夏寒し

ひしひしと「寒サノ夏」や賢治詩碑　林　翔

水田多く見えて波立つ寒い夏　能村登四郎

夏の暁（なつのあかつき）　夏暁

夏あかつき職退きて水のごとし　松村　武雄

本坊に粥座百席夏暁けて　能村　研三

夏暁の露滴はじめて見るおもひ　能村登四郎

炎昼（えんちゅう）

森閑と炎昼鋸の眼を立つる　林　一郎

短夜（みじかよ）　**明易し**（あけやすし）

短夜のみじかき夢に母ゐたり　大畑　善昭

クレーンの寝姿多様明易し　高木　嘉久

短夜の柱すくなき空港よ　細川　洋子

尊厳死話し合ふ夜や明易し　櫛引　明江

潮騒を破る鶏鳴明易し　髙橋マキ子

紅殻の塗師の帯戸の明易し　中津　正克

明け易し末期の添寝はばからず　藤井　晴子

裏口に魞の端見え明易し　渡辺　昭

明け易く明けて水原先生なし　能村登四郎

盛夏（せいか）　夏旺ん

地下鉄のカーブの軋み夏旺ん　中西　恒弘

ゴーギャンの女太足夏旺ん　辻前冨美枝

蛇口だけ残して更地夏旺ん　佐野ときは

三伏（さんぷく）

三伏の祠に神の見あたらず　荒井千瑳子
三伏の色の褪せたる薦被り　水上陽三
三伏の叩いて均らす蕎麦殻枕　金田誠子
黒糖をなめて三伏やりすごす　武藤嘉子

暑し（あつし）

熱暑かな電池切れしと辞書の言ふ　清部祥子
針穴の見えて通らぬ暑さかな　平岡豊子
うろ覚えの第二体操雲暑し　能村研三

大暑（たいしょ）

汲み置きの水の膨るる大暑かな　河口仁志
土を掻き軍鶏うづくまる大暑かな　髙橋あさの
漆黒のピアノ据ゑたる大暑かも　林翔
大津絵の鬼の朱色の大暑かな　能村登四郎

極暑（ごくしょ）

極暑にて金魚藻ばかり浮ぶ鉢　能村登四郎

溽暑（じょくしょ）　蒸し暑し

百歳の小町に逢ひてより溽暑　松本圭司
蒸す夜の死絵をしまふ畳紙　能村登四郎

炎暑（えんしょ）

歩まねば影の焦げ出す炎暑かな　小林もりゑ
炎暑来て両手に重き火縄銃　栗城静子
柏手の一つは炎暑祓ひけり　森岡正作

熱帯夜（ねったいや）

露骨言葉に男いきいき熱帯夜　能村登四郎

炎ゆ（もゆ）

父よりも生きたし炎ゆる日を仰ぎ　遠藤真砂明

灼く（やく）

骨董市戦後のやうに灼けてをり　森岡正作
美しき橋万の鉄鋲灼けつくす　能村研三

涼し（すずし）　涼気　夕涼　夜涼　朝涼

わが腕に涼しき命駆けてくる　田所節子
剝落といふ涼しさの羅漢像　堀口希望
涼しさの音軋ませて蔵梯子　栗城静子
涼しさはぬばたまの笑み飛鳥仏　久保喜代子
涼しかり星座は花の名をもたず　栗原公子
定時着「のぞみ」の鼻の涼しかり　黒岩武三郎
仏壇の母の微笑み涼しかり　児玉明子
涼しき目有機農業語りけり　齊藤陽子
寝ころべば身体は山河涼気生る　関　洋子
組垣の竹の涼しき女坂　竹内タカミ
どれ程の炎浴びしや壺涼し　栃原久子
嬰涼し一人あそびの指ひろげ　丹羽昭子
手水して心涼しくなりにけり　廣田健人
ひもろぎの山が風生み涼しかり　吉川隆史
吉野分水大和を巡り夕涼し　前川京子
さらさらとトランプをきる夜涼かな　町山典子

衝立の木目涼しや老舗宿　松下　秀夫
涼しさや旧家を磨く糠袋　吉武　美子
なんとなく情報外にゐて涼し　北川　英子
朝涼しわが老をわがあやしつつ　藤井　晴子
朝涼の少女の赤き弓袋　能村　研三
夜の人語葉ずれとも聞く涼しさよ　林　翔
先師てふことば始めの夜涼かな　能村登四郎

夏深し（なつふかし）

夏深し蔵に逆さの競渡船　荒井千佐代

夏の果（なつのはて）　夏惜しむ（なつおしむ）　夏終る

家中の額を正して夏惜しむ　平城　静代
描きかけの絵のごと海の夏終る　松井志津子
子の前に沈む太陽夏了る　岡部　玄治
夏果ての究極といふ帆の傾ぎ　柴﨑　英子
夏果てのやうに置かるる乳母車　菅原　健一
夏果の卓に海洋深層水　広渡　敬雄
渾身の終の一球夏をはる　保泉　孟史
砂時計さらさら夏を行かせけり　伯耆田ノリ子
手のひらに乗るオルゴール夏の果　宮田　陽子
波の穂は死者のてのひら夏終る　遠藤真砂明
夏惜しむ目を細めよと遠嶺雲　鈴木　鷹夫
夏惜しむ大江戸線の深度かな　能村　研三
夏果ての男は乳首のみ老いず　能村登四郎

夜の秋

バリカンの当たりやはらか夜の秋　阿部眞佐朗
夜の秋明日ゆく山にルーペ置き　大沢美智子
頬杖は癒しの杖よ夜の秋　金田誠子
電子辞書SEE・YOUと消え夜の秋　五十嵐章子
背戸風に夕餉のすすむ夜の秋　大石恵子
セロ弾きの巨体を屈め夜の秋　能村研三
何も言はず妻倚り坐る夜の秋　能村登四郎

天文

夏の日（なつのひ）　夏日

大聖堂ステンドグラスより夏陽　斎藤　衛
大噴煙夏日捲き込まれ捲き込まれ　林　翔
夏日しんしん握り軋ますギリシャの砂　能村登四郎

夏の雲（なつのくも）

浦人の声の野太し夏の雲　赤松千代子
夏雲の湧き立つ空や子の発ちぬ　永尾　春己
吹き反す袖は夏雲都府楼址　林　翔

雲の峰（くものみね）　入道雲

倒立の足裏の静止雲の峰　安藤しおん
試歩けふは雲の峰まで行くつもり　酒本　八重
アウトバーン入道雲に突き進む　松丸　佳代
喃語いま言葉となれり雲の峰　荒井千佐代
富士講の碑に祖父の名や雲の峰　伊澤きよ子
オカリナは土の声なり雲の峰　内田　順治
雲の峰せいぜい生きて百年か　大浦　郁子
雲の峰小さな駅に路線バス　大野　秀夫
決断のくづれさうなり雲の峰　笠井　令子
鉄塔は山の待ち針雲の峰　河野　智子
桟橋はT字のつばさ雲の峰　佐久間由子

高跳びのバー越す反り身雲の峰　佐々木よし子
げんこつにてつぺんありぬ雲の峰　篠藤千佳子
電気鋸響かせてゐる雲の峰　柴田　久恵
田を守るも夫ゐてこそや雲の峰　清水　栄子
雲の峰今ならば突つ走れさう　富川　明子
昇る陽や入道雲をつらぬきて　服部　実生
赤ん坊の尻ひんやりと雲の峰　林　昭太郎
山岳派はた海洋派雲の峰　久染　康子
飯盒の焦げのおむすび雲の峰　藤原　照子
若き日の大志抱きし入道雲　保坂　要
吾子の意思指に宿りて雲の峰　宮内　百花
遺されしなつぽたんや雲の峯　山田　松治
音楽を耳に差込み雲の峰　梅本　豹太
雲の峰バーの高さを一つ上げ　高橋　ちよ
命名に登の字を賜ふ雲の峰　能村　研三
明と見せ暗盛り上る雲の峰　林　翔
眼球に血の一筋や雲の峰　能村登四郎

夏の月（なつのつき）

月涼し

髪切つてゆく当もなき夏の月　小山田子鬼
きりきりと鳴弦しぼる夏の月　中津　正克
月涼し向う岸より太鼓の音　島崎　洋子
夏の月忍野の里の御神水　鈴木　齊夫
月涼し瓶に詰めたる金平糖　吉武　美子
月涼し能登をこころの札所とし　林　玲子

梅雨の月（つゆのつき）

梅雨満月そよろの風を藉し給へ　林　翔

夏の星（なつのほし）　星涼し

星涼しくだりはペダル遊ばせて　小嶋　洋子

星涼し海に溺るる集魚灯　米光　徳子

役終へし連絡船に星涼し　原　ひろ子

星涼し楽器箱にて眠らむか　千田　百里

梅雨の星（つゆのほし）

語りたき俳句の未来梅雨の星　能村　研三

旱星（ひでりぼし）

旱星祈りの数は怒りし数　荒井千佐代

はえ南風（はえみなみ）

いたはりの言葉なかばは南風さらふ　吉田　明

潮追ひの航跡太し南風ぐもり　能村　研三

あいの風（あいのかぜ）

あいの風父佇つ能登の堅汀　能村　研三

砂はこぶ小舟が着いてあいの風　能村登四郎

黒南風（くろはえ）

黒南風に乗りくる父の生返事　能村　研三

白南風（しろはえ）

白南風や木目浮くまで舟洗ふ　柴田　近江

白南風の潮目あかるき帰帆かな　松井志津子

白南風や理髪済ませし足軽し　服部　実生

白南風やリフトの駅の木枠窓　能村　研三

茅花流し（つばなながし）

茅花流しかな銀輪の縦一列　吉田　政江
茅花流しかな保育器に息曇り　中島あきら
幼な子は上向いて泣く茅花風　辻　直美

筍流し（たけのこながし）

天城越え一服筍流しかな　鈴木　伸一
東司より湖見え筍流しかな　渡辺　昭

麦嵐（むぎあらし）

剝製の射通す眼麦嵐　峰　幸子

土用あい（どようあい）

師を迎へ日和定まる土用あい　三留　早苗
激論の息なまぐさし土用あい　松本　圭司
五尺の身伸び縮みして土用あい　林　翔
凝りしもの疼きにかはる土用あい　能村登四郎

土用東風（どようごち）

亡き父の軍服を干す土用東風　加藤　房代

青嵐（あおあらし）　風青し

筆圧の強きたよりよ青あらし　浅野　吉弘
青嵐峠は越ゆるべくありぬ　黒岩武三郎
Gパンの浅き股上風青し　和田　満水
婆さまの髭うつすらと青嵐　加藤久仁子
青嵐や天を支へる仁王の掌　佐川三枝子
潮騒とおもふ盆地の青あらし　島田　浩美
目の前の楡が身を揉む青嵐　吉田　明

火の性の系譜を継がむ青嵐　能村研三

薫風（くんぷう）
風薫る

漬け置きの荒砥仕上砥風薫る　安藤しおん

薫風や政子も踏みし段葛　塩原洋子

薫風や大河俯瞰の天守閣　柴田一世

薫風や能登への旅に髪を染め　種山知子

薫風や無人の駅を通り抜け　永津国明

薫風やいろはにほへとわがひと世　武藤嘉子

薫風に求めて軽き山中紙　林翔

涼風（りょうふう）

その日のままてふ涼風のカレンダー　田所節子

枢には何故涼風を通さざる　林翔

朝凪（あさなぎ）

朝凪の神鈴を打つ海女頭　小澤利子

朝凪ぎや柵聖鐘の紐の張り　能村研三

夕凪（ゆうなぎ）

夕凪のぼら待ち櫓前のめり　柴﨑英子

夕凪やダイバースーツの姿干し　能村研三

夕凪といふしづかなる深き燃え　能村登四郎

風死す（かぜしす）

風死して殺生石の影置かず　栗城静子

風死して斜め走りのオートバイ　能村研三

夏の雨（なつのあめ）　緑雨（りょくう）

オーボエの銀の手触り夏の雨　広渡敬雄

信濃路の緑雨といふはやはらかき　佐藤　洋子
庭石に生家の匂ふ緑雨かな　須山　登
緑雨あがりて色ものの別洗ひ　北村　仁子
周波数合はぬ緑雨のカーラジオ　能村　研三

卯の花腐し（うのはなくたし）

繋船の眠る卯の花腐しかな　田川美根子
歯の疼く夕べ卯の花腐しかな　佐藤　洋子
卯の花腐しとは一念もくたすかな　今瀬　剛一

青時雨（あおしぐれ）

上社より下社に諏訪の青しぐれ　秋葉　雅治
鳥居くぐる度の濾過なり青時雨　山越　朝子
走者には孤高の坂や青時雨　能村　研三

走り梅雨（はしりづゆ）

アイロンの余熱立て置く走り梅雨　羽根　嘉津
便箋に残る筆圧走り梅雨　柿本　麗子
走梅雨脈絡積みに本重ね　能村　研三

梅雨（つゆ）

男梅雨

深梅雨や箱振つて本引き出しぬ　甲州　千草
荒梅雨や電光ニュース横走り　佐々木よし子
山寺は墨絵の高さ梅雨の空　阿部眞佐朗
インターホンとれば激しき梅雨の音　小嶋　洋子
折鶴を梅雨の深みに折り進む　菊川　俊朗
出羽の地を大きく浮かし梅雨荒るる　鈴木　新一
ぐうの手を無心にねぶる梅雨の嬰　宮内　百花

死後といふ梅雨の干潟が残りたる　高瀬　哲夫

梅雨の街モネの油彩をふりかけよ　今泉　宇涯

小鮒など飼ひ梅雨の灯に鼻染むる　久保田　博

右読みの「函嶺洞門」梅雨深し　能村　研三

梅雨ふかき声はげましつ教師われ　林　翔

男梅雨かな三日目は葦伏せて　能村登四郎

青梅雨（あおつゆ）

青梅雨の底けぶりゆく最上川　森岡　正作

青梅雨の奥にステンドグラスかな　菊川　俊朗

青梅雨やグラスにゆらすハーブティー　鶴見　知子

青梅雨やダム湖の岸の抉り痕　能村　研三

青梅雨や流木に知るものの果　能村登四郎

五月雨（さみだれ）　さみだるる

能面のまなこ空洞さみだるる　伊藤　朝海

五月雨の時には怒気を含みをり　礒山　恭行

句碑守は朴と楪さみだるる　能村　研三

送り梅雨（おくりづゆ）

送り梅雨婆娑羅崩しのダム湖岸　能村　研三

虎が雨（とらがあめ）

空腹の果ての立腹虎が雨　能村　研三

夕立（ゆうだち）　白雨

大夕立一村分けて通りけり　板橋　昭子

夕立に切り込んでゆくロープウェー　佐久間由子

駅構内人でふくらむ白雨かな　田中　数江

二階屋を丸ごと洗ふ夕立かな　永井　収子
前例を崩すもちから夕立風　能村　研三
夕立にはじまる幕の洲崎土手　能村登四郎

驟雨（しゅうう）

驟雨去りパールハーバー沖碧し　加藤　房代
驟雨に和す樹下群羊の反芻音　林　　翔

喜雨（きう）

喜雨到るショパンと同じ音奏で　廣瀬　倭子
大喜雨あり喜雨亭の死のその直後　能村登四郎

夏の霧（なつのきり）

夏霧や繭ごもりめく合掌家　塚本　初美
夏の霧すべての物をゼロにして　吉田　春美

夏の露（なつのつゆ）

露涼し

父に息ありやありける露涼し　能村　研三
命終の言なきもよし夏の露　能村登四郎

海霧（じり）

竜宮の沖へ海霧濃し日和山　中井　桂雨
海霧ごめに来る波音は寧からむ　能村　研三

夏霞（なつがすみ）

師と越えし遙かな山河青霞　渕上　千津
清貧の美徳は遥か夏霞　須山　　登
波散るや隠岐の島々夏霞　杉原かほる
蠱惑なる島の岬の夏霞　能村　研三
夏霞指呼の能登島はるかにす　能村登四郎

雲海（うんかい）

雲海に浮かびし遺産芙蓉峰　木村　茂

虹（にじ）

虹二重ハワイの神は太め好き　千田　敬

消えさうな虹消えさうな地平線　望月木綿子

またもとのおのれに戻る虹のあと　小山田子鬼

虹消えしあとの棒立ち師の訃報　柴﨑　英子

雨あがり虹を大きく能登の海　吉田　芳江

虹にさへ襁褓捧ぐる月日かな　森山　夕樹

去年近江今年虹立つ遠江　松村　武雄

逝きてなほ自在なる父虹立てり　能村　研三

朝のわが胸抜け出でて虹太し　林　翔

墓域にて虹見しことの腑に落ちず　能村登四郎

雷（かみなり）

日雷

タイマーは0に戻せる日雷　安居　正浩

遠雷や家系図横に拡がらず　頓所　友枝

遠雷の議論のうちに止みにけり　吉村　陽子

雷去つて吾がために母冷えずをり　能村　研三

みどり児を尻から抱いて日雷　能村登四郎

五月闇（さつきやみ）

ぶうらりと垂るる革砥や五月闇　菊地　光子

仕返しの場が開いてゐて五月闇　能村登四郎

梅雨晴（つゆばれ）

梅雨晴間

香煙のゆるり立ちたる梅雨晴間　吉澤　濱子

ポストまで読み返しゆく梅雨晴間　峰　幸子
がんばれの大きな文字や梅雨晴間　村田　正子
筆吊りに穂を休ませし梅雨晴間　能村　研三
濁流のつまづく一所梅雨晴間　能村登四郎

五月晴（さつきばれ）

五月晴門扉に干せる子らの靴　赤松千代子
稽古着を大の字に干し五月晴　神戸やすを

朝曇（あさぐもり）

通勤の日々はるけしや朝曇　礒貝　尚孝
自転車の空気があまき朝ぐもり　能村　研三
河はモネの彩得つつあり朝ぐもり　林　翔

朝焼（あさやけ）

朝焼や故郷を捨つる一書簡　小澤　克己
京瓦てふ美しきもの朝焼す　能村登四郎

夕焼（ゆうやけ）

原つぱに土管がないぞ夕焼雲　福島　茂
夕焼に奪はれさうな橋に立つ　岡澤　田鶴
橋渡り了へ夕焼の畳まる　大橋　俊彦
末子にも漸く釣果夕焼雲　大場　亨
一湾の鎮もる霊気夕焼富士　小澤　利子
夕焼を運ぶ水上バスの窓　齊藤　實
夕焼けやパレットに色あふれたり　種山　啓子
死なばこの坩堝も佳けれ大夕焼　松井　のぶ
大夕焼大抵のこと許せさう　本池美佐子

臥す身をも染め始めたり大夕焼　頼田　幸子
折鶴に祈りをこめる夏茜　児玉　明子
どこを開いても夕焼色の本　今瀬　剛一
エーゲ夕焼逆光の人ら皆黙す　林　翔
父の地の夕焼燕みな燃えよ　能村登四郎

日盛（ひざかり）

日盛を写楽のごとく寄り目して　吉武　千束
和時計の刻む出島や日の盛り　内田　順治
日盛の路傍の陰をゆづりあふ　廣田　健人
卓袱台で何でもすます日の盛　関根　瑶華
日盛に将棋倒しの陶狸　能村登四郎

西日（にしび）

一輛車西日に挑み溶けにけり　高木　嘉久
モノレール発てば西日に射貫かるる　小松　誠一
陣痛のむかしが浮いてゐる西日　鈴木　節子
譲られてこれから西日あたる席　長谷川鉄夫
西日中時間貧乏楽しめり　能村　研三
コロッセオまた血の色の西日さす　林　翔
どこよりか西日燻れる聖母像　能村登四郎

炎天（えんてん）
炎天下　炎日

炎天を漕ぐやからすの羽根ぢから　望月　晴美
高階に炎天籠りてふあらむ　関　洋子
ひめゆりの塔にぬかづく白炎天　伊澤きよ子
決勝へ球児飛び出す炎天下　木村　美翠

炎天を来て落柿舎の藁廂　久保喜代子
炎天へ一歩押し出す負のこころ　佐久間由子
急ぐ身に炎天ぱつと纏ひ付く　佐野ときは
大炎天をシーサーの睨みをり　古居芳恵
炎天に神威岬の巨岩吼ゆ　山本明彦
語りゐて独りの貌となる炎天　坂巻純子
病めばたちまち老婆とならむ炎天下　岡本富子
炎天にルーチンワーク壊しをり　能村研三
身から出る塩舐め炎天下に旨し　林　翔
炎日に色うしなへり師の訃報　能村登四郎

油照（あぶらでり）

鳴く鳥もあらず秩父の油照　町山公孝
鉄橋に鋲の並列油照り　井原美鳥
眼の合ひて会釈遅るる油照り　荒井千瑳子
油照り地より声湧く道普請　峰　幸子
油照庭のとくさの一本気　森本裕子
下り立ちて父なき島の油照　波戸岡旭
樹に強く斧を打ち込む油照　小澤克己
摧（くだ）けにし天柱見えず油照　林　翔
草揉んで傷にすり込む油照　能村登四郎

片蔭（かたかげ）

片陰を江戸のしぐさで擦れ違ふ　中西恒弘
片蔭をつたひて来る車椅子　山根タケ子
片陰の小さきを縫ひ根津谷中　能村研三

旱（ひでり）

片陰のしいんと深き喪服づめ　林　翔

蛇死して紐となりたる大旱　林　翔

樹の上に子がゐて地上大旱　能村登四郎

地理

夏の山（なつのやま）　青嶺

間取図に手書きの出窓夏の山　広渡敬雄
長屋門より筑波青嶺は悠然と　小田原益子
安房上総夏山ふはり萌黄色　下村辰枝
義仲の鼻梁よ夏の御嶽は　宮坂恒子
故郷の青嶺のやうな波濤かな　藤森すみれ
脈々の青嶺を渡る詩の系譜　能村研三
がまの油は小さな土産青筑波　林翔
青き能登師の地父祖の地わが名の地　能村登四郎

五月富士（さつきふじ）

五月富士ひと日離さず靄衣　平岡由美子
さざ波の光の先に五月富士　佐野敏江

雪渓（せっけい）　氷河

太陽はこんなに近し氷河踏む　清水佑実子

夏野（なつの）

中吊りを夏野に変へてゆく脚立　林昭太郎
武者震ひしてD51の立つ夏野　池田崇
大股の歩のまま憩ふ夏野かな　林翔

夏の海（なつのうみ）　青岬

夏海へ行く挑戦の眼して　安居正浩

若き日がうねりくるなり夏の海　小暮桂千
真上より鳶の声降る青岬　峰幸子

卯波（うなみ）

卯波晴名工伊八は波刻む　能村研三
島を語る仁左衛門さんの背に卯波　林翔

土用波（どようなみ）

青年の臟（ひかがみ）くらし土用波　松村武雄
飢の日によく似た夕日土用波　能村登四郎

夏の潮（なつのしお）

夏潮

夏潮にひかれて睡る珠洲の宿　小島史子
水上バイク夏潮をかき回す　網代ユウ子
川底のくらさから来て夏の汐　三浦青杉子

青葉潮（あおばじお）

鰹潮　青潮

かなしみの跡形もなし青葉潮　遠藤真砂明
傾きし左舷を嚙みし鰹潮　柴田雪路
開眼碑青潮鳴の音ふふむ　能村研三

熱砂（ねっさ）

灼け砂

灼け砂を行けど行けども紀元前　北川英子
砂灼くる銚子河口の海難碑　渡辺輝子

代田（しろた）

田水張る

田水張り船のごとくに一軒家　田所節子
田水張る山の量感あきらかに　岡部玄治
夜は神の在すごとくに水張田　伊藤文
七十路に残る気迫の田水張る　大石恵子

一面の代田布石を待つごとし　岡澤田鶴
水張つてパズル埋めゆく千枚田　柴田近江
田水張り先づ青空を容れにけり　髙橋和枝
田水張り四角い空を愛でにけり　吉田政江
山際へ星のかたよる代田寒　羽根嘉津
日本海へすこし傾き田水張る　能村研三
満目の水田のために曇りをり　能村登四郎

植田（うえた）

産土の植田の青の定まれり　松本明子

青田（あおた）

青田風　青田波

渋民の青田は千の方眼紙　樋口英子
三連の水車の勢ふ青田風　古賀咲子
水明り刺し子のやうな青田かな　稲垣尤子
あしたある事を諾ふ青田かな　柴田詩子
父にふと呼ばれたやうな夕青田　竹内タカミ
青田風一望の八ヶ岳威を正し　土屋和子
青田波一村孤立してをりぬ　鶴見知子
尾根伝ふ雲の早さよ青田風　永尾春己
青田風やをら乗り込む無人駅　中島昭親
納棺の前に青田を見せてやる　堀口希望
ありし日の父渉りくる青田波　大牧広
「四年三組」十平米の青田風　長谷川鉄夫
囲みゐる田毎の畦は青極む　能村研三
波なして青田や小さき国上山（くがみやま）　林翔

日本海青田千枚の裾あらふ　能村登四郎

田水沸く（たみずわく）

藻のにほひ泥の臭ひや田水沸く　梅村すみを

泉（いずみ）

木洩れ日のダンスホールとなる泉　七種年男

泉かな光そのままずくひあげ　木村治

袂なきことつまらなき泉かな　正木ゆう子

泉湧く砂の小躍り休みなく　大畑善昭

今日生くる不思議泉の湧く不思議　林翔

清水（しみず）

牛百頭いざなふ風の草清水　栃内和江

葉柄杓の香りもろとも岩清水　木村美翠

森林浴倒れ木に添ひ清水あり　前川京子

苔清水石柱のみの関所跡　木村茂

鑿研ぐや飛騨は木の香に清水湧き　林翔

滴り（したたり）

滴りのひかりの充ちし順に落つ　菅谷たけし

滴りしのちのくろがね流れけり　佐佐木徹

一切無滴りに息あはせつつ　楠原幹子

滴りを山の語部かと思ふ　渡部節郎

地球まだ脈拍正常滴れり　北川英子

磨崖仏裳裾あたりが滴れり　能村登四郎

滝（たき）

見えてゐて音なき滝を目差すかな　千田百里

滝壺にわが魂独りあそびして　千田 敬
岩削る水の鉋や男滝　米光 徳子
滝となる水の変貌畏れけり　宮内とし子
滝しぶき浴びてへつりの行者道　石﨑 和夫
厳走る滝千条の水鎖　板橋 昭子
滝の水滝壺までの忘我かな　内山 照久
ほとばしる瀧の激情身ぬちにも　河野 絢子
我先に水躍り出て滝となる　中島 昭親
滝いつも反り身に我等迎へけり　藤森すみれ
すめらぎの御霊とおもふ滝二条　松井 のぶ
夫とゐて夫を忘るる大瀑布　望月 晴美
滝落つる白一筋の響きかな　茂呂 昇平
滝壺に滝活けてある眺めかな　中原 道夫
百尺の滝落ちてすぐ青を欲る　西山 禎一
遠滝の音なき白さ畏れけり　渡辺 昭
滝涼し戻りをすこし路違へ　高瀬 哲夫
無心とも有心ともいま滝の前　今泉 宇涯
大瀑布直視の眼力かな　能村 研三

生活

更衣（ころもがえ）

更衣余生と言ふも軽からず　髙橋あきの
羽搏きをしてみようかな更衣　七田文子
衣更へて鏡の奥の強気なり　清水麻子
衣更へてさて仏壇の薄埃　梅本豹太
古文書に水と火のこと更衣　鈴木鷹夫
更衣上司がゆゑの小ばたらき　能村研三
薄き翅生えたる思ひ更衣　林翔
父母の声さすがに忘れ更衣　能村登四郎

夏衣（なつごろも）

住職の伽羅の香こぼす夏衣　上田玲子
坂東の札所や僧の夏衣　上野翠子
試着室より老人の夏ごろも　能村登四郎

夏服（なつふく）　クールビズ

夏服のどつと繰り出す交叉点　本池美佐子
夏服のポケット何を減らさうか　渡部節郎
クールビズ来賓席に案内さる　上谷昌憲

セル

このセルも帯も頑固な父ゆづり　能美昌二郎
セルを着て大正無頼に生きし父　鈴木浩子

セルを着て父の世すこし見えて来し　能村登四郎

単衣（ひとえ）

躾糸抜けば羽ばたくひとへもの　林　翔
単衣着て葉ずれの音の帯を巻く　能村登四郎

羅（うすもの）　薄ごろも

うすものに忍ばせてゐる陀羅尼助　望月木綿子
羅や己れ信ずるほかはなく　小山田子鬼
うす衣靡かせ能登の磯日和　加藤房代
羅やとんぼの翅のごとく着て　能美昌二郎
水流れゆきうすものの母と僧　吉田汀史
羅や靡く黒髪あらばよき　林　翔

夏袴（なつばかま）

射位に立つ衣擦れの音夏袴　能村研三

甚平（じんべい）

甚平の嬰甚平の腕の中　大森春子
甚平に選ばれて着る齢かな　藤井　遥
父の威の隙間だらけの甚平着る　斉藤棹歌
甚平やことの本質見えて来し　西本　幸
養生訓添へて甚平贈らるる　仁藤輝男
甚平の叱咤の顎を引きにけり　鈴木節子
甚平のこころもとなき紐結ぶ　高瀬哲夫
甚平着て詰めの甘きを指図せる　能村研三
面影は遠し喜雨亭甚平翁　林　翔
甚平を着て今にして見ゆるもの　能村登四郎

すててこ

すててこの軽さ体操したくなる　安居正浩

浴衣（ゆかた）

浴衣着て真竹のやうな少女かな　永井収子

大浴衣背な一面に四股名染め　小坂士朗

運針のならひを基に浴衣縫ふ　佐藤みほ

白服（しろふく）

白光として白服が通過せり　林翔

白絣（しろがすり）　白地

奔放な夢見て老いし白絣　森本和子

白地着て今しみじみと子を諭す　林一郎

白絣狐伝説語りつぐ　岩佐政子

白地着てどこかに剛をひそめたり　鈴木節子

白地着て白きこころを律しけり　松本圭司

天水のほか無き島に白地干す　藤井晴子

白地着て夜の岬へゆきつけず　岡島亘江

白地着て血のみを潔く子に遺す　能村登四郎

レース

揺り椅子は私のリズムレース編む　篠藤千佳子

夏（なつ）シャツ　白シャツ

白シャツの一団上野をまぶしくす　大森春子

妥協せぬ監督小津の白いシャツ　柴田ふさこ

Tシャツを法衣に替へて現はるる　大森慶子

アロハシャツ

生真面目に着て先生のアロハシャツ　小菅暢子

海水着（かいすいぎ）　水着

息止めて脱ぎし水着の一握り　工藤節朗
アンカーの黒の水着に注目す　中原道夫
海水着一糸のごとくまとひける　松村武雄
恋のころの妻の水着を吾子が着る　能村研三
その水着一握にして絹ざはり　能村登四郎

サングラス

原色の似合ふ横須賀サングラス　宮内とし子
子育てをさらりと語りサングラス　小林奈穂
サングラス目から鱗にちよつと邪魔　安藤しおん
サングラス寂しきこころ隠しけり　廣田健人
真砂女似のゐて朝市のサングラス　藤代康明
サングラス同士確かに目が合へり　渡部節郎
サングラス話大きくしてしまふ　渡辺満枝
ためらひも決断もありサングラス　秋葉雅治
サングラス買ふしづかなる世に棲みて　久保田博
サングラスかけて信心深きかな　能村研三

夏（なつ）帯（おび）　単帯

明治座へこけし模様の単帯　町山典子

日（ひ）傘（がさ）　パラソル　白日傘

黒日傘防犯カメラにも死角　栗原公子
パラソルに昭和をたたみ芙美子像　藤井遥

黒日傘たたむ身ほとりこげ臭し　山崎ふじ子
逢ふ時も別れも日傘高く揚げ　中野　光子
パラソルのひと日の熱を畳みけり　田中　君子
「あなたでしたか」逆光の白日傘　望月　晴美
あいさつの度に傾く日傘かな　小松　誠一
ひと言をこころにたたむ白日傘　荒原　節子
聞けぬこと聞かぬことあり白日傘　小菅　暢子
禿頭のやをらに差せる黒日傘　杉本　光祥
橋番の小屋に立ち寄る白日傘　東　良子

夏帽子（なつぼうし）　麦稈帽　夏帽

ポケットより出してたちまち夏帽子　楠原　幹子
海鳴りの柱にかける夏帽子　加藤久仁子
はんこ屋の回転ケース夏帽子　浅野　吉弘
ややあやあと来る逆光の麦藁帽　大矢　恒彦
釣れてゐる気配は見えず夏帽子　曽出きよの
入選の都美術館へ夏帽子　種山　知子
疲れても薄日は嫌ひ夏帽子　大牧　広
生き方を変へて購ふ夏帽子　高橋　ちよ
夏帽の吉里吉里人を励ましぬ　能村　研三

夏足袋（なつたび）

夏足袋の鞐にこもる気迫かな　吉武　千束
夏足袋の爪先立ちに翁舞　林　翔

白靴（しろぐつ）

能村登四郎白靴も細かりし　広渡　敬雄

白靴の二三歩拾ひあるきして　佐山　文子

やや尖る白靴妻はヴァチカンへ　林　翔

衣紋竹（えもんだけ）

衣紋竹にぞろりと掛けて私生活　梅本　豹太

汗拭ひ（あせぬぐひ）　ハンカチ

緊張のハンカチの皺ふやしをり　小林　奈穂

ハンカチに聖域ありぬ目を拭ふ　林　玲子

梅干（うめぼし）　梅筵　梅干す　梅漬

粒よりぞ筵の梅も出る星も　岡部　玄治

梅干して庭の隅々まで母郷　佐久間由子

胸の内幾重にたたみ梅干しぬ　大浦　郁子

梅筵あとひと干しの色ならめ　樋口　英子

高度九千五百梅干のある機内食　今泉　宇涯

梅漬けてあかき妻の手夜は愛す　能村登四郎

鱧の皮（はものかわ）

灯台の白暮れのこる鱧の皮　朝長美智子

鱧の皮隣は減入る酒らしき　松村　武雄

水貝（みずがい）

水貝や窓にやさしき色の月　大川ゆかり

水貝をしこしこ噛んで好敵手　柴田　雪路

水貝の灯にゆらゆらと余生来ぬ　今泉　宇涯

泥鰌鍋（どじょうなべ）

浅草に田んぼのむかし泥鰌鍋　礒貝　尚孝

また聞きの話大きく泥鰌鍋　大石　誠

忘れたきことに火が付き泥鰌鍋　吉田　政江

八番の席は板間やどぜう鍋　栃内　和江

夏料理（なつりょうり）

せせらぎの音も一品夏料理　池田　崇

ひとつひとつ名を聞いてをり夏料理　能村　研三

冷奴（ひややっこ）

水清き国に生まれて冷奴　佐々木　群

強がりの中の本音や冷奴　木村　公子

冷奴八ヶ岳真向ひに生きてゐる　原　ひろ子

冷汁（ひやじる）

朝の森豆裏漉しの冷スープ　能村　研三

鮓（すし）　鮨

渡御過ぎの間合もよくて鮨届く　能村登四郎

豆飯（まめめし）

豆飯の冷めて昭和の味したり　齊藤　實

塩味の程よき母の豆御飯　高瀬　良枝

豆飯に郷愁といふ隠し味　栗原　公子

飯饐える（めしすえる）　饐飯

饐飯といふもの知らず大家族　能村　研三

はるかより怨まれてをり飯饐ゆる　能村登四郎

冷麦（ひやむぎ）

冷麦に思慕のごとくの一縷の朱　能村　研三

葛餅（くずもち）

久寿餅と書きし箱ごと冷しけり　長谷川鉄夫

葛饅頭（くずまんじゅう）　葛桜

折節に子の訪ひ呉るる葛ざくら　小田夫佐恵

悪気なき嘘をゆるして葛桜　清水恵美子

葛切（くずきり）

葛切や情念といふ手暗がり　坂巻　純子

白玉（しらたま）

白玉の窪ほどの念押しにけり　福山　広秋

白玉の舌に合ひたるさびしさよ　能村登四郎

ゼリー

コーヒーゼリー話ひきだす二匙目　島田　妙子

二十二階灯いろのゼリー揺らしけり　横山　淑子

蜜豆（みつまめ）

蜜豆やまつたくもつて違ふ性　内山　花葉

水羊羹（みずようかん）

場ちがひな声もまじりて蜜豆屋　長谷川鉄夫

怖ろしき咄のあとの水羊羹　鈴木　鷹夫

粽（ちまき）

朝採りの湿りも束ね粽笹　菅井　悦子

産土に父を還して粽解く　頓所　友枝

柏餅（かしわもち）

父よりも母の手広き柏餅　七種　年男

どつしりと母の座れる柏餅　小山田子鬼

胡坐居に風とんでくる柏餅　久保田　博

味噌餡は抒情の味の柏餅　林　翔

朴葉餅（ほおばもち）

母の齢こえて母恋ふ朴葉餅　吉田芳江

麨（はったい）　麦こがし

麨にむせて家郷を遠くせり　柴田雪路

西行の「たはぶれ歌」や麦こがし　古山智子

心太（ところてん）

心太いい加減とふ難しさ　田中数江

忘却もすがしき齢心太　林翔

冷し瓜（ひやしうり）　西瓜冷す

瞬に割れその充実の冷し瓜　関洋子

ふるさとは父母ありてこそ冷し瓜　根本世津

天体に楕円軌道や冷し瓜　能美昌二郎

清流をくねらす西瓜冷やしけり　今瀬一博

清涼飲料水（せいりょういんりょうすい）　ソーダ水　ラムネ　サイダー

ソーダ水はじめは弾けあふ二人　井原美鳥

ラムネのむ喉に断層生まれけり　七種年男

謎解けていささかさみしソーダ水　菅井悦子

青空を一気にのむやラムネ壜　保泉孟史

サイダーの泡の彼方の昭和かな　梅村すみを

ソラマチの下町ぶりにラムネ買ふ　能村研三

氷水（こおりみず）　かき氷　氷旗　氷店　夏氷

かき氷ふつと視力の若返る　田所節子

氷旗お氷川さんの端借りて　吉田政江

止め撥ねのなべて波打つ氷旗　石田静

氷水匙が牙城に迫り行く　上田明子
軽快な音に盛らるるかき氷　竹内タカミ
氷店無声映画のごとき照り　大牧広
美しき虚のもりあがるかき氷　中島秀子
一撃の罅が罅よぶ夏氷　能村登四郎

氷菓（ひょうか）

氷菓売に黄昏ながき港町　河本功

冷し飴（ひやしあめ）

冷し飴啜りしづかな円城寺　能村登四郎

ビール　ビヤホール

深い訳ありさう黒ビール注がれ　甲州千草
結論は方向転換黒ビール　町山公孝
老いし師の授く苦言と生ビール　大場亨
ビール酌み雨の斜線に見惚れゐる　岩井完司
ビヤホール正論を吐き宥めらる　上谷昌憲

梅酒（うめしゅ）

空つ腹梅酒ごときにつけ入らる　平野直子
梅酒よりつまみ出したる梅たのし　高瀬哲夫

焼酎（しょうちゅう）

氷鳴らしていつより嫁の焼酎派　田所節子

冷酒（れいしゅ）

冷し酒偽雄ごころの憂かりけり　大牧広
ぬけぬけと仮想敵手と酌む冷酒　能村研三
冷し酒つひには死者も誘らるる　能村登四郎

甘酒（あまざけ）

緋床几に大正を聞く甘酒屋　大森　慶子

新茶（しんちゃ）

古茶

じつくりと新茶もみあぐ分厚き掌　木村　治

支へ合ふ時を豊かに新茶汲む　石川　雪江

新茶古茶妻の小言は聞き流す　金井　双峰

喜寿傘寿阿吽の暮し新茶汲む　笹原　茂

手甲の紐の結び目新茶摘む　佐藤　みほ

産土のおもひ重なる新茶かな　林　慶太

丁寧に生きたし新茶香りけり　北村　幸子

ジーキルが新茶ハイドが古茶愛す　林　翔

駿河より新茶の着けり永久の香す　能村登四郎

夏灯（なつともし）

灯涼し

レトロなる街の駅舎の灯の涼し　村田　正子

灯涼しドナウ河畔の塩の庫　能村　研三

夏炉（なつろ）

馬なくて曲り屋しんと夏炉に火　栃内　和江

夏炉焚く世界遺産に住める人　宮内とし子

夏炉焚く梁漆黒の手斧痕　山越　朝子

神に捧ぐ阿蘇火口とふ大夏炉　林　翔

わがために夏炉の榾をひとつ足す　能村登四郎

夏座敷（なつざしき）

夏座敷浮灯台の見えてをり　多田ユリ子

夏座敷盗まれさうな子の寝顔　田中　君子

古民家の梁の高さや夏座敷　松下秀夫

寝返りの嬰に手を貸す夏座敷　小林もりゑ

夏座敷空気を踏んで通りけり　林　翔

噴水（ふんすい）

噴水の折れて夕日をしたたらす　三好千衣子

噴水の突端たたむ夜の底　荒原節子

噴水の頂点ふつと無重力　柴﨑英子

噴水や水の表裏を演じつつ　村松忠治

噴水をひとまはりして意を決す　廣瀬倭子

二の足を踏む噴水の上の水　田所節子

噴水の以上も以下もなき高さ　北川英子

夏蒲団（なつぶとん）　夏掛（なつがけ）

薄さにも軽さにも慣れ夏布団　小林勝子

夏掛のみづいろといふ自愛かな　能村登四郎

花茣蓙（はなござ）

夢ならばよし花茣蓙の花なぞる　高瀬哲夫

花茣蓙を仏間に敷きぬ遊びませ　林　翔

簟（たかむしろ）

江戸前の味も匂も簟　千田　敬

籠枕（かごまくら）

残されて籠枕さへ捨てられず　辻　直美

籠枕裏返しける思ひごと　殿畑ただし

聞き耳の血の冷えてくる籠枕　中尾杏子

しづかなる修羅を生き来て籠枕　能村登四郎

陶枕（とうちん）

陶枕のつめたさに死を思ひをり　松本　圭司

陶枕やまぎらふものに死と睡り　能村登四郎

竹婦人（ちくふじん）

竹夫人

あさきゆめみし夫より奪ふ竹夫人　千田　百里

われならば赤く塗らむを竹夫人　能村登四郎

網戸（あみど）

方丈の虫籠ならむ網戸して　沖島　孝光

網戸入るるや青々と夜の文目　辻　直美

網戸入れありあまる風と思ひけり　林　翔

日除（ひよけ）

日覆

何の棒日覆の雨つつく棒　梅本　豹太

ジュネといふ渚通りの日覆店　能村登四郎

青簾（あおすだれ）

簾

簾戸立てて小泉八雲のはなしなど　酒本　八重

喪の席の風よく通る青すだれ　石戸　キコ

ほつとするわが家の狭さ青簾　松本　圭司

うちうちの忌の出這入りの簾かな　能村登四郎

葭簀（よしず）

よろづ屋は葭簀を立てて葭簀売る　高木　嘉久

葭戸（よしど）

葭障子

中に人居る気配あり葭障子　下出　君子

明け暮れの遺影をへだつ葭障子　吉武　千束

葭戸して廓が残るあはれかな　能村登四郎

籐椅子（とういす）
籐寝椅子

にんげんに喫水線や籐寝椅子　細川　洋子
籐椅子のきしみ具合も馬齢かな　千田　敬
もめごとの後の籐椅子とは知らず　北村　仁子
籐椅子を捨てると言ひて愛用す　能村　研三
籐寝椅子こころは雲に預けきり　林　翔
下半身うらさみしくて籐寝椅子　能村登四郎

ハンモック

木洩れ日は光の谺ハンモック　小林　和世
年齢の丸ごと吹かれハンモック　小山田子鬼
本を手に時間を旅すハンモック　清水佑実子
胎内に浮きたる心地ハンモック　林　一郎
即答のあとの自省やハンモック　町山　公孝
童心へ回帰の途中ハンモック　辻　直美
ハンモック鬱気をはらむ撓りとも　能村　研三

蠅叩（はえたたき）

蠅叩くには手ごろなる俳誌あり　能村登四郎

蚊帳（かや）
青蚊帳

青蚊帳のたたみ方など思ひ出す　能村　研三

蚊遣火（かやりび）
蚊遣

正論をあくまで通す初蚊遣　能村　研三

香水（こうすい）

香水の戦つてゐる会議室　諸岡　和子
香水の肩越にルノワールの絵　佐々木　群

その人の勝負香水かも知れず　三留　早苗
香水買ふ少しむかしの妻へかな　松本　圭司

暑気払（しょきばらい）

からうじて父の座保ち暑気払　柳沢志良夫
日がさして山が近づく暑気払　今瀬　剛一

桃葉湯（とうようとう）

その母も育む家風桃葉湯　井原　美鳥

天瓜粉（てんかふん）

天花粉

この小さき命重たし天花粉　今瀬　一博
病む母の顎あげて待つ天瓜粉　吉武　美子
天瓜粉智慧のふくろを軽く打つ　松島不二夫

冷房（れいぼう）

冷房の淡きところの火打石　能村　研三
眼鏡きらきらと冷房に入り来たる　林　翔

花氷（はなごおり）

氷柱花

氷柱花いつたん止まる円舞曲　望月木綿子

冷蔵庫（れいぞうこ）

冷蔵庫開けて眠れぬ顔点す　林　昭太郎
外出の言ひ分けをつめ冷蔵庫　菊地　光子
うなりつつ真夜の佳境の冷蔵庫　能村　研三

扇（おうぎ）

白扇

碁仇の白扇の音鳴り止まず　後藤　貞義
新参に扇の風を賜ひけり　藤井　晴子
船に忘れし扇憶へば波模様　林　翔

袴より抜く白扇のあたらしき　能村登四郎

団扇（うちわ）

竹筒のひと節ごとの団扇掛　栗城　静子

絵団扇の余白の風の吹くことよ　細川　洋子

扇風機（せんぷうき）

扇風機百鬼夜行に加はれり　古山　智子

吊革ひとつ詰めて扇風機の真下　長谷川鉄夫

売らむ書の埃扇風機が吹けり　林　翔

風鈴（ふうりん）

貝風鈴

眠らせてくれし風鈴にて覚むる　高木　嘉久

風鈴を外して風の失せにけり　大森　慶子

風鈴や身丈に合うた暮しなり　熊本富美子

身のうろこ剝がれゆく音貝風鈴　古山　智子

風鈴や産後の親子よく眠り　溝口美代子

二人居の黙も会話よ貝風鈴　千田　敬

風鈴へ噂話のときどきけり　鈴木　良戈

貝風鈴地下船室に揺れてをり　能村　研三

夜の風鈴月の言葉と言ひつべく　林　翔

釣忍（つりしのぶ）

釣忍風に翠を加へけり　平松うさぎ

走馬燈（そうまとう）

走馬燈灯を入れて世を忘じけり　能村登四郎

虫干（むしぼし）　**曝書**（ばくしょ）

書を曝す栞りしままの司馬語録　中野　了一

アジビラの挟まれてゐし書を曝す　大橋　忍
晩節を支へし一書曝しけり　渡辺　昭
曝書して町史の中の祖父に会ふ　森谷一芳
曝す書の中に孤島のごとく坐す　梅本豹太
忘れゐし己れと出会ふ土用干　藤井晴子
曝涼や目打紙縒りの直筆稿　能村研三
書を曝す焼いても惜しくなけれども　能村登四郎

晒井（さらしい）

井戸浚

急に日の翳つて来たる井戸浚　髙橋マキ子

打水（うちみず）

水打つ　水撒き

水打つて石の素顔を確かむる　千田百里
打水の店に最初の客となる　平城静代
打ち水にもんどりうつてゐる空気　細川洋子
水打つて詩の行間にゐるごとし　田辺博充
常の日の常のごとくに水を打つ　寺田和子
水撒きしホースを洗ふホースかな　米光徳子
水打ちて暖簾の屋号ひき緊る　門岡木偶子
打水の一杓天を濡らしけり　池田　崇
水打つて荷風六区の通ひ道　能村研三
打水や石への愛は日に一度　林　翔
水打つて娼家のごとく夕待つ　能村登四郎

シャワー

優勝の少年シャワー全開す　永井収子
シャワー浴ぶ完敗の身の蹠まで　川島真砂夫

シャワー撥ね返す内なる力かな　林　翔

シャワー浴び真あたらしさの天を負ふ　能村登四郎

夜濯(よすすぎ)

夜濯や星空狭き町に住み　諸岡和子

夜濯を干す音楽のある部屋に　能村研三

定斎売(じょうさいうり)

定斎屋

定斎屋を浅草に見て肯けり　能村登四郎

麦刈(むぎかり)

くらがりに麦刈りて来し手を燃やす　能村登四郎

溝浚へ(みぞさらへ)

朝の日に軍手かがやく溝浚へ　佐野ときは

付き合ひの濃きも淡きも溝浚へ　花田心作

鈍重にあらず実直溝浚へ　髙木春夫

誰か鈴さげてゐるらし溝浚へ　梅本豹太

代掻(しろかき)

代掻く

田の神に問うて代掻く日の出前　後藤貞義

代掻くや啄む鳥を引き連れて　舘　千咲

地上絵のやうに代掻くトラクター　石田　静

田植(たうえ)

田植機

田を植うる今がもつとも故郷美し　萱谷たけし

田を植ゑてみちのくどつと目覚めけり　石山孝子

田植了ふ要所には妻いつもゐて　林　一郎

山形は田植済んだか大わらぢ　溝口美代子

田植機の肘のあたりへ油差す　諸岡和子

子の肩へ手を置くやうに苗植うる　酒井　敏子
早や田植終り地球の産毛なる　山田トモヱ
田を植ゑしあとぞんぶんに星揃ふ　川島真砂夫
田植機の一列比良へ靄を押す　西山　禎一
田植季日本中が生真面目に　能村　研三
田を植ゑて比良の山影崩しゆく　林　翔

雨乞（あまごい）

元も子もなき雨乞ひに酒が出て　能村　研三

水争（みずあらそい）

水敵

水敵同姓同士が手強くて　能村　研三

雨休み（あめやすみ）

雨祝

水守の名がつく堰や雨祝　能村　研三

早苗饗（さなぶり）

早苗饗の浮き足立ちし灯りかな　能村　研三

草取（くさとり）

考へるための草取り続けをり　能村　研三

草刈（くさかり）

草刈り機一斉に鳴る岳日和　鈴木　千年
草刈女風を敷き寝の夢青き　西山　禎一

干草（ほしくさ）

刈干

干草の大地に戻る匂ひかな　中野　光子
刈干切唄宮司の謡ふ神楽殿　網代　鏡子
干草にゆふべの星の紛れ入る　中原　道夫

稗蒔（ひえまき）

稗蒔にひと日の始め終りあり　吉田　明

漆掻（うるしかき）

鎌音の耳に残れり漆掻　今瀬　一博

袋掛（ふくろかけ）

隠れ耶蘇の地に入念の袋掛　林　一郎

右ひだり枝を撓めて袋掛　網代ユウ子

十万枚根気の黙や袋掛　齊藤　陽子

鶏鳴をこだま返しに袋掛け　千田　敬

木の枝払ふ（きのえだはらふ）　枝下す

椨大樹宙が見えくる枝下し　宮坂　秋湖

竹植う（たけうう）　**竹酔日**（ちくすいじつ）

竹酔日農具確かむ漢かな　平城　静代

ざんざ降り酔ひそこなひし竹もあり　能村　研三

竹酔日来合せ笛の竹もらふ　能村登四郎

水見舞（みずみまい）

ぽつかりと母屋のくらき水見舞　松島不二夫

上蔟（じょうぞく）

明日は晴れと思ひてあまた上蔟す　今瀬　剛一

繭（まゆ）　白繭

掌に受けて雪の白さの繭ぬくし　松本　秀子

白繭がさとりてをりし朝茜　能村登四郎

鵜（う）　**飼**（かい）　鵜舟　疲鵜　鵜匠　鵜篝

篝火や水軍のごと鵜舟来る　大石　誠

疲れ鵜や月の雫に照らされて　深見　祐子
篝火や若き鵜匠の片ピアス　土屋　和子
鵜篝の美しき修羅滑りくる　正木ゆう子

夜釣（よづり）

夢にくる夜釣の夫の黒づくめ　柴田　雪路

箱眼鏡（はこめがね）

箱眼鏡もろとも空を仰ぐなり　福島　茂
兄弟の顔寄せのぞく箱眼鏡　深見　祐子
箱眼鏡身の中心を失へり　川畑　良子
ふるさとの海へのきづな箱眼鏡　西村　渾
我が足のこんなにでかい箱眼鏡　能村　研三

魚簗（やな）

蛇籠破れ簗師は老の意地とほす　清水　由惠
竹を割る音小刻みに簗支度　南出　律子

烏賊釣（いかつり）　烏賊釣火

元寇の攻めくる如く烏賊火燃ゆ　鈴木　伸一
烏賊釣火津軽の闇を深めけり　杉本　光祥

鰹釣（かつおつり）　鰹船

威をすでに舳先にそなへ鰹船　能村　研三

避暑（ひしょ）

一抹の鬱気を纏ひ避暑帰り　能村　研三

納涼（すずみ）　納涼舟

納涼船の速度の上のカレー店　鈴木　鷹夫

川床（かわゆか）

川床と水の間の暗さかな　坂本俊子

船遊（ふなあそび）　遊船

舟遊びスカイツリーの影を踏み　藤井ふさ子

渡り板架けて始まる舟遊　能村研三

鵜舟来と遊船少し傾ぎけり　林翔

ボート

極上の風をいただくボートかな　清水佑実子

ヨット

ヨット群るむかし太陽族の海　堀口希望

身捨つるほど波に傾がせヨットの帆　秋葉雅治

水上スキー（すいじょうスキー）

水上スキーみるみる富士を横断す　鈴木美智子

サーフィン　波乗り

サーファーに太平洋といふ舞台　佐久間由子

衆目の波のり若さしたたらす　吉武千束

サーフィンの真下の水は傷つきぬ　大島雄作

波乗りの太陽にまたはげまされ　松本圭司

暁光はあらゆる波に波乗りす　今泉宇涯

夏スキー（なつスキー）

サマースキーに月山の日が躍る　遠藤真砂明

登山（とざん）

登山する人の灯や夜の富士　斎藤衛

岩を嚙む父の遺愛の登山靴　小平昭七

登山荷へ熊除け鈴を選びをり　山越　朝子
登山帽揃へ弱気を封じけり　北村　幸子
霧をゆき父子同紺の登山帽　能村登四郎

ケルン

屹然と生きし父なりケルン積む　松尾信太郎
村沈め石積ダムはケルンめく　能村　研三

歩荷（ぼっか）

眼前の歩荷の尻を頼りとす　能村　研三

キャンプ

キャンプファイヤー彼を正面からは見ず　安居久美子
キャンプ張りまづ白蝶に訪はれけり　田所　節子

泳ぎ（およぎ）　遠泳　浮輪

遠泳の子へ太陽が付きつきり　遠藤真砂明
背泳ぎはさすらふに似て昼の月　松井志津子
太陽をひとりにひとつ浮輪の子　安藤しおん
布を裁つごとクロールの一直線　内山　照久
背泳のやうに産湯を使はする　深川　峰子
溺るるにどこか似てゐし立泳　池田　崇
小気味よく流されてをり遠泳子　今瀬　剛一
泳ぎきり人間くさくなりしかな　能村　研三
水踏んでゐるさびしさの立泳ぎ　能村登四郎

プール

プール帰りの子が来て書塾しづまらず　岡本　富子
懺悔のごとプール歩行の列につく　能村　研三

プールより出て耳朶大き少年なり　能村登四郎

ダイビング　飛込み

飛込の途中たましひ遅れけり　中原道夫

砂日傘（すなひがさ）

帰るぞと父のたためる砂日傘　網代鏡子

隣より濃き影つくる砂日傘　大島雄作

滝浴び（たきあび）　滝行者

滝行者鋼佇ちしてゐたりけり　能村研三

夜店（よみせ）

うしろより夜店を覗くのつぺらぼう　古山智子

風呂敷が残らず包む夜店の荷　藤井晴子

金魚売（きんぎょうり）　金魚屋

金魚屋の店じまひ見て動かぬ子　五十嵐章子

水替へてより声のばす金魚売　三浦青杉子

螢売（ほたるうり）

薄倖を分けあふごとく螢売　西山禎一

西瓜割り（すいかわり）

目隠しの中も眼つむる西瓜割り　中原道夫

花火（はなび）　遠花火

花火の夜電車ふくれて着きにけり　菅谷たけし

東京の川は無口や花火の夜　齊藤實

喪ひしものは数へず遠花火　石田静

揚花火崩るるときも光りあひ　河本功

惜命やみえざる沖の遠花火　中尾杏子

鳥のこゑで昇りつめたる花火玉　坂巻　純子
人の世をさびしがらせて花火終ふ　今泉　宇涯
杉の間にひらく筈なる花火待つ　能村登四郎

線香花火（せんこうはなび）　手花火

手花火のぼとりと闇を深くせり　小栗　八重

袴能（はかまのう）

痩鶴のごとくに老いし袴能　能村登四郎

ナイター

ナイターのかたちに天の抜けゐたり　石川　笙児
音消して見るナイターの負け試合　佐藤　克江
ナイターの風出でてより逆転打　能村　研三

水鉄砲（みずでっぽう）

水鉄砲ためらひ覚えはじめなり　和田　満水
水鉄砲つくり笑ひを狙ひけり　大島　雄作

浮人形（うきにんぎょう）　浮いて来い

面影の浅草六区浮いて来い　小林　和世
朱鷺・狼・日本獺浮いてこい　石﨑　和夫
浮いてくる素直がさびしういてこい　能村　研三
長子次子稚くて逝けり浮いて来い　能村登四郎

水中花（すいちゅうか）

ほのぼのと老は来てほし水中花　林　翔
二日酔めく明け方の水中花　能村登四郎

金魚玉（きんぎょだま）

金魚玉ふたりの黙を翻へす　小河原清江

箱庭（はこにわ）

あさくさの水すこしある金魚玉　能村登四郎
箱庭にまことの土を少し入れ　湯橋喜美
箱庭の浅草奉る門幾つ　工藤節朗
箱庭に雲の往き来のありにけり　佐藤みほ
いい風が出て箱庭の完成す　大牧広
箱庭に縮尺合はぬ雲と空　能村研三
釘箱の中箱庭の鷺をりて　能村登四郎

蓮見（はすみ）

蓮見舟

狼藉のごとく蕚へ蓮見船　内山照久
水路ならぬ水路分け入り蓮見舟　岡崎伸

螢狩（ほたるがり）

川の名の失せしあたりの螢狩　能村研三
今少し若くて来たしほたる狩　能村登四郎

螢籠（ほたるかご）

あぶな絵にいやにちひさき螢籠　中原道夫
明滅のにほひの螢籠　林翔

捕虫網（ほちゅうもう）

捕虫網夕日掬つて帰りけり　髙橋和枝
捕虫網東京駅を素通りす　石田静
しやちこばつてゐる捕虫網の下ろし立て　久染康子
捕虫網泳がすときの瞳が燃ゆる　小椰鳩子
捕虫網改札口を出て揃ふ　川島真砂夫
捕虫網買ひ父が先づ捕へらる　能村登四郎

草笛（くさぶえ）

草笛やぼくから俺に変りし子　富川　明子
草笛を吹けば故郷ついて来し　村田ヤス子
草笛の出来たての音愛しめり　上谷　昌憲

草矢（くさや）

草矢射る信濃の空の深さかな　中田とも子
草矢打つ万策にまだのこりあり　石川　笙児

立版古（たてばんこ）

豪雨来て糊の香もどる立版古　能村登四郎

裸（はだか）

太陽に束ねられたる裸つ子　木村　公子
裸同士ですんなりとまとまりぬ　松本　圭司
身の壮（さか）りなれば真裸ためらはず　吉田　明
裸子よ汝も翳もつ肩の骨　林　翔
裸にて削ぎに削ぎたる詩のかたち　能村登四郎

跣足（はだし）　素足

神の湯に浸す素足の浄土かな　佐藤　淑子

端居（はしい）

糸電話持たされてゐる端居かな　小松　誠一
端居してもう叱らない母と居る　塩野谷慎吾
端居して父の心がいまわかる　原　教正
東京の端居なる位置柴又は　能村　研三
端居してこの身このままこはれもの　林　翔
年寄の知恵出しつくし端居せり　能村登四郎

髪洗ふ（かみあらふ）

洗髪

髪洗ふ思ひの丈を泡立てて　関根瑶華

メドゥサとなる真夜中の洗ひ髪　馬場由紀子

二万歩の太陽浴びし髪洗ふ　望月晴美

汗（あせ）

汗ばみて生業屈むこと多し　細川洋子

敗者にも満足といふ玉の汗　岡崎ひさし

能面の静けき汗のありぬべし　大矢恒彦

聖堂の暗さに入りて汗引けり　高瀬良枝

汗ぬぐひご用材曳く伊勢の杜　中野栄吉

ガラス戸に口押しつけて汗の児よ　ガルシア繁子

汗ひいて孤立無援といふしづけさ　坂巻純子

舁き縄は男の汗の誉れかな　能村研三

わが汗をわが嘗めわれの味したり　林翔

汗ばみて加賀強情の血ありけり　能村登四郎

日焼（ひやけ）

潮焼

御神火太鼓打つ青年の日焼け顔　伊澤きよ子

日焼けせる島民の顔誰も似て　能村研三

純白の服もて日焼子を飾る　林翔

潮焼にねむれず炎えて男の眼　能村登四郎

昼寝（ひるね）

三尺寝　昼寝覚

長寿とは昼寝上手でありにけり　河口仁志

万端を調へ香具師の三尺寝　水木沙羅

四捨五入四をひろうて昼寝覚　浅野吉弘

竹林を税に納めて大昼寝　大浦郁子
雨音でうつつに戻る昼寝覚　神田八重子
地下足袋のままに転がる三尺寝　後藤貞義
勾玉は防御のかたち児の昼寝　高久正
魂はちよつと遅れて昼寝覚　西本幸
胸板てふ眼鏡の置き処三尺寝　小沢きく子
すぐそばに仰ぐ木のある昼寝覚　柴田雪路
金輪際目覚めぬつもり昼寝漁夫　川島真砂夫
昼寝児へ夢の二三歩つき合ひぬ　能村研三
昼寝びと口結びけり開きけり　林翔

暑気中り（しよきあたり）

暑気中り世の日の暮のやはらかし　能村登四郎

水中り（みづあたり）

円楽にすこし笑ひて水中り　大牧広

夏痩（なつやせ）　夏負け（なつまけ）

夏痩せて父似を隠しやうもなし　阿部眞佐朗
引き潮のやうに夏負けしてをりぬ　細川洋子
夏痩に黒縁眼鏡重かりし　山本明彦
夏負けとふ母の眼の大きかり　古守弓子
「昔をとこありけり」吾は夏痩せぬ　鈴木鷹夫
夏痩せて勘の鋭くなりにけり　能村研三
夏痩せて葉込みの螢さへ見ゆる　能村登四郎

夏休（なつやすみ）

学校の前の信号夏休み　大野秀夫

帰省(きせい) 帰省子

帰省の子家中の灯に待たれをり　久染　康子

帰省子の勝手知りたる鍵置場　須山　登

帰省子の両手を梁に顔を出す　工藤　節朗

森林浴(しんりんよく)

森林浴熟睡の嬰を抱きつつ　柿添ひと志

行事

子供（こども）の日（ひ）

石段も土管も楽しこどもの日　大森　春子

子供の日小さくなりし靴いくつ　林　翔

母（はは）の日（ひ）

母の日やまだ現役に腰据ゑて　ガルシア繁子

母の日の米寿の母と立つ厨　木村　美翠

母の日や手持ち無沙汰の夫が居り　宮下　桂子

母許へ母の日貝殻道ひかり　吉田　明

母の日の花の荷が着く男子校　林　翔

愛鳥週間（あいちょうしゅうかん）　バードデー

父と子の背のよく似てバードデー　峰　幸子

電波（でんぱ）の日（ひ）

屋根に来て雀のはづむ電波の日　武藤　嘉子

さざ波が光りを生むや電波の日　米光　徳子

嶺々をつなぐ谺や電波の日　千田　百里

電波の日昨日の夕刊今朝は反故　上谷　昌憲

時（とき）の記念日（きねんび）　時の日

時の日やしやかしやかと振る修正ペン　小川　流子

時の日の記紀に飛鳥の水時計　矢崎すみ子

父の日（ちちのひ）

父の日やライカに触れし冷たさも　広渡敬雄
父の日や電動鋸の空うなり　峰崎成規
父の日のあるがままなり釣道具　石戸キコ
父の日や父在る時は思はざる　礒山恭行
父の日の父に盃満たさるる　川畑良子
過去形を豊かに父の日の会話　北村幸子
父の日や算盤で解く平方根　須山登
父の日の僅かながらも青き沖　松島不二夫
父も子もなき父の日は旅せむか　高瀬哲夫
祝ぐこともなき父の日の更けて雨　能村研三
父の日のかかる熟睡を誰が呉れし　林翔
風強き父の日を今うべなへり　能村登四郎

海の日（うみのひ）

海の日の地球儀一回転して日本　矢崎すみ子
海の日のからりと乾くポプリかな　阿部順子
海の日の国旗冷ましてより畳む　千田百里

海女祭（あままつり）

海女海泳

松明をいのちと掲げ夜泳海女　柴﨑英子

原爆の日（げんばくのひ）

広島忌　原爆忌　浦上忌

嘘のやうな空の青さよ広島忌　梅村すみを
影連れし市電の軋み広島忌　岡崎ひさし
無数にて無名にあらず原爆忌　菊川俊朗
原爆忌切手正しく貼りにけり　浅野吉弘

捨舟にまだある浮力原爆忌　沖島　孝光
水平線くぼめて入り日原爆忌　小澤　利子
とこしへに雨はみづいろ原爆忌　塩原　洋子
人ひとり隠れる柱原爆忌　長岡　新一
バーベルを下ろすに力原爆忌　林　昭太郎
群青の空あるかぎり広島忌　渡辺　満枝
被爆忌のいのち素直に髪洗ふ　中尾　杏子
浦上忌若き語り部老いにけり　林　翔

端午（たんご）

大灘の航跡ひかる端午かな　石崎　和夫
対角線きめて端午のかぶと折る　安藤しおん
子の直球グラブに痛し端午の日　山下ひろみ
端午かな巻藁に矢の的中す　能村　研三

幟（のぼり）

蒼天へ三河五彩の武者幟　平岡由美子
山里やぬつと幟の武者震ひ　林　慶太
幟立つ安房はたゆたふ波の国　松本　圭司
川を生む山の力や幟立つ　能村　研三
雪渓の白刃ひらめき幟立つ　林　翔
幟立つ男の国の甲斐に入る　能村登四郎

鯉幟（こいのぼり）　矢車

鯉のぼり家族はいつも同じ向き　和田　満水
矢車やからから風の夜を紡ぐ　峰崎　成規
何処からも見え分校の鯉幟　鈴木　浩子

鯉のぼり空に急流ある如し　曽出きよの
鯉幟少子高齢化に負けず　保坂　要
田園の風の指揮とる鯉幟　山越朝子
山手線に直線ありて鯉のぼり　高木嘉久
鯉幟空に水音生まれけり　頓所友枝

武者人形（むしゃにんぎょう）　武具飾る

武具飾る四角四面の父想ふ　鈴木一広
武者飾る子に一徹の三河の血　柴田雪路

菖蒲葺く（しょうぶふく）

菖蒲葺くならさしあたり陣屋門　水上陽三

菖蒲湯（しょうぶゆ）

菖蒲湯に老いて産湯のごとく浮く　西山禎一
菖蒲湯にゐて男壮りの頃おもふ　能村登四郎

夏芝居（なつしばい）

主役から化粧の崩る夏芝居　中西恒弘
仕舞には戸板に乗りぬ夏芝居　辻　直美

薪能（たきぎのう）

幕間は瀬音高まり薪能　吉武千束
相輪に笛の音渡る薪能　能村研三

夏場所（なつばしょ）

川波も立ちて夏場所初日かな　林　翔
夏場所や扇の波に勝名乗り　能村登四郎

競渡（けいと）　ペーロン

ペーロン船舳先の海を真つ二つ　田川美根子

ダービー

ダービーの勝ち馬の肌濡れてをり　梅村すみを

山開き（やまびらき）

ウェストン祭

傍らに山鳩もゐてウェストン祭　矢崎すみ子

法螺貝の響く一切経山開き　山田トモヱ

山開桶に浸せる榊束　能村登四郎

パリ祭（さい）

巴里祭

残党のやうな紫煙派巴里祭　千田　百里

螺旋階段爪立ち下りる巴里祭　七田　文子

巴里祭シェークの肘は音刻み　安藤しおん

巴里祭ギター奏者の靴尖り　佐々木よし子

磨かれしグラス林立巴里祭　千葉　惠美

透く傘に珠なす雨や巴里祭　植村　一雄

古書舗出て星ふりかぶる巴里祭　岡部　玄治

巴里祭生家にありし蓄音機　能村　研三

海開き（うみびらき）

浦安の地図の青減る海開き　鈴木　良戈

海開き神官の衣は風はらみ　鈴木　浩子

改札に真赤な朝日海開　川島真砂夫

朝顔市（あさがおいち）

傘いらぬほどに朝顔市の雨　礒貝　尚孝

鬼灯市（ほおずきいち）

鬼灯市まだ青春の端にゐて　多田ユリ子

客は傘売り手は合羽鬼灯市　大橋　俊彦

祭(まつり)

神輿(みこし)

あす勢ふ形に干され祭足袋　秋葉　雅治
神輿過ぎしあとの余白にただよへり　安居　正浩
ひよつとこの隠れたばこや夏祭　今瀬　一博
十五糎からありまする祭足袋　湯橋　喜美
出不精を誘ひ出したる祭笛　赤松千代子
祭闌け地軸を揺するキリコかな　阿部眞佐朗
小気味よき啖呵ひとつも祭くる　荒井千瑳子
祭鱏背に荒縄の蝶結び　池田　祟
御旅所に饅頭怖い奴が居る　上谷　昌憲
幸せはいつも後に祭り笛　小田原益子
お宮日の漢神輿に杜動く　河本　功
チャグチャグ馬コ水の都の橋幾つ　工藤　節朗
祭果て大提灯が力ぬく　小平　昭七
神輿舁く三河育ちの一本気　近藤　敏子
かけ声の坂うねり来る夏祭　清水佑実子
風切つて女神輿の力入る　杉原かほる
鳳凰が海光弾く神輿かな　田谷ひろし
働きし爪でこぼこや祭笛　藤森すみれ
街路樹に先陣の風神輿来る　松井志津子
だんじりの走る男や滾つ川　松丸　佳代
拳玉の名手なりしや祭笛　藪下　謙二
長男の吹き継ぐ村の祭笛　山越　朝子
ふる里に帰り茶髪の荒神輿　山田トモヱ

屋台より反り返り吹く祭笛　吉田　芳江
千貫神輿納めしあとの日照雨かな　清水美代子
町ぢゆうを揺るがせて来る大神輿　小菅　暢子
祭足袋脱いでも足の泳ぐかな　秦　洵子
はたらきに祭の端を通りけり　松本　圭司
世の裏の風まだ知らぬ祭髪　柴田　雪路
帯巻くとからだ廻しぬ祭笛　鈴木　鷹夫
祭宮へ灯一列の連れ点り　能村　研三
祭笛よき音がいでて泪ぐむ　能村登四郎

峰入（みねいり）

峰入僧巌飛降りるとき光る　田辺　博充

諏訪の御柱祭（すわのおんばしらまつり）　御柱祭

御柱祭熱き男の一本気　中坪　一子
七年に家族の歴史御柱祭　矢崎すみ子

葵祭（あおいまつり）　懸葵

懸葵いにしへぶりも萎えにけり　林　翔
懸葵落ちしが上の轍かな　能村登四郎

三社祭（さんじゃまつり）

たふさぎに浅草の朱三社祭　森田　潤子
足場板積まれて三社祭名残り　菅谷たけし

熱田祭（あつたまつり）

刻々と潮の満ちくる熱田祭　塚本　初美

富士詣（ふじもうで）　富士山開

宇宙より祝ぎ声富士の山開き　鈴木　良戈

野馬追（のまおい）

野馬追の神旗を得たる馬の息　　松丸　佳代

博多の祇園祭（はかたのぎおんまつり）

山笠

山笠走る博多の町を引き連れて　　古賀　咲子

山笠や祝ひ目出度の男声　　能美昌二郎

祇園会（ぎおんえ）

鉾稚児　薙刀鉾

鉾稚児の披露目手拭繧いろ　　成宮紀代子

鉾稚児と眼の合ひたるは吉兆か　　松本　圭司

はるかより威を見せ薙刀鉾来たり　　能村登四郎

愛宕の千日詣（あたごのせんにちもうで）

愛宕詣峰までつづく火の蛇行　　西山　禎一

夏越（なごし）

夏祓

夏祓号鼓の革の打たれ艶　　吉田　政江

柏手に込める力や夏祓ひ　　岩瀬　浩一

枝豆にうすく塩せり夏祓　　中尾　杏子

茅の輪（ちのわ）

浄め塩ほどの雨過ぐ青茅の輪　　柴田　近江

まづ父がくぐつてみせる茅の輪かな　　古関　進

ほこほこと出てゆく茅の輪くぐるとて　　能村登四郎

形代（かたしろ）

形代の婦唱夫随に流れけり　　杉本　光祥

能筆の形代なれば流れよき　　能村　研三

形代のまだ罪を被ぬ白ふかし　　林　翔

形代の襟しかと合ふ遠青嶺　　能村登四郎

夏書（げがき）

青墨の穂先の香る夏書かな　吉澤　濱子

四万六千日（しまんろくせんにち）

四万六千日生たまごを割る　齊藤　實

四万六千日麦飯しかと嚙みしむる　平城　静代

四万六千日ガリ版の鉄筆　大川ゆかり

四万六千日あかつきの雨よしとせり　能村登四郎

閻魔参（えんままいり）

愛欲のどこからが罪閻魔堂　藤井　晴子

万太郎忌（まんたろうき）　傘雨忌

下足札の「いの一番」や傘雨の忌　阿部眞佐朗

拍子木の響く音が好き傘雨の忌　角田　光世

魚偏の湯呑に遊ぶ傘雨の忌　岩崎喜美子

傘雨忌のしもたやに貼る祭触れ　秋葉　雅治

登四郎忌（としろうき）　朴花忌

墨染の似合はれしこと朴花忌　千田　敬

あつまりてこころひとつに朴花忌　花田　心作

登四郎忌ほたるぶくろの中濡れず　菅谷たけし

仰ぎゐてしづくは一語朴花忌　羽根　嘉津

初蟬のもう鳴く頃か登四郎忌　河口　仁志

辰雄忌（たつおき）

白樺に風の移ろひ辰雄の忌　髙橋マキ子

業平忌（なりひらき）

クールビズ風を着こなす業平忌　大森　春子

老残のこと伝はらず業平忌　能村登四郎

桜桃忌（おうとうき）

太宰忌

地下茶房に黄昏のなし桜桃忌　千田百里
桜桃忌水底にある捨鏡　関根瑶華
桜桃忌降りつむ雨のなま臭し　中山めぐみ
分かつてはゐる太宰忌の過し方　菊川俊朗
みちのくに白花多し太宰の忌　七田文子
夕影の伸びし畳目桜桃忌　鈴木良戈
胸中のメロスも老いし桜桃忌　松村武雄
桜桃忌スタンドバーの小半時　能村研三

楸邨忌（しゅうそんき）

どこまでも真つ直ぐな道楸邨忌　保坂要
楸邨忌俳諧軽くなりしかな　林翔

秋櫻子忌（しゅうおうしき）

喜雨亭忌　群青忌

湖の面に雲の過ぎゆく群青忌　河野美千代
旅にして遭ふ雨も佳し喜雨亭忌　林翔
炎天のわが影ぞ濃き喜雨亭忌　能村登四郎

河童忌（かっぱき）

石鹼の泡つんとたつ河童の忌　阿部順子

左千夫忌（さちおき）

鳥に風川に艪の音左千夫の忌　佐藤洋子

草田男忌（くさたおき）

鉄を断つ火花の青し草田男忌　小澤利子
海霧のぼる崖の垂直草田男忌　秋葉雅治

動物

蝙蝠（こうもり）　蚊喰鳥

蝙蝠やしづかに暮るる根津谷中　堀口　希望

泣石もそろそろ泣くか蚊喰鳥　林　翔

亀の子（かめのこ）

親亀の上亀の子のわれもわれも　辻　美奈子

蟇（ひきがえる）　蝦蟇

蟇いま父上にもの申す　今瀬　剛一

この村のしきたりに倦み蟇あゆむ　川島真砂夫

蝦蟇ゴシック体で動きをり　浅野　吉弘

蟇父の真顔を重ねけり　河浦　正樹

雨上がりしかふたたびの蟇のこゑ　髙橋マキ子

蟇とべりおのれを地より引き剝がし　朝長美智子

山国の闇深くする蟇の声　宮坂　恒子

ひきがへる鬱の歩みは尻立てて　林　翔

跳ぶ時の内股しろき蟇　能村登四郎

牛蛙（うしがえる）

鳴き声が沼せりあぐる牛蛙　米光　徳子

河鹿（かじか）

河鹿聞く部屋を選んでもらひけり　浅沼　久男

夕闇にしろく泡立つ河鹿の瀬　花田　心作

しをりとはほそみとは瀬の河鹿鳴く　森山 夕樹

山椒魚（さんしょううお）

山椒魚声は持たねば裏返り　林 翔

蜥蜴（とかげ）

可視光線地球に届き青蜥蜴　篠藤千佳子

蛇（へび）　くちなは

何を呑みしかくちなはの身のいびつ　辻 美奈子

川面ゆく蛇ひたすらといふ光　竹内タカミ

少年の目を釘付けに蛇泳ぐ　平嶋 共代

くちなはの草を這ふ音耳去らず　宮下 桂子

蛇を見し眼に日輪の暗くなる　松本 秀子

蛇使ひ帰り支度す青き夕　吉田 明

蛇埋め鍬を一夜は外に置く　岡本 富子

蛇（くちなわ）の草擦る音の水辺まで　能村登四郎

蛇衣を脱ぐ（へびきぬぬぐ）　蛇の衣

蛇の衣草の途方にくれてをり　齊藤 實

満水の棚田に浮かぶ蛇の衣　西村 渾

蛇の衣ふはりと明日も着るやうに　清部 祥子

真実を裏返し脱ぐ蛇の衣　おかたかお

絖絖とぬくみの残る蛇の衣　能村登四郎

蝮（まむし）

小流れをひよいと渡つて蝮捕　石﨑 和夫

羽抜鳥（はぬけどり）　羽抜鶏

ほがらかに啼く校庭の羽抜鳥　林 玲子

アンカーのごとく走れり羽抜鶏　浅沼　久男
神鶏にして羽抜けをばまぬがれず　加藤富美子
あまり似てゐて羽抜鶏蹴とばさる　能村登四郎

時鳥（ほととぎす）

寝袋の目覚ましほととぎす一声　藤原　照子
ほととぎす山霧迅く流れをり　小田　里己
さう聞けば生きよ生きよと時鳥　辻　直美
赤岳をふり切る朝日ほととぎす　林　翔

郭公（かっこう）

郭公やカンバスにまづ地平線　林　昭太郎
遠郭公遠々郭公那須に来し　岡崎　伸
水底に日の斑風の斑遠くわくこう　七田　文子
郭公に目覚めて阿蘇の霧ごろも　林　翔

夜鷹（よたか）

参籠の一夜の伽の夜鷹鳴く　能村登四郎

青葉木菟（あおばずく）

樹海には手付かずの闇青葉木菟　長岡　新一
青葉木菟夜はどんどん広がりぬ　神山　節子
夕闇の時を鳴き継ぐ青葉木菟　村松　忠治
もの書きて紙背おそろし青葉木菟　林　翔

老鶯（ろうおう）　夏鶯

老鶯に生きよ生きよの力受く　熊倉　松太
老鶯や釜に一杓湯をしづめ　井澤　禎子
点字句碑夏鶯に耳澄ます　東　良子

明日よりは老鶯ぞ声限り鳴け　林　翔

雷鳥（らいちょう）

雷鳥や雨の来さうな山の色　田所節子

燕の子（つばめのこ）

親燕

燕の子丸太小屋より折り返す　市川和子
燕の子巣立ち間近の小競り合ひ　山越朝子
朝もやを切つて一途の親燕　舘　千咲
口大きく開けて日本の燕の子　広渡敬雄

葭切（よしきり）

葭雀

江戸つ子の船頭無口葭すずめ　上田玲子

鷭（ばん）

この沼の夕燃えどきの鷭の嘴　能村登四郎

水鳥の巣（みずとりのす）

浮巣

葦原の明るき水面鳰浮巣　小河原清江
ものがみな吹かるる中の浮巣かな　今瀬剛一
緑地課の預りとなる鳰浮巣　能村研三
鳰浮巣編みあまるもの漂へり　能村登四郎

軽鳧の子（かるのこ）

軽鳧の子の未知へ引く水尾広ごりぬ　鈴木美智子
軽鳧の子の七羽で挑む母の背　鈴木秋雲
軽鳧親子孟母三遷してをりぬ　加藤富美子

鵜（う）

海鵜

羽繕ふ海鵜は海へ胸ひらく　太田鈴代

鰺刺（あじさし）

鰺刺や空に断崖あるごとし　林　翔

鰺刺の夕焦りして刺しそこね　能村登四郎

大瑠璃（おおるり）

大瑠璃や谷のせせらぎ笹で飲み　古関　進

三光鳥（さんこうちょう）

三光鳥こゑ降らす碑のはじめの日　森山　夕樹

瑠璃鶲（るりびたき）

嶺雲の影濃き朝を瑠璃鶲　小澤　克己

夏燕（なつつばめ）

四万十川の橋桁細し夏つばめ　渡部　節郎

仕事師のこはぜの数や夏燕　黒岩武三郎

十四代網元の家夏つばめ　会田三和子

夏燕右岸と左岸切る如く　上野　翠子

廃校を知らずに来たる夏つばめ　後藤　貞義

モノレールすつとかはして夏燕　古居　芳恵

夏燕病衣に緩き釦穴　松井志津子

折り返すとき羽すぼむ夏つばめ　大橋　俊彦

子はすでに見えぬ城持つ夏つばめ　辻　直美

蔵町の右読み屋号夏つばめ　能村　研三

雨燕（あまつばめ）

黒四のダムへ斬り込む雨燕　大沼　遊魚

雪加（せっか）

雪加鳴く中洲へめざす徒歩渉り　能村登四郎

磯鵯（いそひよどり）

湊名の呼子とよんで磯鵯　能村登四郎

海猫（うみねこ）　ごめ

海猫啼いてひとりつきりの網手入れ　遠藤真砂明

緋鯉（ひごい）　錦鯉

悠々と緋鯉の遊ぶティータイム　村田正子

老松に金色放つ錦鯉　林翔

鯰（なまず）

鯰食ふ六十歳の誕生日　神山節子

無気味さやその橋またも鯰釣れ　能村登四郎

鮎（あゆ）　鮎狩　囮鮎

鮎の骨抜いて訛に親しめり　森岡正作

翠巒を目がけて投ぐる鮎の竿　藤原照子

瀬がしらにさぐりを入れて囮鮎　花田心作

鮎焼くやうしろ昏れ出す水近江　川島真砂夫

吉野の鮎食べ老の血も香りけり　能村登四郎

岩魚（いわな）

清冽の極限にゐて岩魚釣る　塩野谷一房

口ぽつとあいて岩魚のすがた焼　中根喜与子

山女（やまめ）

山女釣る渓流の綺羅ぐいと寄せ　柴田近江

金魚（きんぎょ）

一途なる金魚掬ひの二重顎　角田登美子

金魚提げ現金すこし下ろしけり　松本圭司

鯉の池の一つ金魚の自閉症　林　翔
すこし倖で金魚田の畦歩く　能村登四郎

熱帯魚（ねったいぎょ）　天使魚

熱帯魚ちる隣人の突然死　横山　淑子
天使魚の愛うらおもてそして裏　中原　道夫

目高（めだか）

高層に住み水槽に目高棲む　佐々木　群
庭先の甕に目高の国ありぬ　河野美千代
目高ひねもす急発進急停止　上谷　昌憲

城下鰈（しろしたがれい）

薫風に盛られて城下鰈これ　能村登四郎

黒鯛（くろだい）　ちぬ

ちぬ釣の莨火に浮く目鼻立　大島　雄作
海幸の祠に小さき黒鯛（ちぬ）供へ　能村登四郎

初鰹（はつがつお）

糶声の沸点となる初鰹　柴田　近江
なかおちのよき焦げ色の初鰹　能村登四郎

鰹（かつお）

大皿に走り鰹の銀波盛り　大沼　遊魚
纜をいくたびまたぐ鰹どき　北村　仁子

鯖（さば）　鯖火

死者との距離ほどの闇置き鯖火燃ゆ　北川　英子

鰺（あじ）

夕鰺をくれてひたひたゴム草履　能村登四郎

飛魚（とびうお）　つばめ魚

飛魚をはじき出したる男波かな　七種　年男
か細くは生きぬぞ余生つばめ魚　松尾信太郎
飛魚とんで跳んで隠岐島近くせり　吉田　政江
飛び魚のかく飛び続けいまだ魚　北川　英子

虎魚（おこぜ）

魯山人の器にどかと鬼虎魚　藤代　康明
くわつと鰭立つ空揚の鬼虎魚　川畑　良子

鱧（はも）　牡丹鱧　祭鱧

鱧寿司の香りも馳走京町屋　野村　敏子
牡丹鱧瀬戸の夕暮ゆつくり来　柿添ひと志
山の名を讃へてをりし祭鱧　能村　研三

鰻（うなぎ）

鰻裂く手並しやりしやり音たてて　川畑　良子

章魚（たこ）　酢蛸

老の歯の難儀してをる酢蛸かな　梅村すみを

鮑（あわび）

もてなしの海士の夕餉や傷あはび　網代　鏡子
傷鮑焼く海女小屋の昼餉どき　小澤　利子

海酸漿（うみほおずき）

海酸漿きゆつと鳴らして母は亡し　樋口　英子

蝦蛄（しゃこ）

朝市の口開けといふ蝦蛄を買ふ　能村　研三

蟛蜞（がざみ）　渡蟹

脚うごくものより買はれ渡蟹　　朝長美智子

船虫（ふなむし）　舟虫

舟虫の逃げに徹して生き残る　　岩澤　涼
声出せぬ舟虫父の漁貧し　　広瀬　長雄

水母（くらげ）　海月

力抜く海月は水になるために　　安居　正浩
水母の死浮力は月へ戻りけり　　七種　年男
円かなる海月や秘するものはなし　　佐久間由子
青き夜は骨を探しにゆく海月　　中田とも子
愛されぬ海月すぐさま向きを替ふ　　小野　寿子
裏返るさびしさ海月くり返す　　能村登四郎

夏の蝶（なつのちょう）　揚羽蝶

夏の蝶蹌踉と水掠めけり　　林　玲子
海へ消ゆトルコブルーの夏の蝶　　竹内タカミ
夏蝶のもつれ吾にて果つる姓　　湯橋　喜美
紋様は神の暗号揚羽蝶　　佐々木　群
頼朝廟風の死角の烏蝶　　清水　由惠
黒揚羽何か伝へに来たやうな　　栃原　久子
先生と声出て朴に黒揚羽　　成宮紀代子
山寺の舞楽に紛れ黒揚羽　　原田　耕作
揚羽蝶風の継ぎ目より現る　　吉田　陽代
試験開始三分前の黒揚羽　　波戸岡　旭

蛾（が）

火取虫

発光すコンビニ灯蛾も少年等も　石川　笙児

火に死なば大往生の蛾なるべし　林　翔

火取虫男の夢は瞑るまで　能村登四郎

毛虫（けむし）

装ひて毛虫のいそぐ先のあり　松島不二夫

毛虫来る旧知のごとく顔上げて　林　翔

尺蠖（しゃくとり）

尺蠖の一途に前へ前へかな　近藤　実

尺蠖の大股で来る日暮かな　浅沼　久男

螢（ほたる）

螢火

この闇は少女へ戻るほたる道　石山　孝子

螢火の乱舞に細き川の音　増谷　和子

手遊びの螢を闇に返しけり　松本　明子

せせらぎを聞きつつ螢追うてをり　村田　正子

たらたらと螢火夢の継目かな　坂巻　純子

螢の夜行き来自由の通し土間　能村　研三

撓りとは螢の闇の揺らぎかな　林　翔

ほたる火の冷たさをこそ火と言はめ　能村登四郎

兜虫（かぶとむし）

兜虫ふるさと既に詩のごとし　広渡　敬雄

少年につむじが二つ兜虫　塙　誠一郎

黒といふ性根をもちて兜虫　松本　圭司

兜虫摑みて磁気を感じをり　能村　研三

兜虫王も虜囚となることあり　林　翔
兜虫裏返しても捻子見えず　能村登四郎

玉虫（たまむし）

玉虫や光りて失せしもの多き　林　翔
玉虫や没き子のものの家に減る　能村登四郎

天道虫（てんとうむし）　てんとむしだまし

てんとむしだましと言はれても困る　辻　美奈子
指先を岬と思ふてんと虫　小嶋　洋子
天道虫方位盤より飛び立てり　上野　節子
母の指子の指渡り天道虫　湯橋　喜美
長城晴天てのひらに天道虫　松村　武雄

穀象（こくぞう）

穀象に問ふ縄文の米作り　福田　肇

斑猫（はんみょう）　道をしへ

この先の道はひとりやみちをしへ　佐山　文子
一樹なき死者の山より道をしへ　能村登四郎

落し文（おとしぶみ）

落し文遊女の墓に名前なく　岩崎喜美子
風にころころ速達の落し文　林　翔

水馬（あめんぼう）　あめんぼ　水すまし

あめんぼの風の隙衝く平泳ぎ　峰崎　成規
姨捨の棚田貸します水すまし　草野　良子
踏ん張りのきかぬ齢や水馬　板橋　昭子
あめんばう同心円を散らしゆく　長岡　新一

あめんぼや身を軽くして生くる術　矢野美沙子
あめんぼと同じ身軽さ職退けり　岡崎　伸
油膜などかすかにありて水馬　能村　研三

蟬生る（せみうまる）

蟬生れて飴色鋳型のこりをり　楠原　幹子

蟬（せみ）

蟬時雨

円周をさらに大きく蟬しぐれ　齊藤　實
鳴き初めし油蟬もうとめられぬ　田辺　博充
蟬時雨中に寂しさ置いてくる　神山　節子
渓谷に切りこんでくる蟬しぐれ　酒井　敏子
周波数整ひみんみん鳴き始む　佐々木　昭
撫で肩の松さくら句碑蟬涼し　鈴木美智子
蟬しぐれ古墳の森を謳歌せり　須藤紀枝子
結界の木より滴る蟬時雨　中田とも子
蟬時雨自転車並ぶ塾の庭　林　慶太
どの木からともなく蟬の木となれり　中尾　杏子
水のぼりゆく枝や葉や朝の蟬　高瀬　哲夫
廃校に校歌碑のこり蟬時雨　能村　研三
一蟬の鏑矢つよしわが行方　林　翔
人の死も蟬の死も皆仰向ける　能村登四郎

空蟬（うつせみ）

空蟬の全きひかり拾ひけり　多田ユリ子
空蟬を震はす風の日暮かな　上田　明子
空蟬に地下三尺の匂ひせり　渡部　節郎

糸蜻蛉（いととんぼ）

細き身のすべてが命糸蜻蛉　江崎　孝彦

糸蜻蛉思案の免許更新す　須山　登

蚊（か）

蚊柱

蚊柱や大望はなく多忙なり　上田　玲子

まざまざとわが血の匂ひ蚊を打つて　能村登四郎

孑孒（ぼうふら）

ジュラ紀より立ち泳ぎして孑孒は　内山　花葉

孑孒の散りやうギリシャの小文字めく　井原　美鳥

孑孒の浮くも沈むも桂馬跳び　工藤　節朗

がが んぼ

風生れてががんぼの羽化始まれり　後藤　貞義

ががんぼの脚一本の遺失物　大畑　善昭

草蜉蝣（くさかげろう）

さみどりは草蜉蝣の息のいろ　富川　明子

優曇華（うどんげ）

優曇華や一つ灯りに大家族　鈴木　浩子

優曇華やいつから里を顧みず　鈴木　伸一

優曇華や昭和生れが老を言ふ　梅本　豹太

優曇華や寂と組まれし父祖の梁　能村登四郎

蟻地獄（ありじごく）

無住寺の喜捨の箒目蟻地獄　水木　沙羅

蟻地獄腹をくくるといふことも　荒原　節子

音ならぬ音を聞き分け蟻地獄　岡崎　伸

見るほどに無数の穴や蟻地獄　杉原かほる
蟻地獄もとより葷酒許されず　酒本　八重
ごつくりと唾のむ音の蟻地獄　能村登四郎

油虫（あぶらむし）　ごきぶり

息殺しゐしごきぶりに呼吸合はす　池田　崇
ごきぶりを打つ蒼白の刻にゐて　小澤　克己
いさかひし後のごきぶり滅多打　川島真砂夫
ごきぶりを打ちそれよりの多作かな　能村　研三
屋根あかきごきぶり小舎の出来上がる　能村登四郎

紙魚（しみ）　雲母虫

しろがねの紙魚絵草子に溺れしか　植村　一雄
菓子箱に姑の家計簿雲母虫　太田　鈴代
伝へ来し一切経の紙魚の跡　柴田　一世
にんげんに文字の遺産やきらら虫　藤井　遥
北斎の濤に走れる紙魚の跡　岩崎喜美子
水府公上申書写本紙魚はしる　藤井　晴子
天金を割つて出でたる雲母虫　能村　研三
紙魚ならば棲みてもみたき一書あり　能村登四郎

蟻（あり）

老幹の凸凹蟻の登山みち　中坪　一子
蟻の列吸はるるやうに穴の中　柿本　麗子
先鋒も殿もなく蟻の列　菅井　悦子
蟻走る松の洞とふ蟻の国　中村　久子
変更のきかぬ行先蟻の列　大橋　俊彦

づかと蟻羅漢の思惟に迷ひこみ　能村研三
大君の遠の朝廷（みかど）の跡の蟻　林翔
昴りの蟻にもありて螫されけり　能村登四郎

羽蟻（はあり）

宇宙服にファスナーあまた夜の羽蟻　千田敬
夜の羽蟻浮びて水の眠られず　高瀬哲夫

蜘蛛（くも）　蜘蛛の糸　蜘蛛の囲

蜘蛛の糸出し切ることのありやなし　和田満水
待つことも生きる術なり蜘蛛の糸　鈴木一広
蜘蛛の囲の未完のうちに捕へらる　工藤篤子
蜘蛛の囲に月の雫のとどまれり　菅井悦子
情報の流出蜘蛛の囲は密に　能村研三

蛞蝓（なめくじ）

たそがれは微光とならむ蛞蝓　能村登四郎

蝸牛（かたつむり）　ででむし

蝸牛反骨の巻きありしかな　辻美奈子
かたつむり雨後一滴として光る　岡部玄治
悠然と新しき道蝸牛　大網健治
蝸牛磁気のはたらく雨催　加藤久仁子
全力のつもり私とかたつむり　栗原公子
抛げられし位置が振り出しかたつむり　樋口英子
かたつむり歩みし距離を殻に巻き　峰崎成規
磊々峡の深淵覗くかたつむり　渡辺輝子
ででで虫の葉脈といふ岐路まどひ　佐佐木徹

かたつむり星の電波へ首のばす　中尾杏子

風聴いてゐるらし角のかたつむり　能村登四郎

蛭（ひる）

もはや血は戻らざれども蛭殺す　能村登四郎

夜光虫（やこうちゅう）

夜光虫流人の涙かと思ふ　座古稔子

掬ふ手が太古へ届く夜光虫　都筑智子

夜光虫ゆるやかにひく櫂の音　高瀬哲夫

植物

余花（よか）

しあはせを家族にもらふ余花明り　鈴木　千年

壬生寺の鉦がみちびく余花小路　能村登四郎

葉桜（はざくら）　花は葉に

葉桜にむせ少女期の甦る　鈴木　浩子

葉桜や納戸に残る子のギター　五十嵐章子

花は葉に頤のせて犬眠る　川崎登美子

葉桜のどこかに風の潜みゐる　曽出きよの

恨まない悔まないこと花は葉に　土屋　和子

花よりも葉桜の雨歯切れよし　都筑　智子

料亭は軍都のなごり花は葉に　能村　研三

桜の実（さくらのみ）　実桜

実桜や園児二列に手をつなぎ　永澤千恵子

薔薇（ばら）

祝婚歌弾く半身は薔薇の蔭　荒井千佐代

今生の一日を切る薔薇を剪る　田川美根子

薔薇買つて母には言はず手術日は　能村　研三

老いにも狂気あれよと黒き薔薇とどく　能村登四郎

利休梅（りきゅうばい）

雨後ことに八重を籠らす利休梅　能村　研三

牡丹（ぼたん）

牡丹千天を暗しと思ひけり　岡崎　伸
白牡丹接吻のごとのぞき込む　今瀬　一博
ぼうたんに惑はす白さありにけり　五十畑悦雄
白牡丹開く風呂敷解くやうに　小川　流子
もう少し居ようか雨の夕牡丹　小澤　利子
傷つかぬことも愁ひや白牡丹　栃内　和江
白牡丹彩あるものを従へて　中井　桂雨
予後の師のいつもの声や白牡丹　平嶋　共代
牡丹より低う仕へて牡丹守　都筑　智子
牡丹散つて脇侍の石のかなしめり　辻　直美
散りしぶる牡丹にすこし手を貸しぬ　能村登四郎

紫陽花（あじさい）　七変化

スイッチバックして紫陽花の色変る　宮内とし子
七変化きのふの嘘にけふの嘘　峰崎　成規
白紫陽花うすべにいろに老ゆるかな　松井　のぶ
露天湯に花影映す濃紫陽花　松下　秀夫
濃紫陽花ダイヤ光りのひと雫　岡　真紗子
あぢさゐの堕落もつての外の紅　藤井　晴子

石楠花（しゃくなげ）

石楠花を点じ熔岩原いや黒し　林　翔

百日紅（さるすべり）　紫薇

遠き日の波郷白花さるすべり　大沢美智子
百日紅身籠るといふさびしさよ　小林　奈穂

紫薇散るや暮れゆく街の色として　馬場由紀子
チアガールの弾める胸や百日紅　東島　若雄
生きるとは燃ゆることなり百日紅　廣瀬　倭子
いふならば余燼の生や百日紅　能村登四郎

梔子の花

くちなしやみづからの香に疲れ果て　正木みえ子

未央柳

未央柳わが池を掘る男欲し　古山　智子

泰山木の花

泰山木無限の空に花得たり　金子　なか
父が子に直球泰山木咲けり　藤井　遥

額の花

額青し山気の澄みを葩色に　林　　翔

夾竹桃

夾竹桃少しの毒は誰も持つ　柿本　麗子

凌霄の花

黒猫の通りし塀の凌霄花　森本　裕子
灼熱を愛し凌霄花咲きのぼる　神田八重子
凌霄花タヒチはきつとこんな色　頓所　友枝

海紅豆　梯梧の花

慰霊塔錆びて梯梧の花散りぬ　平松うさぎ
唐寺の風は動かず海紅豆　朝長美智子

時計草

行く末模糊たり薄ら日の時計草　武藤　嘉子

蜜柑(みかん)の花(はな)

見えさうな風が海より花蜜柑　佐野ときは

栗(くり)の花(はな)

むんむんと雲を呼びゐる栗の花　藤井　遥

山栗の花ゆさゆさと雲払ふ　栃内和江

花栗のもじやらもじやらの下潜る　能村登四郎

柿(かき)の花(はな)

そこまでのつもりの素顔柿の花　頓所友枝

石榴(ざくろ)の花(はな)

花ざくろ夜叉も菩薩も我にあり　山下ひろみ

満員の電車より花柘榴見ゆ　波戸岡　旭

青梅(あおうめ)

梅は実に　実梅

恥ぢらひといふ死語一つ梅は実に　林　一郎

実梅落つトタンの屋根の乱れ打ち　礒山恭行

丁寧に不揃ひの梅洗ひけり　坂田和子

葉ごもりに力ふやせる実梅かな　能村研三

青梅をひとつづつ拭く白布巾　能村登四郎

青柿(あおがき)

青柿のぽたぽた落ちる今日も無事　岩澤　京

青柿の怺へ切れずに落つる音　永井ふみ子

青胡桃(あおくるみ)

腕白の棹の届かぬ青胡桃　村松忠治

日輪の恵み尊し青胡桃　小澤功始

累々の青胡桃垂れ河童淵　林　翔

信濃いま雄時房なす青胡桃　能村登四郎

青無花果（あおいちじく）

青無花果葉蔭に強く匂ひけり　平嶋　共代

青葡萄（あおぶどう）

とりあへず叱られておく青ぶだう　町山　公孝
子にだけは唄ふ父なり青葡萄　能村　研三
待つといふことの寂けさ青葡萄　林　　翔

青林檎（あおりんご）

ジーパンできゆつとひと拭き青りんご　福島　茂
青林檎北極点より皮を剝く　佐々木　群
青林檎剝くために閉づ創世記　荒井千佐代
青林檎置いて卓布の騎士隠る　能村　研三
捥ぐや直ぐ口に泡立つ青林檎　林　　翔

木苺（きいちご）

愛の碑に木苺ほどの胸燃やす　成宮紀代子

桜桃の実（おうとうのみ）　さくらんぼ

玉手箱開くときめきさくらんぼ　石山　孝子
ダークチェリー照る彼の国は銃社会　植村　一雄
さくらんぼ整列解かれ白磁皿　小河原清江
絵手紙の心のことばさくらんぼ　新橋しげを
さくらんぼ従姉妹同士の新生児　大森　慶子
持ち前の明るき言葉さくらんぼ　野村　敏子
捥ぎ初めは父の決断さくらんぼ　小山田子鬼

山桜桃（ゆすらうめ）

ゆすらうめ

裏年の紅涙ならぬゆすらうめ　上谷昌憲

風入れにだけ来し生家ゆすらうめ　北川英子

枇杷（びわ）

熟れ枇杷に風のやさしき芙美子の碑　羽根嘉津

枇杷包む和紙やはらかに退院日　小河原清江

遠き潮鳴る山上に枇杷を摘む　山田松治

公家顔のならびたるごと枇杷届く　秋山ユキ子

放蕩もある家系図や枇杷啜る　能村研三

夏蜜柑（なつみかん）

親指の妻の力や夏みかん　森荘之助

めいっぱい働きし夜の夏蜜柑　鈴木節子

夏木立（なつこだち）

夏木

夏欅氷川参道一直線　廣瀬倭子

祭神はをとこ須佐之男夏木立　石川笙児

新樹（しんじゅ）

新樹光

包帯の中の脈拍新樹の夜　林昭太郎

新樹の夜不思議なバスに乗り合はせ　五十嵐章子

樵新樹深山は無垢の明るさに　須田千代

真向へば山がものの言ふ新樹の香　藤森すみれ

木遣唄そろひ高まる新樹光　吉田陽代

新樹に雨はじける力婚約す　能村研三

月光菩薩の臍かくふかく新樹光　能村登四郎

若葉(わかば)　若葉風

若葉にも日面日裏すでにあり　峰崎　成規
少年のシャツ孕ませる若葉風　石山　孝子
流鏑馬の二の矢三の矢若葉光　木村　治
御朱印の墨匂ひたつ若葉寒　鈴木美智子
崩落の山肌残し谷若葉　増谷　和子
紙飛行機若葉に眩み不時着す　高木　嘉久
朴若葉触るる二階に住み慣れて　能村　研三
これやこの老いの栖家ぞ嫩葉ごめ　林　翔
その朝の雫はじめは朴若葉　能村登四郎

青葉(あおば)

山襞は霧の踊り場青葉雨　田所　節子
青葉してこころ鎮める時を得し　栗城　静子
千年を怒る仁王や青葉風　竹内タカミ
除幕して句碑含羞の青葉光　平岡　豊子
天竜を下り青葉に染まり行く　増谷　和子
五岳なほ雲を発して青葉冷　中野　了一
父そして師の命終の日の青葉　能村　研三
みちのくは仏に威あり青葉光　林　翔
愛弟子がゐてみちのくは青のとき　能村登四郎

新緑(しんりょく)

五千年も妊みて土偶緑さす　北川　英子
鎌倉の緑が一つ飛んで島　林　昭太郎
物書けとみどりの届く一机あり　鈴木　節子

新緑や間歇泉は青年期　五十畑悦雄
緑さす傘寿の母と写経して　伊藤照枝
新緑の工房窓のバイオリン　上田明子
熟睡子のほぐるる拳緑さす　柴﨑英子
新緑やパレット洗ふ水の音　町山典子
新緑や武田菱なる柄杓置　宮田陽子
みどりさす彫りあと白き母郷句碑　三好千衣子
生れし子の小さきあくびや緑さす　矢野美沙子
新緑を押し絵の如く窓に置き　吉田春美
一石を加ふ高雄の新緑に　藤井晴子
めをと神腰浮かすまでみどり射す　松島不二夫
吹き降りの一日をもて緑野たり　吉田明
子の疵を拭く母の唾みどりさす　林翔

茂（しげり）

茂み

茂みより人現れて無口なり　熊倉松太

万緑（ばんりょく）

万緑や湖一枚を埋め残し　藤原照子
万緑の中に置物めく釣師　林玲子
万緑を生命の限りいとほしむ　伊藤朝海
万緑に蔵す立正安国論　佐々木よし子
万緑の中や遺影を抱き歩む　根本世津
万緑を押し分けてゆく千曲川　原ひろ子
万緑や流鏑馬の道一直線　深川峰子
万緑へ汽笛一声残しけり　福山和枝

万緑や土偶ビーナス時を越え　吉田　春美
据ゑられて万緑の芯となりし句碑　松井　のぶ
万緑の一大屈折裏妙義　林　翔

木下闇（こしたやみ）　青葉闇

網が出て少年が出る木下闇　林　昭太郎
山鳩のゐる静けさや青葉闇　永尾　春己
踏みしめて辿る古道の青葉闇　吉澤　濱子
木下闇どんこ舟ごと呑みこめり　大石　恵子
ゴヤの画の黒が追ひくる青葉闇　中尾　杏子

緑蔭（りょくいん）

バスの来て緑蔭の人みな動く　五十嵐章子
緑蔭に潜むホールの屋根見ゆる　上田　明子
舟繋ぐにも似て緑蔭に身を入れぬ　吉田　陽代

椎若葉（しいわかば）

椎若葉信徒の炊きし朝の粥　小河原清江

柿若葉（かきわかば）

水筒を下げ園児行く柿若葉　坂本　徹
みどりごの耳のくれなゐ柿若葉　中島あきら

葉（は）**柳**（やなぎ）　夏柳

夏柳昼は色なき屋形舟　大森　春子
鯉はしづかに水に逆らふ夏柳　林　翔

土用芽（どようめ）　土用の芽

時差疲れ癒ゆ土用芽のくれなゐに　吉田　明
代替り同士に絆土用の芽　能村　研三

土用芽のはげます如き真くれなゐ　能村登四郎

病葉（わくらば）

病葉の激しく降れり特攻碑　大橋俊彦

卯の花（うのはな）　花卯木

思惟やがて頭痛に転ず花卯木　田辺博充
卯の花は三河の寄進於大墓　能村研三
嬥歌への挿頭（かざし）の花の卯つ木咲く　能村登四郎

茨の花（いばらのはな）　花茨

ローマ字の墓標もありて花茨　荒木澤子

桐の花（きりのはな）

桐咲いて能登の山河は藍深め　中津正克
母さんのやうな友逝く桐の花　牧田雪子
天上へ死者差し上ぐる桐の花　辻美奈子
恰好な曇り加減に桐咲けり　能村研三
妻の手の濯ぎあからむ桐の花　能村登四郎

朴の花（ほおのはな）

朴ひらきけり晴れ晴れと師の忌来る　遠藤真砂明
天上の師よ今生の朴ひらく　菅谷たけし
あかつきの雲押し上げて朴の花　上野節子
一円の山気集めて朴の花　小栗八重
先師亡く夫亡く朴の花真白　小林もりゑ
師の在す生絹の雲居朴かをる　近藤敏子
天心に師のまなざしや朴の花　佐久間由子
息深く吸うて仰ぎぬ朴の花　長岡千波

朴の花生家くらくて眠たくて　中村　久子
山の気が軒まで届き朴咲けり　佐佐木　徹
山中の夜明のはじめ朴ひらく　川島真砂夫
天上に父のちからの朴一花　能村　研三
朴ちりし後妻が咲く天上華　能村登四郎

マロニエの花（はな）

マロニエの花咲く道は腕組んで　古賀　咲子

棕櫚（しゅろ）の花（はな）

出島趾の木の教会や棕梠の花　松尾信太郎

水木（みずき）の花（はな）

葬といふ不思議な活気水木咲く　望月　晴美

山法師（やまぼうし）の花（はな）

みちのくの星降りて咲く山法師　松本　圭司
地中なほ土器の眠れる山法師　藤井　晴子
山裾に雲湧くちから山法師　能村　研三
四囲暗め雨気こめて咲く山法師　能村登四郎

楝（おうち）の花（はな）　樗の花

知己のごと樗の花に会ひに行く　清部　祥子
花楝荷風と同じ路地住まひ　能村　研三

黐（もち）の花（はな）

阿波で見し夕霧遺文黐の花　能村登四郎

椎（しい）の花（はな）

大仏の少し屈背や椎匂ふ　加藤富美子
抑へ抑へし花椎の香の雨後発す　能村登四郎

えごの花

えご咲いて谷へ落ちこむけもの道　小泉喜久代

合歓の花

妣いまも鍋磨ぐ合歓の花の下　菅谷たけし

合歓夕べ生絹のやうな風の来し　村田ヤス子

子育ても看取りも天与合歓の花　石川　雪江

単線のほど良き揺れや合歓の花　柴田ふさこ

花合歓の羽毛立ちしてひらきけり　能村　研三

花合歓の醒むる刻さへ妻醒めず　能村登四郎

沙羅の花

沙羅蕾む勅使の門は閉ぢしまま　宮坂　秋湖

沙羅の花院主やさしき語り口　深見　喜子

人われは言葉恥ぢらふ沙羅の花　林　翔

さびたの花

花サビタこの幽色も白といふ　林　翔

玫瑰

浜ことば浴びて玫瑰真盛り　坂本　総子

玫瑰や今来し波のすでに古る　松島　力

桑の実

桑苺

叱られて叱られてまた桑苺　西村　渾

桑の実や熟しきつたる罪の色　古山　智子

夏茱萸

夏茱萸や異土に果てたる陶工史　水木　沙羅

女貞の花（ねずみもちのはな）

溝に散り込むねずみ黐むかしより　久保田　博

海桐の花（とべらのはな）

花とべらの甘き香に佇つ岬日和　網代ユウ子

花海桐こぼれひそかな約ひとつ　中尾　杏子

海桐咲き朝市に風流れだす　吉田　明

竹の皮脱ぐ（たけのかわぬぐ）

竹皮を脱ぐやこどもはいつも旬　辻　美奈子

禅林の奥竹皮を脱ぎ散らす　森岡　正作

竹皮を脱ぐたび青き空めざす　高橋　ちよ

竹皮を脱ぐや歴史の裏おもて　岩崎喜美子

竹皮の脱ぎつぱなしへまたも脱ぐ　能村　研三

皮を脱ぎ了へし竹かな漢なる　林　翔

若竹（わかたけ）　今年竹（ことしだけ）

ぬきん出て空まさぐれり今年竹　堀　園子

今年竹風に叛かず従はず　伊藤　式郎

茶袴を脱いで若竹伸び盛り　江崎　孝彦

身の内の箍ゆるり解く今年竹　米田　紀子

若竹の影弾力をありありと　藤井　晴子

杜若（かきつばた）

残花なりしが業平のかきつばた　能村登四郎

あやめ

さつと研ぐ男の利鎌あやめ咲く　林　翔

花菖蒲（はなしょうぶ）　白菖蒲

いま剪らばしぶきとならむ花菖蒲　酒本　八重
直立てふ誇りなりけり花菖蒲　木村　治
菖蒲咲く子供一一〇番の家　市川　和子
むらさきは助六の色花菖蒲　平城　静代
「伸ばしませ」試歩のその先花菖蒲　三留　早苗
父子二代雅号を持たず白菖蒲　能村　研三

鳶尾草（いちはつ）　一八

一八やすこしむかしをすぐ忘れ　辻　美奈子

芍薬（しゃくやく）

芍薬に佇ちてひとりの気養生　長尾きよか

グラジオラス

グラジオラス己が身丈をもて余す　佐藤　みほ

ダリア

百年先も明日も未来ダリア咲く　大川ゆかり

向日葵（ひまわり）

向日葵に背中見せたくなかりけり　田辺　博充
つぎつぎとゴッホが咲かす向日葵か　宮坂　恒子
向日葵に音のとだえし真昼かな　太田　鈴代
黙禱のやうに向日葵花了る　清水佑実子
腰高のひまはり畠が児をさらふ　下出　君子
ひまはりや今日は一日予定なし　種山　啓子
向日葵に後姿のありにけり　中山めぐみ
向日葵や小さき手にも生命線　宮内　百花

向日葵の裏と経にけり過半生　林　翔
夜となりて大向日葵の怪異かな　能村登四郎

立葵（たちあおい）
葵

鉄棒にひと日の余熱立葵　菅井　悦子
数式の列美しく立葵　荒木　澤子
ほどほどと言ふ身の処し方や立葵　渡辺　輝子

罌粟の花（けしのはな）
ポピー

黒潮の迫る海士小屋ポピー摘む　網代　鏡子
先づ一花狂ひし風や罌粟畑　林　翔

雛罌粟（ひなげし）
虞美人草

虞美人草加へて今朝の供華なりし　頼田　幸子

矢車草（やぐるまそう）

矢車草そなたも須磨子しのぶぐさ　林　翔

カーネーション

贈られてカーネーションのある暮し　望月　晴美

ダチュラ

双塔の禱りは天へ花ダチュラ　中尾　杏子

月下美人（げっかびじん）

月下美人の白こそ燃ゆる色ならむ　望月　晴美
月下美人声をひそめて讃へけり　佐藤　みほ
月下美人月の剣をもてひらく　辻　美奈子

睡蓮（すいれん）
未草

しづかなるもののひとつにひつじぐさ　梅村すみを
隠沼に小灯り点すひつじ草　能村　研三

百合（ゆり）

鉄砲百合　山百合　鹿の子百合　鬼百合

朝刊のことん鉄砲百合の向き　安藤しおん

山百合の斑の獣性を切りにけり　阿部順子

林道は風の抜け道鹿の子百合　小田里己

鉄砲ゆり白の数だけ昏れ残る　佐藤淑子

惨敗を喫せし夜の百合匂ふ　篠藤千佳子

鬼百合に北条の血のありにけり　森岡正作

寝不足にやや遠ざけし百合の壺　能村研三

百合の束解かれ反くは反き合ひ　能村登四郎

百合化して蝶となる（ゆりかしてちょうとなる）

百合化してチャペルの鐘に蝶となる　柴田近江

サルビア

サルビアの赤きは人を想ふ色　中野栄吉

アマリリス

美容師と鏡中会話アマリリス　千田百里

日日草（にちにちそう）

励まして吾もはげみぬ日々草　荒原節子

ルピナス

ルピナスの五色揃ふは富むごとし　菅谷たけし

小判草（こばんそう）

ふるさとの音を鳴らして小判草　種山啓子

小判草さゆらぎ折口父子の墓　能村登四郎

鉄線花（てっせんか）

父知らぬ育ちきりりと鉄線花　佐藤千鶴子

細身よく使ひきる母鉄線花　角田登美子

紅の花（べにのはな）　紅花

羽の国はまだ明けきらず紅の花　後藤　松渓

これも幸紅花咲くに来合せて　能村登四郎

糸瓜の花（へちまのはな）

糸瓜咲き次々増ゆる子規の弟子　和田　満水

夕　顔（ゆうがお）

夕顔の闇の向かうにある故郷　萱谷たけし

茄子の花（なすのはな）

まいにちはきちんと来るよ茄子の花　辻　美奈子

ノラのごと生きて狭庭に茄子の花　佐々木泰子

葉と茎へ紫わかち茄子の花　鈴木　良戈

馬鈴薯の花（ばれいしょのはな）

じやがいもの花蝦夷の地のまつ平ら　七田　文子

馬鈴薯の花満目の地平線　西村　渾

蝦夷の空円しじやがいも花盛り　柴﨑　英子

馬鈴薯の花の喝采農学校　宮坂　恒子

独活の花（うどのはな）

宿までの道の目印独活の花　神田八重子

山葵の花（わさびのはな）

まだ硬き堰落つ水や花山葵　清水　由恵

蚕　豆（そらまめ）

蚕豆をむくもうひとり子の欲しき　井原　美鳥

そら豆のつるり写楽のしやくれ顔　大石　誠

ちちははの一対やそらまめの莢　辻　美奈子
蚕豆の莢にいろいろある個性　森本　和子

筍（たけのこ）

たかんな

たかんなの刃に逆らへる力あり　関根　瑶華
がしと掘る筍父はもうゐない　神山　節子
筍の広辞苑ほどある重さ　佐々木　群
喪の家の筍伸びてしまひけり　深見　喜子
まだ風を知らぬ筍掘り出せり　永井　収子
筍を掘つてくらくら立ちしかな　能村　研三

蕗（ふき）

蕗の葉

蕗の葉の柄杓でふふむ山の水　宮野　稔子
山雨来る蕗の葉騒を先立てて　栃内　和江

瓜（うり）

瓜刻む音遠き代の母の音　林　翔

胡瓜（きゅうり）

初きうりまるかじりして畦の昼　原田　洋子
背で嘘をさらりと言うて胡瓜揉む　近藤　敏子

メロン

星ひびきメロン緻密な網に入る　安藤しおん
メロン切る笑顔の数の六等分　板橋　昭子
メロン切る心の水位昂らせ　柿本　麗子
メロン買ふためにに曲りぬ渚通り　鈴木　鷹夫
メロン買ひわが体温の紙幣消ゆ　福永　耕二
メロン食うぶみどりの小舟揺らしつつ　林　翔

茄子（なす）

外食に飽きて茄子など煮てゐたり　梅村すみを

トマト

トマト熟れたのしくなつてくる学校　内山 花葉

よき距離に親と子の家ミニトマト　金子 なか

トマト畑小さき太陽鈴生りに　佐藤 淑子

空仰ぎ捥ぎたてトマト丸齧り　能村 研三

甘藍（かんらん）　キャベツ

やつと雨土の息吹きのキャベツ畑　宮本せつ子

白鳥の翅捥ぐごとくキャベツもぐ　能村登四郎

夏大根（なつだいこん）

夏大根卸しひりひり師の言葉　柴田 雪路

若牛蒡（わかごぼう）　新牛蒡

寄席跳ねて上野酒悦の新牛蒡　阿部眞佐朗

玉葱（たまねぎ）

玉　葱　に　前　頭　葉　の　覚　醒　す　坂部 英子

辣韮（らっきょう）

手造りのぐい呑みに盛る塩辣韮　茂呂 昇平

蓼（たで）　蓼酢

あとになり気付く蓼酢のありしこと　中原 道夫

うすなさけにて蓼の酢をつくるかな　能村登四郎

紫蘇（しそ）　青紫蘇

青紫蘇を刻み解つて来るふたり　甲州 千草

紫蘇もみて生命線の濃かりけり　石﨑 和夫

紫蘇羣の増えゆく母の深睡り　館野たみを

父の忌や紫蘇畑混みて盛り上り　林　翔

新生姜（しんしょうが）

恥ぢらひのくれなゐほのか新生姜　小林　勝子

土の中きつと真つ白新生姜　秋山ユキ子

青山椒（あおざんしょう）

青山椒五慾悉皆とほざかり　林　翔

蓮（はす）

蓮開花急に空気の軽くなり　杉本　光祥

蓮開く和紙のやうなる月残り　大沢美智子

不忍の蓮見えて着くモノレール　伯耆田ノリ子

白蓮や世に経て濁るものばかり　正木　浩一

蓮の浮葉（はすのうきは）

語り部の声の抑揚蓮浮葉　太田　鈴代

茎すくと蓮の大葉は風の椅子　成宮紀代子

麦（むぎ）

雨あがり麦褐色の重さかな　髙橋あさの

駆け抜ける風や穂麦の波となり　櫛引　明江

麦は穂にうしほの如く風わたる　後藤　松渓

麦の穂のつんと神島指呼におく　深見　喜子

麦の穂にまぎるるまでを見送りぬ　能村　研三

麦に黒穂あり悪路王亡びの地　能村登四郎

早苗（さなえ）

早苗束なげて棚田の日を散らす　森本　和子

焦げるほど力漲る余り苗　岡澤　田鶴
早苗ゆれ風の抜け道教へたり　永津　国明
望遠鏡いきなり早苗籠捉ふ　吉田　明
肉親へ一直線に早苗投ぐ　能村　研三

帚木（ははきぎ）　箒草

月明に我立つ他は箒草　能村登四郎

夏草（なつくさ）

夏草や千の切先われに向け　服部　実生
夏草の力わが身に貰ひたし　山根タケ子
三脚をさす夏草の香を宥め　能村　研三
夏草や紅控へ目に加賀友禅　能村登四郎

草茂る（くさしげる）

草茂る人恋ふ牛の長睫毛　尾高せつ子
草茂る小さき歩幅いつよりぞ　鮫島　佐男

草いきれ（くさいきれ）

草いきれ日に一本の連結音　菊地　光子
草いきれ野心の芯にある青さ　峰崎　成規
草いきれ膨らませゐる草刈機　中西　恒弘
季語集に亡き名去りし名草いきれ　渕上　千津

青芝（あおしば）　夏芝

子が越して来る青芝のかがやきに　柴﨑　英子
夏芝にわれとロダンの男立つ　遠藤真砂明

青蔦（あおつた）

青蔦のひゆるひゆる伸びて反抗期　福島　茂

青蘆（あおあし）

青蔦にがんじがらめの式守家　上谷　昌憲

青芦の風に戯むるほかはなし　鈴木真砂枝

青蘆原へ流離のごとく深入りす　佐山　文子

青薄（あおすすき）　青芒

潜むには足らざる丈の青芒　能村　研三

夏萩（なつはぎ）

自己主張なき夏萩の撓りやう　伯耆田ノリ子

竹煮草（たけにぐさ）

未来とは展きゆくこと竹煮草　宮坂　恒子

梅雨越えて隆々たりし竹煮草　能村登四郎

昼顔（ひるがお）

昼顔や網を繕ふ深帽子　山田　松治

月見草（つきみそう）

石狩原野の小さき踏切月見草　内山　花葉

擬宝珠の花（ぎぼうしのはな）

姫神山のうす墨隠れ花擬宝珠　吉田　政江

著莪の花（しゃがのはな）

木漏れ日のまぶしき羅漢著莪の花　柴田　久恵

著莪の咲く杉の並木の小暗がり　礒山　恭行

著莪の花土牢白く乾きをり　嶋田　羊六

水芭蕉（みずばしょう）

水芭蕉の静謐界に歩み入る　林　翔

河骨（こうほね）

河骨の花や赤子の頸すわる　岡澤　田鶴

河骨や尾瀬の池塘に夕迫る　佐川三枝子

河骨のひそと明るきみすゞの詩　岩崎喜美子

蒲の穂（がまのほ）

蒲の穂や弓矢の戦など知らじ　おかたかお

滑歯莧（すべりひゆ）

そつとしといて白昼のすべりひゆ　辻　美奈子

藜（あかざ）

鎌試しそこに不運なあかざ立つ　原　教正

灸花（やいとばな）

灸　花　体　の　骨　に　蝶　番　中村　宏枝

十薬（じゅうやく）　どくだみ

十薬を汚し気圧の谷通る　安居　正浩

嫌はれ愛でられ十薬の花盛り　佐藤　克江

どくだみの白き蕾や聖母像　永尾　春己

十薬の山ほど咲いてゐて閑か　中島あきら

十薬にととのひ咲きを許しをり　能村　研三

蚊帳吊草（かやつりぐさ）

次の世も蚊帳吊草で遊びたし　丹羽　昭子

裂くといふあそび蚊帳吊草の花　中尾　杏子

姫女苑（ひめじょおん）

自由とは丈まちまちに姫女苑　荒井千瑳子

捩花（ねじばな）　ねぢりばな

ねぢり花どこから見ても真正面　殿地毬子

捩花は紙縒のルーツかと思ふ　水上陽三

敦盛草（あつもりそう）

母衣広ぐ一茎直に敦盛草　山下ひろみ

破れ傘（やぶれがさ）

開ききりては忘れられ破れ傘　吉田陽代

破れ傘乾き切つたる奥三河　鈴木鷹夫

鷺草（さぎそう）

鷺草の錆のほつほつもう翔たず　久保喜代子

靭草（うつぼぐさ）

石仏の御目うするるうつぼ草　林翔

螢袋（ほたるぶくろ）

卓上の螢袋は触るるもの　渡辺輝子

螢袋どこかに潜む人嫌ひ　木村公子

螢袋に指入れて人悼みけり　能村登四郎

麒麟草（きりんそう）

すさまじの黝き傷負ふ麒麟草　都筑智子

花茗荷（はなみょうが）

忘れたきこと二つ三つ花茗荷　古関進

浜豌豆（はまえんどう）

流木に潮のつまづく浜豌豆　三好千衣子

烏瓜の花（からすうりのはな）

夕風を編みたる烏瓜の花　大川ゆかり

山姥の吐息かからす瓜の花　塚本初美
烏瓜の花に懸りし星雫　二瓶重子
抽象に片寄るからす瓜の花　北川英子
徐々に闇からめりからす瓜の花　能村登四郎

蛇苺（へびいちご）

杣道の音なき不安蛇いちご　水木沙羅

夏蕨（なつわらび）

豊後牛呆けし貌の夏わらび　江淵雲庭

芹の花（せりのはな）

揺るるたび星の生れる芹の花　髙橋和枝

夕菅（ゆうすげ）

夕菅や赤松は暮れのこる幹　林　翔

えぞにゆう

蝦夷丹生や国後けぶる波がしら　頼田幸子

白根葵（しらねあおい）

岩蔭に白根葵のこちらむく　佐々木みき子

苔の花（こけのはな）

檀林に母校の碑あり苔の花　会田三和子

藻の花（ものはな）

峡に見し藻の花胸中にもゆらぐ　大畑善昭
家族てふゆるき束縛藻の咲いて　楠原幹子
藻の花よ生れし水泡を慈しめ　林　翔

萍（うきくさ）

萍の殖ゆるともなく殖えにけり　梅村すみを

萍の田尻に命犇ける　水上陽三

第二楽章へ萍のひろがりゆく　能村登四郎

青（あお）みどろ

隠り沼の真昼ふくらむ青みどろ　湯橋喜美

蓴菜（じゅんさい）　蓴採る　蓴舟

あやふきまで舟をかしげて蓴採る　加藤富美子

膝折りてをみな手馴れの蓴舟　五十畑悦雄

水尾はすぐ蓴がとざし蓴舟　林翔

黴（かび）

書庫奥の微分積分黴匂ふ　内山照久

黴の書庫どこか獣の香に似たり　渡辺輝子

流れくるシンセサイザー黴育つ　能村研三

黴びてゆく書中の耕二追憶記　林翔

天草（てんぐさ）　ところてん草

癒えよと妻ところ天草煮詰めをり　遠藤真砂明

昆布（こんぶ）

反物のごとき昆布を引き摺れり　櫛引明江

秋（あき）

素秋

海といふ大きな秋へ出航す　遠藤真砂明
隅田川舟は素秋の水脈をひく　大森　春子
ホッチキスかしやんと秋を綴ぢにけり　神戸やすを
秋は白ラルゴの風の新世界　小林　和世
二天門潜りて秋の別れとす　齊藤　實
絵手紙の筆洗に浮く秋の彩　佐々木泰子
トランプのジャックの髭に秋聴けり　柴田ふさこ
この秋や故郷遠く墓買ひぬ　須崎　輝男
ペットボトルの水飲み干して空は秋　竹内タカミ
人去りて秋の灯台饒舌に　田谷ひろし
研ぎ上げし植木鋏の刻む秋　鶴見　知子
葛飾の秋は水辺の匂ひより　永井　収子
手の甲に新色の紅試す秋　成宮紀代子
さりさりと牛蒡笹掻風は秋　堀　園子
ぞろぞろとランチに大手町の秋　松丸　佳代
踵の辺吹かるる秋の白地かな　久保田　博
あはうみの戦史哀史や秋の魞　千田　百里
アクセル全開秋愁を振り切りぬ　能村　研三
ふと触れて脈あり秋を生きてをり　林　翔

初秋（はつあき）

秋初め

歌舞伎座で師に遠会釈秋はじめ　須山　登
デッキブラシごしごし使ふ秋はじめ　秋山ユキ子
まろび寝の母は小さき秋はじめ　木村　茂
初秋の母を抱けば和紙の音　辻　直美

八月（はちがつ）

八月三十一日なんとなく淋しき日　楠原　幹子
黙禱を幾度重ね八月よ　福山　和枝
帆のごとく男まぎれず八月野　能村登四郎

立秋（りっしゅう）

今朝の秋　秋立つ　秋に入る

まだ誰も踏まぬ風紋今朝の秋　松井志津子
剃りたての顎に手のゆく今朝の秋　小山田子鬼
六十路とは背に秋立つ如くなり　鈴木　伸一
せせらぎと松籟を聴く今朝の秋　岩佐　政子
小指からひらく手のひら秋立てり　小嶋　洋子
こだまする石工ののみや秋立てり　木村　美翠
シーソーの取手ひんやり秋に入る　佐々木よし子
今朝秋の雲の方舟鳥放つ　柴田　近江
甲斐の山武将の里に秋立ぬ　鈴木　新一
卓上に影置く眼鏡今朝の秋　永尾　春己
足元を風よく抜けて今朝の秋　根本　世津
秋立つや遠嶺の襞の青深き　宮坂　秋湖
船腹の溶接火花秋立てり　能村　研三
秋立つと雲も美粧を凝らしけり　林　翔

残暑（ざんしょ）

秋暑し　秋暑

黒牛の眼を濡らす残暑かな　阿部眞佐朗
黒飴はまこと残暑の味したり　中島あきら
手櫛もて髪の粗梳き秋暑し　おかたかお
耳鳴りに波のありけり秋暑し　小栗八重
リハビリの廊下の長き秋暑かな　溝呂木信子
集合写真後ろに顔の混む残暑　諸岡和子
秋暑し坂の途中の法務局　内山照久
北上の秋暑に乾く礦石　能村研三
水際に秋暑をとどめおどろ草　能村登四郎

新涼（しんりょう）

涼新た　秋涼し　秋涼

裂織の衣裂く音や涼新た　東良子
山また山しなの鉄道秋涼し　伊藤照枝
さざ波は雲にもありて秋涼し　髙橋和枝
砂時計添へ新涼のハーブティ　中島昭親
湯上りの木綿古りけり涼新た　堀園子
涼新た風のかたちのあそび蔓　柴﨑英子
路地箒吊り菊坂の涼新た　能村研三
煎餅が秋涼の音発しけり　林翔

処暑（しょしょ）

旅終る足裏に処暑の青畳　多田ユリ子
今日処暑のことふれのごと一雨過ぐ　田所節子
水匂ひ気づけばけふを処暑といふ　中尾杏子
今日や処暑あをどんぐりの青袴　林翔

二百十日（にひゃくとおか）　厄日

ついと過ぐ二百十日の白湯を吹く　関根瑶華

船笛の長く尾を引く厄日かな　木村公子

湯の出づる岩を祀りし厄日かな　後藤貞義

はんぺんをこんがり焼いてゐる厄日　松井志津子

妻が居てわれもまた居てけふ厄日　千田敬

厄日来て糊効きすぎし釦穴　能村研三

表裏なく藜したたる厄日かな　能村登四郎

八月尽（はちがつじん）

吊革に体をあづけ八月尽　和田満水

八月尽手足つめたく起き出づる　能村登四郎

九月（くがつ）

トーストのはねる音して風九月　能美昌二郎

図書館の顔ぶれ変はる九月かな　大森慶子

葉月（はづき）

江戸川の土手に葉月の魚暦　成宮紀代子

八朔（はっさく）

八朔のうろこ全き鰯雲　吉田明

八朔の荒れを明日に空の青　能村登四郎

白露（はくろ）

白露けふ根岸の路地をふた曲り　大沢美智子

白露かな帝釈天は象に座し　朝長美智子

豆腐屋の井戸水もらふ今日白露　中山寛子

水虫と交誼十年白露とよ　都筑智子

白露かな尿意に腹のぬくもりて　能村登四郎

秋彼岸（あきひがん）

東京に井戸ある不思議秋彼岸　能村　研三

十月（じゅうがつ）

十月の使ひて手足やはらかに　能村登四郎

長月（ながつき）　菊月

季語繰るは逍遥に似て菊の月　千田　敬

寒露（かんろ）

寒露かな伯叔も又老いけらし　能村登四郎

雀蛤となる（すずめはまぐりとなる）

栞紐ほつれ雀は蛤に　大川ゆかり

秋の暮（あきのくれ）

火はいつか燠のしづけさ秋の暮　大畑　善昭

秋の暮一抜け二抜けみんな消え　黒岩武三郎

鶏の盗つ人歩き秋の暮　小林もりゑ

行き止まりの道に入りけり秋の暮　平山　恵子

もう会へぬ人に「またね」と秋の暮　北川　英子

舟小屋の裸電球秋の暮　鈴木　良戈

レインコート着て何となく秋の暮　松村　武雄

立ち読みの背にある隙や秋の暮　能村　研三

鴉四羽五羽六羽秋暮の倫敦塔　林　翔

志摩の灯の泛びて波も秋の暮　能村登四郎

秋の夜（あきのよ）

秋の夜の猫が取り持つ三世代　永井　収子

壺の影濃く定まりて秋の夜　森本裕子
秋の夜ウッドデッキといふ小部屋　笠井令子
橋の名の続く地下鉄秋の夜　神戸やすを
秋の夜のこんと鳴かせる影絵かな　中山めぐみ
秋の夜の屈み抱へのチェロ奏者　能村研三
子にみやげなき秋の夜の肩ぐるま　能村登四郎

夜長（よなが）
長き夜

長き夜の捨てては拾ふひとり言　菊地光子
夜長かな曲りて出づる栞紐　今瀬一博
十三日金曜日そして夜長なる　能村研三
色鉛筆削りそろへて夜長父子　林翔

秋麗（あきうらら）

古書店は青春の篋秋うらら　千田百里
秋麗の天と地繋ぐ那智の滝　小松誠一
図書館の書架の匂ひや秋うらら　杉原かほる
坂曲るたび秋麗の藍の海　吉田陽代
秋麗の産後まばゆき妻迎ふ　能村研三
此の世をばわが世と鳶や秋麗ら　林翔
遊び着を買ふ秋麗にさそはれて　能村登四郎

秋澄む（あきすむ）

筑波嶺を背に下総の秋澄めり　森本裕子
秋澄めり眉目秀麗なる埴輪　田谷ひろし
秋澄みて夜の図書館にふたりだけ　中村喜美子
秋澄むや二万を越えし万歩計　藪下謙二

父さんとあらたまる声秋澄めり　齊藤　實
澄む灯りだけとなりたる深夜景　能村　研三
澄める夜の澄みの極みに男座す　能村登四郎

秋気（しゅうき）

真つ直ぐに天指す檜秋気満つ　伯耆田ノリ子
秋気澄みちと居住ひを正したり　小坂　士朗
紙端に二十六穴秋気満つ　辻前冨美枝
馬通す緩ききざはし秋気満つ　能村　研三
いちはやく滝が秋気を放ちけり　能村登四郎

爽やか（さわやか）

爽やかに巫女は私服となりて去る　菊川　俊朗
爽やかや水たつぷりと鎌を研ぐ　須崎　輝男
見つめらるまなこさやけし土偶かな　吉田　春美
秋爽や耳の大きな料理人　篠藤千佳子
爽涼や父の未踏のフィレンツェへ　能村　研三
橘中佐像秋爽充てる中に立つ　能村登四郎

冷やか（ひややか）　冷ゆる　秋冷

奏者席冷ゆ礫の主の高さ　荒井千佐代
朝市の婆へ地の冷え川の冷え　菅谷たけし
指のべて夜の秋冷をたしかむる　勝田みつ子
秋冷や弓手振りに息止めて　能村　研三
思はざる冷えきりし手と握手せり　林　翔

身に入む（みにしむ）

身に沁むや能登の棚田の石仏　村松　忠治

身に入むやモディリアーニの女の眼　平山恵子
身に入むや襟に社章の穴のこり　和田満水

そぞろ寒（さむ）

そぞろ寒出湯の山の無人駅　木村　茂
ヨーグルト発酵遅遅とそぞろ寒　高瀬良枝
翼なき肩甲骨のそぞろ寒　荒井千瑳子

漸寒（ややさむ）

やや寒し古城地下なるワイン樽　能村研三

うそ寒（さむ）うすら寒

うすら寒関所にありし検見の婆　吉武千束

肌寒（はださむ）

肌寒と言はれて肌をさすりけり　林　翔

朝寒（あささむ）

朝寒となりしか常の父の音　能村研三
くちびるを出て朝寒のこゑとなる　能村登四郎

夜寒（よさむ）

夜寒よと語るか指に指が触れ　林　翔

霜降（そうこう）

霜降やはちみつ曇りはじめたる　髙橋あさの

冷まじ（すさまじ）

すさまじや鮪の目玉拳ほど　楠原幹子
火口湖をお釜とよべり冷まじや　佐々木みき子
冷まじきわが叱声に夢覚めぬ　林　翔
すさまじきことの限りに身の老いも　能村登四郎

秋寂（あきさ）ぶ

カンガルーの空の嚢中秋寂びぬ　米光徳子

秋寂びてべかの名残りの湯屋二軒　能村研三

秋深（あきふか）し

秋闌くる志功天女は膝立てて　朝長美智子

秋深し本のかたちの修司の碑　石戸キコ

通過する列車の灯火秋深し　大野秀夫

秋深く紬を絞める機の音　木村治

深秋の日暮れひとりのベンチかな　児玉明子

一病も天の配剤秋深し　須藤紀枝子

南部牛追唄朗々と秋深む　中山寛子

木管五重奏深秋の魁夷館　溝呂木信子

哲学の道ゆつくりと秋深む　本池美佐子

攻め焚きの窯鳴りに秋深みけり　遠藤真砂明

お岩木は孤山の雄や秋闌ける　能村研三

行（ゆ）く秋（あき）

行く秋や本に補強のセロテープ　齊藤實

行く秋の干潟風立ち蘆さわぐ　岩佐政子

逝く秋の海ひたすらに藍を染め　藤井ふさ子

深耕のあとの深酌秋逝かす　斉藤梓歌

幹撫でてやる逝く秋のさるすべり　林翔

秋惜（あきお）しむ

秋惜しむ書いて消すこと重ね来て　武藤嘉子

秋惜しむ一打を父母へ三井の鐘　米田紀子

ポケットをはみ出る句帳秋惜しむ　廣田健人
和蠟燭めく灯台に秋惜しむ　能村研三
秋惜む遙けき友と一つ舟　林翔

冬隣（ふゆどなり）

冬を待つ

晒されし魚板のくぼみ冬隣　塙誠一郎
唐臼の空搗き響く冬隣　太田鈴代
水冴とがる家郷の冬を待つ　鈴木伸一

九月尽（くがつじん）

化粧壜さかさに振つて九月尽　石田静
糊しろのやうなる九月尽きにけり　小嶋洋子
九月尽までの雨日を数へをり　能村登四郎

天文

秋色（しゅうしょく）

竹籠を編む秋光をからませて　髙久　正

編み分けて秋光二色一位笠　林　翔

流れ藻に秋の色知る大津絵師　能村登四郎

秋日（あきび）

秋日射す矢止め造りの家構　堀　園子

和太鼓の音の弾けて秋日燦　伯耆田ノリ子

山襞の深きに秋日身籠りぬ　木村　公子

ぽつねんとちちのラジオに秋日濃し　近藤　鉦子

飲食のための行列秋日なか　能村　研三

ブローニュの秋の弱日を蝿と頒つ　林　翔

菊日和（きくびより）

百年を祝ふ学舎の菊日和　須山　登

琴の爪指に馴染みて菊日和　伊藤よし江

母の荷に足袋の型紙菊日和　清水　栄子

退院は余生の始め菊日和　藪下　謙二

菊日和いづこにゆくも子が重荷　福永　耕二

子の名みな母音が響き菊日和　能村　研三

秋晴（あきばれ）

秋日和

山手線に踏切一つ秋日和　高木　嘉久

秋日和競歩の臀のよく動き　川畑良子
秋晴や連結駅の小休止　木村美翠
病室に孫の折り鶴秋日和　中野栄吉
秋晴るる孔雀に鏡見せてやろ　頓所友枝
秋晴の天より来しか吾子の文　林　翔

秋旱（あきひでり）

ぎざぎざに罐の蓋あく秋旱　斎藤良江
龍神も少し痩せたり秋旱　山下　忍

秋の声（あきのこえ）　秋声

秋声は少しハスキー風の蘆　楠原幹子
勾玉に秋声とほる穴ひとつ　諸岡和子
頷きて厚き書閉づる秋の声　林　翔
妻なしの背筋ばしりに秋の声　能村登四郎

秋の空（あきのそら）　秋天

本当を言へば傷つく秋の空　菅谷たけし
騎馬戦の秋天おほふ砂けむり　伊藤よし江
秋空の果てを見渡す麒麟かな　大網健治
秋空へ組体操のタワー伸び　木村美翠
秋天や巨船の如き海ほたる　杉原かほる
秋天をふはりとたたむ帆引船　須田千代
天蓋を払ひ退けたる秋の空　田谷ひろし
秋天を放さぬやうに窓磨く　平城静代
秋天の天辺から干す大ジョッキ　山下ひろみ
遠つ世の秋空を見し埴輪の目　林　翔

ながらへて見る秋空の鮮しき　能村登四郎

秋高し（あきたかし）

天高し

長靴の農大教授秋高し　柴田近江
弁当の輪ゴムが飛んで秋高し　林昭太郎
秋高しビル屋上も新宿区　浅野吉弘
屋上の庭に小径や秋高し　五十嵐章子
腑の一つ二つが鳴れり天高し　小山田子鬼
病む夫の米寿祝や秋高し　佐野敏江
天高く思惟千年の石ぼとけ　林一郎
エッフェル塔抓むポーズや天高し　松下秀夫
球根の鉢巻を取り天高し　辻直美
秋高く挙措みな声を伴へり　林翔
紗（うすぎぬ）の雲ありてこそ天たかし　能村登四郎

秋の雲（あきのくも）

月山に今出来たての秋の雲　森谷一芳
秋雲やゆるく優しく手話の語尾　菅谷たけし
秋雲といきなり出合ふ坂の町　能村研三
秋雲を追ふ心あり杖もあり　林翔

鰯雲（いわしぐも）

鰯雲都電の窓は今も開き　高木嘉久
天網を漏れて勢ふ鰯雲　峰崎成規
紛れ込むことの安堵や鰯雲　福島茂
岬鼻を越えて富士まで鰯雲　伊藤よし江
人生に踊り場いくつ鰯雲　内山照久

真つ直ぐな道も果てあり鰯雲　小坂士朗
鰯雲関八州のとつぱづれ　座古稔子
逆上り瞬に蹴散らす鰯雲　佐藤淑子
落款を押してもみたき鰯雲　須山登
灯台は沖の語部いわし雲　田谷ひろし
逆立ちの上手に出来て鰯雲　平間洋子
鰯雲肩の力の抜けてをり　伯耆田ノリ子
糠床の空気入れ替へ鰯雲　ガルシア繁子
肩抱けば失意もぬくし鰯雲　北川英子
鰯雲見てゐてこころ連れ去られ　能村研三
鰯雲老いを知らざる天の艶　林翔
水よりもせせらぐ耶馬の鰯雲　能村登四郎

月（つき）

月明　月光

月明の三寸的を射ぬきけり　石﨑和夫
湖しばし月の器となりにけり　岡澤田鶴
月明の木橋は反りを強めけり　柴﨑英子
月に暈きんつばの餡透けてをり　菊地光子
江戸川が翼広げて月皓々　浅野吉弘
月見上ぐ後姿に恕しあり　伊藤式郎
月光のしづかに枕浸しくる　大石誠
月光の浜辺にピアノ運び来よ　大矢恒彦
縁に座し月と酒酌む父の背　岡真紗子
月天心湖上浄土となりにけり　神山節子
化石よりジュラ紀の匂ひ秋の月　坂本徹

石一つ一つに影す月明り　堀　園子
アリバイなし月の兎に招かれて　松井志津子
月明をねむりて流れゆくごとし　吉田　汀史
沖よりの一途が太き月の道　能村　研三
月の出の滄浪何を濯ぐべき　能村登四郎

月代（つきしろ）

月代や朗々と声流れ来る　丹羽　昭子
月代や何時より傾ぐ野のほとけ　加藤　房代

盆の月（ぼんのつき）

赤ちゃんを抱かせてもらふ盆の月　柴田　詩子

三日月（みかづき）　新月

淦舟の淦に新月ゆれゐたり　沖島　孝光

待宵（まつよい）　小望月

何となく禁句がありて小望月　能村登四郎

名月（めいげつ）　満月　月今宵　望月

満月や北半球に住み馴れて　望月　晴美
定家の書巻き直しをり月今宵　伊澤きよ子
一湾の名月孤高守るかに　佐々木みき子
煌々と名月雲を寄せつけず　栃原　久子
望の月今宵は八海山を買ふ　藪下　謙二
のぼりきつたる満月のゆらぎなし　吉田　陽代
湖波に手を浸しをり月今宵　能村　研三
名月に触れゆく雲の愉悦かな　林　翔

良夜（りょうや）

ふつくらと中州現はる良夜かな　荒井千佐代
丁寧にややの爪切る良夜かな　阿部眞佐朗
深川の小橋を渡り良夜なる　高木嘉久
糸車また回り出す良夜かな　金井双峰
風呂桶のからんころんとなる良夜　川崎登美子
蟹缶の薄紙剝がしゆく良夜　篠藤千佳子
ひよつこりと子の訪ね来る良夜かな　鈴木浩子
追伸の長くなりたる良夜かな　曽出きよの
恙無きふたり並びて良夜かな　舘千咲
千羽まで鶴折る母の良夜かな　中西恒弘
書を閉ぢて良夜の庭に出でにけり　平山恵子
どちらからともなく庭に立つ良夜　牧田雪子
過去帳に夫を加へる良夜かな　湯橋喜美
坐り皺ついてしまひし良夜かな　能村研三
灯を消して弾き弾く影よ子の良夜　林翔
吾子娶り良夜かすかに老い重り　能村登四郎

無月（むげつ）

にんげんに尾のありし証無月かな　松島不二夫
効能書しつかり読みて無月かな　能村研三
その底に虫を震はす無月かな　林翔

雨月（うげつ）

煮鰈の身をほぐしやる雨月かな　能村登四郎

十六夜（いざよい）　既望

十六夜の髪切りすぎしうなじかな　吉澤濱子
十六夜「もう一軒」の梯子酒　大野秀夫
十六夜の男の絣まぎれなし　松本圭司
おのれ抱くために消したる既望の灯　能村登四郎

立待月（たちまちづき）　立待

立待やビルの硝子の嵌め殺し　大島雄作

更待月（ふけまちづき）　二十日月

二十日月細り細らば子が発つ日　林　翔

宵闇（よいやみ）

宵闇のうどんの腰を賞でてをり　上谷昌憲

後の月（のちのつき）　十三夜（じゅうさんや）

海底の山脈うごく十三夜　藤井　遥
ぐい呑の底に丸ある十三夜　齊藤　實
一代に興し畳みて十三夜　堀口希望
たけくらべ声出して読む後の月　角田光世
息入れし銀の折鶴十三夜　東　良子
能面の下の喉や十三夜　荒井千佐代
十三夜わが影まざと杖が添ふ　久保田　博
江戸川にうねりとがりや十三夜　能村研三
後の月ほろほろ鳥といふ食べて　能村登四郎

秋の星（あきのほし）

島に寝て秋満天の星の傘　林　翔

星月夜（ほしづきよ）

赤道を跨ぐ船あし星月夜　沖島孝光
星月夜航空尾灯咆哮す　町山公孝
上陸は艀を使ひ星月夜　阿部順子
峡住みの湖底のごとき星月夜　柿本麗子
預かりし子の帰り行く星月夜　中野光子
星月夜天動説を棄て切れず　福田肇
筌の音の湖をねむらす星月夜　三好千衣子
正直に生きゐるつもり星月夜　村田正子
腰掛のつもりが生業星月夜　酒本八重
師系ゆゑ筆勢似たる星月夜　能村研三
数へ得む星か東京星月夜　林翔

天の川（あまのがわ）　銀河（ぎんが）　銀漢

潮の香や銀河と睦む崖マリア　荒井千佐代
天の川ひとに海馬といふところ　細川洋子
沢村の速球永久に銀河澄む　荒井千瑳子
寝袋のねがへり銀河しぶきをり　安藤しおん
銀河濃しむかしテレビに砂嵐　内山花葉
缶のタブひくと泡立ち天の川　岡部玄治
二人ゐてふたつの孤独天の川　小田里己
地球との約束の日と天の川　坂本徹
天の川逢瀬は何時も星こぼす　佐藤淑子
子が父になる夜の銀河濃かりけり　柴﨑英子
ふる里の銀河は何時もなだれくる　高瀬良枝

夫と娘の初の連弾天の河　森田潤子
銀河濃きところ激流なりしかな　河口仁志
銀漢を哭きつつ獅子の渉るかな　辻直美
銀河濃し旅寝も同じ夫の位置　中尾杏子
あをあをと銀河垂れたり初契　久保田博
銀漢のあるいは女系一家かも　能村研三
電力地帯煌々の灯に銀河懸く　林翔

流星（りゅうせい）
星飛ぶ　流れ星

乳歯投げ上ぐる流星群の中　菅谷たけし
星飛ぶやをんなの羽化はタラップで　千田百里
星降る夜マッターホルン孤高なる　杉本光祥
行合の空を掠めて流れ星　礒貝尚孝
流星や闇へ光の刺繡針　内山照久
流星や駅にポストのひとつづつ　小林奈穂
流星や生涯家を守りし父　髙橋マキ子
星飛んで金平糖の色四つ　鶴見知子
流星やひとに秘めごと願ひごと　平岡豊子
アラームをすり抜けて来し流れ星　町山公孝
星飛んで帽子に二個のピンバッヂ　和田満水
流星の消える力が尾となりぬ　松本圭司
星飛べりスパゲッティの渦のうへ　中尾杏子
言ひ当てしことの戦慄星降れり　岡本富子

秋の初風（あきのはつかぜ）
初風

秋の初風さがしにあをき手提籠　藤井晴子

北鎌倉駅の初風なりしかな　松村　武雄
初風と万の毛穴が知らせけり　林　翔
初風におどろき老と思ひゐる　能村登四郎

秋風（あきかぜ）

秋の風　風白し

秋風や木霊の棲める能舞台　平城　静代
雨戸引く一枚づつの秋の風　浅沼　久男
銀いろの秋風を溜め谷中村　伊藤　文
老斑もわが身の一部秋の風　江崎　孝彦
目つぶりて聴く秋風の「壇の浦」　近藤　敏子
オルガンのつむぐ秋風楽となり　平本　朋子
書に潜む字句の響きや秋の風　村松　忠治
月山の秋風どこかレクイエム　望月　晴美
泡あげていのち継ぐもの風白し　千田　敬
素風背に四千万歩の男発つ　秋葉　雅治
秋風が絶えて早池峰見ゆる位置　能村　研三
秋風の和紙の軽さを身にも欲し　林　翔
いつよりか秋風ごろを病むならひ　能村登四郎

色無き風（いろなきかぜ）

ゼブラゾーン色なき風がまづ渡り　峰　幸子
耳打ちをするやう色なき風の過ぐ　倉田千津江
雲白し色なき風に色を見る　坂田　和子
六道の辻を色なき風惑ふ　二瓶　重子
朱雀門色なき風の素通りす　中坪　一子

爽籟（そうらい）

魚座生まれの爽籟を泳ぐなり　辻　美奈子
爽籟や無垢の木馬に仮漆（ニス）を塗る　辻　直美

初嵐（はつあらし）

舟に舟つなぎて帰る初嵐　湯橋　喜美
初あらし野馬にも似たる波頭　能村　研三

野分（のわき）

師の句碑の醜草を抜く野分あと　成宮紀代子
指ほどの鉛筆が書く野分の詩　都筑　智子
野分の夜産湯の中にガーゼ流れ　中島　秀子
吹き上ぐる野分に由布の肌荒るる　江淵　雲庭
海の果てに黒き海積み野分立つ　能村　研三
長靴に腰埋め野分の老教師　能村登四郎

颱風（たいふう）

台風

台風一過そつくり空の抜けゐたり　石川　笙児
颱風にもまれし草の香るかな　関　洋子
台風圏秘密めきたるくりや事　七田　文子
台風の眼の中に今ゐるらしき　平山　恵子
空港は喪のごとく閉ぢ台風裡　河野美千代
台風裡肘笠雨に遭ひにけり　能村　研三
迫る迫るよ台風の黒雲が　林　翔
退きそこねたる台風が萩叢に　能村登四郎

高西風（たかにし）

高西風や舟止め深く嚙ませあり　柴田　近江

高西風や飯屋の裏の網干道　能村研三

黍嵐（きびあらし）

沖縄忌ざわざわわわと黍嵐　岩崎喜美子
ひたすらな御柱道黍あらし　能村登四郎

雁渡し（かりわたし）

父母の声かも知れず雁渡し　鈴木良戈
雁渡し石工の打てる叩き鑿　岡澤田鶴
余命てふ見えぬ引き算雁渡し　黒岩武三郎
雁渡しこけしの首のきしみ泣く　嶋田羊六
こころにも有耶無耶の関雁渡し　鈴木伸一
雁渡し学帽のまだ捨てがたく　田辺博充
マウンドに新しき砂雁渡し　中田とも子
雁わたし砂金の出でし川細る　松井のぶ
雁渡し田端年譜に父の名も　能村研三
子の手曳く出勤遅々と雁渡し　林翔

青北風（あおぎた）

青北風の湧くところかな賢治の碑　松井のぶ
生返事して青北風の簗仕事　小澤克己
青北風やこころに殖えし死者の数　能村登四郎

秋湿り（あきじめり）

神霊の宿る古木や秋湿り　鈴木一広

秋の雨（あきのあめ）

唐破風は寺の貫禄秋黴雨　中島昭親
買ひ置きの本を読みをり秋の雨　礒山恭行

砂利に浸む秋雨馬頭観世音　林　翔

秋時雨（あきしぐれ）

白峰陵山気に変る秋しぐれ　能村登四郎

稲妻（いなずま）

稲光

稲妻の一閃こころ決めしとき　遠藤真砂明

直立の海底の藻やいなびかり　荒井千佐代

いなびかり握る手つよく返さるる　五十嵐章子

窓越しの稲妻立体映画めく　伊藤　照枝

稲妻や斜めに入るる裁鋏　大森　春子

青春は迷路でありし稲光　佐藤　洋子

稲光り話途切れてしまひけり　栃原　久子

稲光ノアの方舟照らすべし　東　良子

稲妻の競演に空罅割るる　山田トモヱ

天と地へ神の矩尺いなびかり　渡部　節郎

稲妻の移るまなこに血の走り　西山　禎一

樟山にゐて樟くさき稲びかり　福永　耕二

稲づまを栞りて閉ぢぬマタイ伝　中尾　杏子

稲びかりその一瞬の山河研ぐ　能村　研三

秋の虹（あきのにじ）

秋虹

湖へとも空へともなく秋の虹　安居　正浩

青年や消えゆくための秋の虹　正木　浩一

秋虹の根より淡海の冷えを呼ぶ　能村　研三

秋虹のかなたに睦べ吾子ふたり　能村登四郎

霧（きり）

霧晴れてをらばをらばと富士見茶屋　岡崎　伸
霧の海甲斐の盆地に島生れて　大沼　遊魚
霧重き国境抜けし汽笛かな　木村　治
山霧の晴れて険しき斜面かな　五十嵐章子
名園の白色ぼかし霧時雨　岡　真紗子
牛の声霧の中より匂ひけり　川崎登美子
岬ごと一湾霧に沈みけり　櫛引　明江
奇岩峰静かに動く霧襖　河野　智子
棚霧るや天地鼓動の吐息とも　鈴木　伸一
霧襖開ける淡海の夫婦舟　塚本　初美
朝霧を突きて船団進みをり　寺田　和子
川霧や羽化仙人の出る気配　中坪　一子
連峰のすとんと失せる霧襖　山越　朝子
朝霧のほどけて湖は空の色　吉田　春美
霧が霧押し上げ早池峰日和かな　栃内　和江
霊巌に触るる素足は霧の中　能村　研三
白川村夕霧すでに湖底めく　能村登四郎

露（つゆ）

露の世　露けし　芋の露

露の世に逆立ちをして砂時計　千田　百里
掌にのせて露けきものに黒織部　羽根　嘉津
さびしさは深く掘る穴露の犬　岡島　亘江
芋の露己がすみかをさがすごと　伊藤　朝海
露の句碑合掌村と共に生き　大浦　郁子

歳月の苔を背(そびら)に露の句碑　小林もりゑ
それぞれに露の道来て朝市女　田中　君子
ままならぬ身の置きどころ芋の露　松井　のぶ
露けしや父母の齢をすでに越し　鈴木　良戈
芋の露勾玉真似ぶこと必死　中原　道夫
露の世を夫との距離ののびちぢみ　中尾　杏子
罠仕掛けきて強かに露浴びぬ　松島不二夫
露けしや帯締むる間のたのみごと　坂巻　純子
露結ぶ夜は胎動も頒ちあふ　能村　研三
あしゆびが露を喜ぶ草履ばき　林　　翔
暁紅に露の藁屋根合掌す　能村登四郎

露時雨(つゆしぐれ)

露時雨へろへろと訃のファクシミリ　湯橋　喜美

露霜(つゆしも)

したたかに露霜ありし杉檜山　能村登四郎

秋の夕焼(あきのゆうやけ)

秋夕焼

黒々と甲斐の山あり秋夕焼　溝呂木信子
秋夕焼両手ではづすイヤリング　平間　洋子
秋夕焼壁いつぱいのピンナップ　佐藤　洋子
五街道の起点に立つや秋夕焼　村田ヤス子
悲しみは祈りとなりて秋夕焼　頓所　友枝

釣瓶落し(つるべおとし)

天の滑車廻りて釣瓶落しかな　浅野　吉弘
泣く嬰のこくりと釣瓶落しかな　中坪　一子

釣瓶落しすとんと景色単色に　久染康子

書庫梯子降りずに釣瓶落しかな　能村研三

山二つ急に近寄る釣瓶落し　林　翔

竜田姫（たつたひめ）

竜田姫筑波の山を馳せ下る　大森慶子

地理

秋の山（あきのやま）

石をもて頂きとなす秋の山　川島真砂夫

山粧ふ（やまよそおう）

山装ふ明日のルートへ螢光ペン　杉本　光祥

渓挟む崖千仞の粧へり　林　翔

秋の野（あきのの）

秋野

布を織るやうに色づく秋野かな　髙橋　和枝

花野（はなの）

幼な子を花野の精として放つ　大畑　善昭

恋のころ来し花野にて子を抱けり　辻　美奈子

風の筆光の絵具大花野　矢崎すみ子

月山のリフト花野に触れて来る　石山　孝子

園児等の羽化してをりぬ大花野　大沼　遊魚

花野への接続を待つ小海線　小林　和世

死ぬときはふつと花野にまぎれたし　関根　瑶華

心もちふくれ花野の旅鞄　辻前冨美枝

異次元へ踏み出す一歩花野道　栃内　和江

花野にて貰ひし痣の濃むらさき　林　玲子

草の名を問うて忘れて花野行　平岡　豊子

絵の具箱かたかた揺らし花野かな　牧田　雪子

出口なき花野は空に続きをり　村田ヤス子
銀翼の音なき高さ大花野　吉田政江
花野まで着信メロディー追つてくる　梅村すみを
遅れ歩のつひに一人となる花野　河口仁志
大いなる嘘のごとくに花野照　大牧広
父として花野を急ぐ帯祝ひ　松島不二夫
ハングライダー花野一瞬傾かす　能村研三
花野に出る筈の道にてかく昏し　能村登四郎

秋の田（あきのた）
稔田

山の日の重し重しと稔田は　宮坂恒子

刈田（かりた）

とむらひののちの刈田の匂ひかな　辻美奈子
刈田より闇いち早しでんでら野　湯橋喜美
収穫のあと虎刈の学校田　大島雄作
晴れすぎて何か煙らす遠刈田　能村登四郎

穭田（ひつじだ）

嫁の来手なき穭田の豊かなり　森岡正作
田の穭あをあをとして雀老ゆ　福永耕二

落し水（おとしみず）

落し水集めて堰の昂れる　小平昭七

秋の水（あきのみず）
水の秋　秋水

大菩薩峠の秋の水を飲む　藤井ふさ子
棹さすは漂ふに似て水の秋　林翔
鉄砲町秋水の縦一文字　能村登四郎

水澄む（みずすむ）

水澄むや大津京都は風の距離　安居 正浩

白神のたくはへ厚き水澄めり　工藤 節朗

宇曽利湖の声なき声や水澄めり　神田八重子

水澄むや嬰の瞳の透明度　宮内 百花

余生とは言ふまい言ふまじ水澄めり　伊藤 真代

登四郎の一弟子われに水澄めり　能村 研三

秋の川（あきのかわ）

今更の恋の小石や秋の川　林 翔

秋出水（あきでみず）

敷石の隙噴き上げて秋出水　藤井 晴子

秋出水さきぶれとなる流れ藁　北村 仁子

秋の海（あきのうみ）

秋の波

陸続と肩を組み来る秋の波　岡部 玄治

秋の潮（あきのしお）

断崖は地球の履歴秋の潮　河野美千代

流木のどこもまるくて秋の潮　平嶋 共代

羽ひらくやうに澪引く秋の潮　伯耆田ノリ子

一つ島沖に浮かべて秋の潮　能村登四郎

初潮（はつしお）

望の潮　葉月潮

望の潮嬰の髪の毛濃くなりぬ　宮内 百花

光年を積むべし沖の葉月潮　能村 研三

葉月潮男の欲のうねりもて　能村登四郎

生活

後の更衣（のちのころもがえ）

滑りよきファスナー後の更衣　水上　陽三

秋袷（あきあわせ）

秋袷ことば重ねて祝ふなり　小野　寿子

秋袷ははに会ひたくなれば着る　望月　晴美

秋日傘（あきひがさ）

師の句碑とききてたたみし秋日傘　大森　春子

薬取りに行くだけの道秋日傘　前田　静枝

浅漬大根（あさづけだいこん）

浅漬やあさき夢なるうつせごと　能村登四郎

菊膾（きくなます）

遠洋へあす出る漁夫と菊膾　浅沼　久男

酒好きにすきな酒なく菊膾　小菅　暢子

衣被（きぬかつぎ）

煩悩をひとつづつ取り衣被　石橋みどり

我もまた農耕民族きぬかつぎ　小菅　暢子

柚味噌（ゆみそ）　柚子味噌　柚釜

柚子味噌や知りて淋しきことのあり　吉田　汀史

ひとり膳柚子釜のせてありにけり　能村登四郎

新蕎麦（しんそば）　走り蕎麦

ひとくちは塩で味はふ走り蕎麦　清水佑実子

月山湖眼下に啜る走り蕎麦　森谷　一芳

新そばの文字の黒々切暖簾　市瀬千加子

ついで寄りして縁側の走り蕎麦　長谷川鉄夫

新蕎麦に大根おろしのうすみどり　能村　研三

新豆腐（しんどうふ）

阿夫利峯のまづは素で食ぶ新豆腐　加藤富美子

新米（しんまい）　今年米

手送りに積む出港の今年米　遠藤真砂明

新米の輝きなりしわつぱ飯　木村　治

炊きあげて甘き湯気の香今年米　永澤千恵子

帝刈る千代田の田なる今年米　木村　茂

汝は炊ぎ吾は醸さむ今年米　長谷川鉄夫

折角の新米に水こだはりし　能村　研三

夜食（やしょく）

二三人影のごとくに夜食とる　大牧　広

夜食とる駅の反対口に降り　能村　研三

枝豆（えだまめ）

枝豆に塩ふつてまた外出妻　藤井　晴子

零余子飯（むかごめし）

清貧の味とは違ふ零余子飯　加藤久仁子

不器用に生きて一生零余子飯　浅沼　久男

松茸飯（まつたけめし）

アメリカに居据り松茸飯を炊く　ガルシア繁子

きりたんぽ

胸中に男鹿の風鳴りきりたんぽ　林　翔

干柿（ほしがき）

吊し柿　柿すだれ

陽と風にしばし委ねしつるし柿　山越朝子

一村の明るさ増せり柿簾　鈴木新一

不揃ひの柿干してある小窓かな　水澤紀代子

ちかみちを太陽通る吊し柿　川島真砂夫

字の名が苗字となりし柿すだれ　能村研三

退屈が百並べられ吊し柿　林　翔

新酒（しんしゅ）

新走り　今年酒

新走り四股名の如く並びをり　森岡正作

新走り高麗王の銘貼られけり　酒本八重

捨てし地のふるさと自慢今年酒　宮内とし子

皿踊新酒の酔ひが手に足に　林　翔

古酒（こしゅ）

藍甕に藍を深める古酒そそぐ　小澤利子

壺に古酒満たし月光酌むごとし　林　翔

濁酒（にごりざけ）

どぶろく

にごり酒三半規管あるを知る　吉田政江

どぶろくの酸くて電球ともす軒　植村一雄

月山の湧水かもす濁り酒　槙　孝弘

どぶろくを酌んで燻り話かな　能村研三

ふるさとは遠きほどよし濁り酒　林　翔

猿酒（さるざけ）　ましら酒

粉本の花鳥禽獣ましら酒　望月木綿子

菊の酒（きくのさけ）

菊の酒祖父の旧暦農日誌　鈴木　浩子

これやこの高悟帰俗の菊の酒　林　翔

温め酒（あたためざけ）

温め酒子の勝ち棋譜を肴とし　岡崎　伸

温め酒雨なら雨を褒めてをり　能村　研三

秋の灯（あきのひ）

ひとつだけ点して秋の灯と思ふ　千田　百里

秋の灯を華と使ひて書く手紙　藤森すみれ

色展べて秋灯低き和紙の店　荒井千瑳子

古書テント人来て足せる秋灯　川崎登美子

ゲルニカの黒に色ある秋灯下　佐々木　群

地図で辿る奥の細道秋灯　種山　知子

文豪の推理や駅の秋ともし　秋葉　雅治

秋灯に祈りと違ふ指を組む　能村　研三

燈火親しむ（とうかしたしむ）

燈火親し海を渡りてきたる真名　藤井　遥

秋の蚊帳（あきのかや）

秋蚊帳に寝返りて血を傾かす　能村登四郎

秋扇（あきおうぎ）

聞き役に徹してをりぬ秋扇　西本　幸

観能の山気じめりに秋扇　清水　麻子
つくづくと紐のよぢれも秋扇　松村　武雄
秋扇半開きにて使はるる　能村　研三
秋扇といふ恋の果てめく言葉あり　能村登四郎

秋簾（あきすだれ）

ひとつ窓簾名残の小屋仕事　町山　公孝
まだ奥に部屋ある京の秋すだれ　三好千衣子
秋簾青木繁の寝ねし間に　齊藤　陽子
おばんざいとふ秋すだれ潜りけり　酒本　八重

菊枕（きくまくら）

菊枕くぼみは夢の抜けし跡　望月木綿子

燈籠（とうろう）

ゆらゆらと山道登る盆提灯　平本　朋子
盆燈籠白房の垂りおそろしき　能村登四郎

障子洗ふ（しょうじあらふ）　浸け障子

見るうちに薄墨になる浸け障子　能村登四郎

障子貼る（しょうじはる）

生真面目な部屋となりたる障子貼　宮内とし子
障子貼り来意を弾くほど真白　西山　禎一

襖入る（ふすまいる）

白襖入れたることの病みはじめ　坂巻　純子

火恋し（ひこいし）

炉火恋し復元民家の煤薬缶　吉武　千束
海見えて直哉旧居に火の恋し　能村　研三

冬仕度（ふゆじたく） 冬用意

日本海見に行くことも冬用意　能村　研三

松手入（まつていれ）

ＦＭに替へ午後の部の松手入　菊地　光子

石垣に雲母光れり松手入　佐藤　みほ

松手入れ朝日を深く吸ひ込みて　服部　実生

手入れする男三人女松　大橋　俊彦

隣家に廻りて一枝松手入　能村　研三

秋耕（しゅうこう）

秋耕す山の名知らで山に住み　林　翔

秋耕の終りの鍬は土撫づる　能村登四郎

八月大名（はちがつだいみょう）

八月大名スカイツリーを仰ぎをり　中田とも子

案山子（かがし）

捨案山子ヘッドライトを睨みたる　菊川　俊朗

務め終へ前もうしろもなき案山子　岡崎　伸

案山子にもかかしの矜持山高帽　後藤　貞義

蓑笠の案山子昭和は遠くなり　後藤　松渓

マネキンの案山子が見張る一枚田　髙木　春夫

二つ目の案山子の畦で待ち合す　酒本　八重

生真面目な案山子が故に侮られ　能村　研三

鳥威し（とりおどし） **威銃**（おどしづつ）

威銃高鳴る峡のがらんどう　森岡　正作

威銃夜明けの村を駆け抜ける　古関　進

鳥威わたしの敵は私かも　頓所友枝
満山の霊気ふるはす威し銃　廣瀬倭子
赤き布ただ一枚の鳥威し　吉田輝夫
漁夫の利といふ言葉あり威銃　近藤実
鳥威し仕掛けなかばに纏れけり　小山田子鬼
ほどほどにあなどられゐて鳥威し　吉田政江

稲刈（いねかり）

稲刈られイーハトーブの空広し　上野節子
刈り立ての脈ある稲を抱きけり　加藤久仁子

稲干す（いねほす）　稲塚

稲塚を原風景として生まる　永澤千恵子

稲架（はざ）　稲架襖

早池峰の風に踏ん張る稲架ぶすま　上野節子
きらめきとなる残照の稲架襖　山崎ふじ子
稲架掛けて里山の景しつらへり　島田浩美
新稲架の縄の締まりしほどの雨　佐佐木徹
しばらくは新稲架として雨はじく　能村登四郎

稲扱き（いねこき）　千歯扱

ひと握りづつ実習の千歯扱　工藤節朗

籾（もみ）

機械化の端で老いゆく籾筵　近藤実
晩景のひとつに谷戸の籾殻火　井原美鳥

夜庭（よにわ）

母屋まで夜庭のすみし煙くる　能村登四郎

秋収め（あきおさめ）　田仕舞（たじまい）

田仕舞の火に望郷のゆらぎあり　樋口英子

田仕舞の煙お灸のごときかな　小沢きく子

火をたかく焚く吉良領の秋収め　松島不二夫

秋揚げや鍬の楔を締め直す　能村研三

田仕舞に阿波富士は雲吐きやまず　林翔

田仕舞に日のある中の風呂沸けり　能村登四郎

豊年（ほうねん）　豊の秋（とよのあき）

豊秋の土俵を築く槌の音　髙久正

豊秋やミサ前列に盲導犬　柿本麗子

命名の墨を濃く磨り豊の秋　植村一雄

豊の秋綿嚙まされて歯科にあり　七田文子

全身にポケット幾つ豊の秋　深川峰子

鈍行てふ時間授かり豊の秋　大石誠

のけぞりて嬰豊年の泣きつぷり　長谷川鉄夫

新藁（しんわら）　今年藁

一坪の花壇にもらふ今年藁　小澤利子

新藁に乳房あたため牛眠る　森谷一芳

新藁をアロマのごとく愉しめり　島崎洋子

巻藁の新藁匂ふ弓道場　能村研三

新藁に埋まる家の奥に書架　能村登四郎

藁塚（わらづか）

でんでら野藁塚にも後姿かな　渡部節郎

又三郎来し藁塚の傾ぎかな　朝長美智子

身繕ひなき走り藁堆組まれをり　佐佐木　徹

夜なべ（よなべ）　夜業

宅配ピザ切り分け夜業続くなり　中山　寛子
ちちははの夜なべや曲尺鯨尺　辻　直美

新渋（しんしぶ）　二番渋

川越しに夜業のビルの向かひ合ふ　能村　研三
二番渋重たき色となつてきし　吉田　政江

竹伐る（たけきる）

竹を伐る匂ひの中の法会かな　佐山　文子
竹伐つて使ひみちなど問はれけり　長岡　千波
切られたる竹一本の違ふ揺れ　今瀬　剛一

新絹（しんぎぬ）

新絹の匂は母に似たるかな　吉武　千束
新絹の白さ真夜には羽搏かむ　坂巻　純子
新絹をひろげて湖の中の妻　能村登四郎

種採（たねとり）

向日葵の一茎重き種を採る　草野　良子
六感のはたらく日なり種を採る　井原　美鳥

菜種蒔く（なたねまく）

ゆるやかな安房の稜線菜種蒔く　古居　芳恵

大根蒔く（だいこんまく）

不器用に悩みて生きて大根蒔く　石橋みどり

葛掘る（くずほる）　葛根掘る

大宇陀の葛根掘る頃旅三日　渕上　千津

大豆干す（だいずほす）

豆打つやわたくしといふ中の敵　吉武 美子

山国の日の待つたなし豆ぼつち　栃内 和江

牛蒡引く（ごぼうひく）　牛蒡掘る

うまぶきと云ふ古き名の牛蒡掘る　能村 研三

胡麻刈る（ごまかる）　胡麻筵

どこからを参道といふ胡麻筵　能村 研三

菱取る（ひしとる）　菱舟

しなやかに招く沼風菱の舟　会田三和子

木賊刈る（とくさかる）

切先を鋭く研ぎて木賊刈る　永津 国明

蘆刈（あしかり）

川晴へ葦刈る音の潔し　宮坂 恒子

蘆火（あしび）

まだ暮れぬ顔が芦火の闇に浮く　川島真砂夫

草泊（くさどまり）

草泊り廃れ男女の唄も消ゆ　渕上 千津

名を持たぬ山に灯りや草泊　能村 研三

魞解く（えりとく）

魞解くや湖面は嶺々の影ふかめ　秋葉 雅治

魞解きし湖へ暮色の鐘一打　柴田 近江

牧閉す（まきとざす）

天を突く馬の嘶き牧閉ざす　小平 昭七

牧閉す打ちしばかりの釘ひかり　岡部 玄治

初猟（はつりょう） 猟期来る

むかし男にポマードのあり猟期来る　千田　百里

囮（おとり）

囮より小さき鳥の来りけり　広渡　敬雄

鳩吹（はとふく）

吹きかけてみて鳩吹と思ひけり　能村登四郎

崩れ簗（くずれやな）

崩れ簗月踰跟と上りけり　河口　仁志

箸置いて見るはるかなる崩れ簗　能村登四郎

根釣（ねづり）

夕映の富士置く岬の根釣かな　佐野　敏江

動くもの波のみ根釣り日和かな　佐久間由子

烏賊干す（いかほす）

桜島父とし仰ぎ烏賊を干す　能村登四郎

相撲（すもう） 村相撲

どぶろくを吹いて締め込む村相撲　小坂　士朗

海蠃廻（ばいまわし）

潮くさきべえべえことば海蠃まはし　林　翔

月見（つきみ） 月の客

百歳をふたつ越えたる月の客　塚本　初美

老い急ぐな夫よ淡海に月を見む　吉田　陽代

白神の月拝しける稲襖　小野　寿子

菊人形（きくにんぎょう） 菊師

菊の武者いざ討入りをするところ　岡　真紗子

去り際に簪直す菊師かな　神山節子
菊人形百の視線へ見得を切る　佐々木昭
着せ替へを恥らふ姫の菊人形　後藤貞義
敵味方共に香りて菊人形　林昭太郎
菊人形武士の匂ふはあはれなり　鈴木鷹夫
運ばるる菊人形の羽交締め　北村仁子
灯を消して菊人形の老ゆる刻　能村研三
菊人形萏ばかりの青ごろも　能村登四郎

茸狩（たけがり）

呼び声の思はぬ遠さ茸狩　須田千代

茸汁（きのこじる）

ふるさとにほつこり抱かれきのこ汁　市瀬千加子
山知らぬきのこも入るる茸汁　甲州千草

芋煮会（いもにかい）

しあはせな絵巻のやうに芋煮会　会田三和子
大芋煮三万食を一つ鍋　原田耕作
真ん中に空の抜けたる芋煮会　篠藤千佳子
芋煮会白き流木置かれあり　能村研三
若者宿（にせやど）の顔ぶれそろひ芋煮会　能村登四郎

秋意（しゅうい）

幕間に幕なき秋意能舞台　千田百里

秋思（しゅうし）

秋思ふと白湯吹くための御壺口　井原美鳥
遠く行く貨車を数へてゐる秋思　大橋忍

ボールペンしばしノックの秋思かな　峰崎　成規
流れつつ水は秋思を奏でけり　岡澤　田鶴
退く波に流す秋思のひとかけら　近藤　敏子
わが秋思軽々乗せて行くリフト　佐野ときは
息ひそめ出雲大社の秋思かな　鈴木真砂枝
迷想も秋思のひとつ膝抱く　野村　敏子
秋思かな浮輪のきしむ船溜り　堀　園子
からくりの木偶に秋思の袖袂　三好千衣子
記念樹を伐りたる後の秋思かな　宮坂　恒子
七人掛けの端より秋思埋めてゆく　細川　洋子
秋思なほ言葉は針を持つことも　渡辺　昭
口笛の口のかたちに秋思かな　能村　研三
波郷句を切れば血の出る秋思かな　林　翔
釦はづし又はめ秋思行ききせり　能村登四郎

秋興（しゅうきょう）

秋興や竿師の技の浮子・毛鉤　成宮紀代子

秋渇き（あきがわき）

老も死も男が先や秋渇く　能村登四郎

休暇明（きゅうかあけ）　二学期

二学期へサドルの高さやや上げて　岡部　玄治
休暇明どの子も大きまなこもて　多田ユリ子
髪刈りし子に小さき傷二学期へ　能村　研三

運動会（うんどうかい）

午後の部へオルガンはこぶ運動会　佐々木よし子

笛一つ園児操つる運動会　田中　君子

よその児を借りて泣かせし運動会　森本　和子

塗り直す白線匂ふ運動会　塩野谷愼吾

断トツは豆のやうな子運動会　大石　誠

運動会「用意」はいまも声で告ぐ　黒岩武三郎

運動会音符のやうに児ら跳ねて　栗原　公子

母と子の眼が合ひ運動会四位　今泉　宇涯

夜学（やがく）

夜学子

ニコライの鐘鳴りやんで夜学の灯　阿部眞佐朗

夜学子の夢に肩かす終電車　栗原　公子

行事

重陽（ちょうよう）　菊の宴

陰暦に暮らす豊かさ菊の宴　阿部順子

重陽や舌にさぐりて鯉の骨　能村登四郎

毛見（けみ）　検見

検見役の小気味よく押す特等印　渡部節郎

毛見人の車らしきが畦にあり　能村登四郎

終戦記念日（しゅうせんきねんび）　終戦日　終戦忌　敗戦日

ラジオ在る茶の間の記憶終戦日　大橋忍

指先でちぎる蒟蒻終戦日　荒原節子

卒寿過ぐ母には母の終戦忌　金井双峰

海と空変らぬ青の終戦忌　河浦正樹

敗戦日といふ壮大なゼロありき　菅原健一

在り在りやどうしても来る敗戦日　頼田幸子

語り部は白さるすべり敗戦日　大沢美智子

遠く坐しテレビあやつる終戦日　千田敬

厠にて国敗れたる日とおもふ　能村登四郎

震災記念日（しんさいきねんび）

影絵より淡く深川震災忌　鈴木良戈

秒針がいつも身にゐる震災忌　三浦青杉子

敬老の日

起震車に乗せられてゐる敬老日　石川笙児
セールスレディほがらかに来る敬老日　五十嵐章子
年輪は知らず敬老日の巨木　秋葉雅治
老人の日の老人でありにけり　安居正浩
日が深く差すとしよりの日の畳　舘野たみを
父が身を痒がつてゐる敬老日　能村研三
敬老の日ぞ朝酒を許されよ　林翔
敬老の日の気まづさにもう馴れて　能村登四郎

赤い羽根　愛の羽根

大きもの喪ひて胸に愛の羽根　林翔

体育の日

体育の日真夜の口笛通りけり　大沢美智子
体育の日の太陽へ向けて漕ぐ　遠藤真砂明

ハロウィン

いたづらな魔女は泣き虫ハロウィン　佐々木みき子

文化の日　文化祭

寄席跳ねて精養軒へ文化の日　福島茂
カルメンに挨拶さるる文化祭　大森春子
鳥の来て人来て森の文化の日　佐野ときは
文化の日逆さ由布へと櫂をこぐ　田辺博充

美術展覧会　日展　二科展

日展に兄の戦死の島らしき　宮内とし子
二科展のあと不忍に人を待つ　松村武雄

硯洗（すずりあらい）　硯洗ふ

硯洗ふ二足の草鞋いとしめり　ガルシア繁子

七夕（たなばた）　**星祭**（ほしまつり）　七夕竹

再会の握手は両手星まつり　菊地　光子

七海は大陸の母星まつり　ガルシア繁子

星まつり闇には干さず吾子の服　能村　研三

七夕竹切りし飛沫を浴びにけり　能村登四郎

星合（ほしあい）

コンソメに金の漣星合ふ夜　井原　美鳥

星合の契りもいまは昔ごと　能村登四郎

梶の葉（かじのは）

梶の葉のほのと明るき茶席かな　金井　双峰

梶の葉に能筆走り風は来ぬ　上田　玲子

真菰の馬（まこものうま）

真菰馬も明治の父母も脚短か　林　　翔

佞武多（ねぶた）

武者ねぶた剣の先まで灯の入り　石戸　キコ

男の怒りかく美しき佞武多かな　能村登四郎

草の市（くさのいち）

ひと雨に莫蓙の匂へる草の市　内山　花葉

盆用意（ぼんようい）　盆支度

降り際の風が匂ひて盆支度　能村　研三

盆（ぼん）　盂蘭盆会　盆道

かの童棚経僧として来たり　菅谷たけし

船霊に灯を入れ盆の漁休み　網代　鏡子
一世紀梁の見てきし盆供養　柴田　久恵
草川の音より昏るる盂蘭盆会　朝長美智子
盆過ぎの営みの火をみつめをり　永井　収子
遥かなるものに眼がゆく盆帰省　松本　圭司
レインボーブリッジの盆霞かな　松村　武雄
盆三日けむりのごときいろを着て　岡島　亘江
母にだけ父逢ひに来る盆の路　森岡　正作
朴の木をしるべに父の盆路かな　能村　研三
この道しか知らざる妻の盆の道　能村登四郎

生御魂（いきみたま）

生身魂

生身魂未だに粋を利かせたき　池田　崇
細菌学究めし皺の生身魂　松井　のぶ
すつぽんの冷製スープ生御魂　望月木綿子
ほんたうの歳は知らざり生身魂　小菅　暢子
生身魂忘れ上手になり給ふ　能村　研三
生御魂とはわがことと気付きけり　能村登四郎

苧殻（おがら）

かの日のごと苧殻ほきりと折れにけり　林　翔
苧殻折る音やさしくて折りにけり　能村登四郎

迎火（むかえび）

門火　魂迎

迎火や祭壇めきし坂の町　七種　年男
迎ふるも送るもひとり門火焚く　座古　稔子
こころにも痛点のあり霊迎　久染　康子

遺愛なる紙燐寸もて門火焚く　能村研三
迎へ火や諸仏の中の妻仏　能村登四郎

施餓鬼（せがき）

施餓鬼会の無性に眠さこらへをり　佐山文子
舟降りて弱法師めく施餓鬼僧　能村登四郎

茄子の馬（なすうま）
瓜の馬

若き日の父を迎へに瓜の馬　渡辺満枝
不揃ひの苧殻の脚の牛馬かな　塩原洋子

墓参（ぼさん）
展墓　墓洗ふ

父亡くて展墓のごとき句碑詣　能村研三
墓洗ふみとりの頃のしぐさ出て　能村登四郎

送り火（おくりび）
魂送

ゆきあひの空に風あり魂送　髙橋あさの
送り火や佛間は元の静けさに　高橋才子
下戸されど送り火前の送り酒　能村研三
桑畑より送り火の終を見る　能村登四郎

大文字（だいもんじ）

消えてより酔深くなる大文字　松村武雄
残心のかすれ字となり大文字　富川明子

燈籠流（とうろうながし）
流燈

流燈を置く一瞬の水の張り　柴﨑英子
流灯の補陀落目指す闇の揺れ　佐々木昭
控へ目なひとつが母の流燈か　能村研三

踊(おどり)

踊の輪　盆踊　踊太鼓　踊唄

踊る輪にいま法楽の月しづく　樋口　英子

東京へ帰る日を聞く踊の夜　小澤　利子

飛入りのリュックの跳ねる踊の輪　藤代　康明

ストレスを捨てに今宵は盆踊　石山　孝子

おほかたは見やう見まねに踊の輪　笠井　令子

徹夜をどり納めの歌は力増し　金井　双峰

宗祇水含みて旅の踊り下駄　鈴木　齊夫

笑ひ面つけて踊りの列に入る　廣田　健人

編入を拒む一村盆をどり　藤井　晴子

盆太鼓山河たちまち星殖やす　川島真砂夫

肥後盆唄聞くも唄ふも眼つぶりて　能村登四郎

風(かぜ)の盆(ぼん)

災ひを指に巻き込む風の盆　工藤　節朗

風の盆胡弓はたましひゆさぶるよ　秦　洵子

おくんち

くんち

空も酔ふ笛の一節くんち来る　中尾　杏子

高(たか)きに登(のぼ)る

登高

一島が見ゆる高きに登りけり　能村　研三

登高に来てそそくさと降りてゆく　能村登四郎

後(のち)の雛(ひな)

蔵町は雨に暮れゆく後の雛　上谷　昌憲

べったら市(いち)

筋ひとつ違へべったら市の闇　山下ひろみ

よき土産べつたら市に寄り来しと　林　翔

地芝居（じしばい）
村芝居

地芝居や節太き手に化粧刷毛　清水佑実子

殺陣どこか鍬振る構へ村芝居　川島真砂夫

秋祭（あきまつり）
里祭　在祭

日が落ちて顔ぶれ替る里祭　久染康子

夫にまだ農の血のあり秋祭　久保喜代子

門灯をつけて出払ふ秋まつり　栗城静子

酌み交はす節高の指在祭　山越朝子

鶏小舎の裏を山車ゆく秋祭　久保田博

藁草履裏から干して秋祭　三浦青杉子

秋祭終り用済みの老人たち　能村登四郎

八幡放生会（やはたほうじょうえ）
放生会

水の面を渡る鐘の音放生会　多田ユリ子

鞍馬の火祭（くらまのひまつり）
火祭

火祭りの炎の芯に神おはす　前川京子

火蓋まだ切らぬ火祭瀬音鳴り　渡辺昭

秋遍路（あきへんろ）

祈りともひとり言とも秋遍路　宮内とし子

野間大坊燭継いでゐる秋遍路　平岡由美子

もの腰の團蔵に似し秋遍路　能村登四郎

地蔵盆（じぞうぼん）

地蔵盆座敷わらしも菓子もらふ　佐々木みき子

湖の子の肩揚深き地蔵盆　能村登四郎

鬼貫忌（おにつらき）

坂下に澱む熱気や鬼貫忌　林　翔

夢二忌（ゆめじき）

夢二忌やときどき人語わかる猫　上谷　昌憲

迢空忌（ちょうくうき）

雲刷きてさびしき神や迢空忌　林　翔

牧水忌（ぼくすいき）

砂浜へひびく足音牧水忌　鈴木　良戈

子規忌（しきき）　獺祭忌　糸瓜忌

獺祭忌またもや新聞休刊日　塙　誠一郎

ちぎれ雲やがて一つに獺祭忌　菅井　悦子

糸瓜忌の髭ねんごろにあたりけり　堀口　希望

源義忌（げんよしき）

言霊のひそむ淵とも源義忌　長岡　新一

動物

鹿（しか）

切り岸に夕日見送る鹿の長　二瓶　重子
はぐれ鹿鳴く宮島の夜の帳　平岡由美子
物干しに雄鹿がぬつと角出せり　大浦　郁子
夜鹿啼く天平の世を手繰るかに　近藤　敏子
まだ角のあるをのの紅葉鹿　松本　圭司

猪（いのしし）

皓々たり眠れぬ猪もゐるならむ　伊藤　式郎
猪肉を食べ寝ね際のほてり出づ　能村登四郎

蛇穴に入る（へびあないる）　穴惑

蛇穴にルルドマリアへ坂険し　阿部　順子
穴惑午後の光を斑にし　小河原清江
穴惑ひめく逡巡のわれにもあり　能村登四郎

鷹渡る（たかわたる）

高みつつ海原離れ鷹渡る　福山　和枝
滑翔のちからを貯めて鷹渡る　能村　研三

渡り鳥（わたりどり）　鳥渡る　鳥の渡り

島国の中に島々鳥渡る　能美昌二郎
大いなる分度器鳥の渡りかな　井原　美鳥
鳥渡る石を乗せたる時刻表　菊川　俊朗

出羽富士をしるべと決めて鳥渡る　笹原　茂
城址図に鍛冶町馬場町鳥渡る　菅井　悦子
夕光に黒き絵となり渡り鳥　須藤紀枝子
碧天に雲の漣鳥渡る　角田　光世
富士山は大きなマッス鳥渡る　林　玲子
叡山は親しき高さ鳥渡る　三好千衣子
鳥渡る洋の名分かつ喜望峰　杉本　光祥
とこしなへみるみる小さき渡り鳥　能村　研三
頰掠むぬくもり鳥の渡りけり　能村登四郎

色鳥（いろどり）

色鳥や子は雲梯をわたりきる　吉田　陽代
色鳥や宛名おもひて選る切手　栗原　公子
より高き枝を囃して色鳥来　三好千衣子
色鳥の今ゐしばかり枝の揺れ　中尾　杏子

小鳥（ことり）　小鳥来る

小鳥来る巣箱のやうな浮御堂　七種　年男
眠りたる赤子の丸さ小鳥くる　宮坂　恒子
自己流のラジオ体操小鳥来る　小川　流子
トーストにシュガーパウダー小鳥来る　内山　花葉
小鳥来る紙飛行機の設計図　大沢美智子
産院の朝の体操小鳥くる　小澤　利子
小鳥来る句碑を開きし日を遠く　小林もりゑ
小鳥来る逆さに立てるマヨネーズ　座古　稔子
小鳥来る海坂藩の五加（うこぎ）垣　成宮紀代子

小鳥来る直さぬ嬰の左利き　塙　誠一郎
育児書の栞みづいろ小鳥来る　林　昭太郎
来館のスタンプぽんと小鳥くる　深川　峰子
田舎家の縁側カフェ小鳥来る　松下　秀夫
小鳥来てゐるかと問へり答へけり　辻　美奈子
小鳥来てをり赤ん坊は来つつあり　辻　直美
小鳥来る山の名一つづつ霽れて　松本　圭司
風紋の肌理ひかりつつ小鳥来る　松島不二夫
楽譜碑に音なき明り小鳥来る　能村　研三
小鳥来て山紫水明極まりぬ　林　翔

燕帰る（つばめかえる）

帰燕　秋燕

九十九里一気飛びして帰燕かな　河口　仁志
閃きは身を研ぎ了へし秋つばめ　松井　のぶ
帰燕かな空に自由があるかぎり　浅野　吉弘
秋燕や帆柱揃ふ船溜り　多田ユリ子
吹き上げる風に抗ひ秋燕　永尾　春己
大灘の紺の定まる帰燕以後　松井志津子
諳んじて師の句そびゆる帰燕かな　渡辺　昭
病む父ゆ命名とどく帰燕の日　能村　研三
秋燕の今さらめきし速さかな　能村登四郎

稲雀（いなすずめ）

稲すずめ数をふやしてもどりけり　岡部　玄治
大胆にして細心の稲雀　池田　崇

鵙（もず）

人生に余白などなし鵙日和　中田とも子

余呉の湖鵙の一声沈めをり　井澤禎子

鵙高音はつと気付きし忘れ物　永津国明

まだ起きぬ父の母屋へ鵙猛り　能村研三

朝鵙や昨日といふ日かげもなし　林翔

懸巣（かけす）

猿田彦おん目まんまる懸巣鳴く　林翔

鵯（ひよどり）

鵯びより御分霊祀る時國家　米田紀子

鶲（ひたき）

尉鶲かの世の径のごとくゐる　能村登四郎
尉鶲

椋鳥（むくどり）

椋鳥に膨らむ夜の大欅　西村渾

椋鳥の翔ちたる数のうねりやう　髙橋和枝

夕映えを木端微塵に椋鳥の群　楠原幹子

啄木鳥（きつつき）

苛立ちの啄木鳥（けら）が降らせる木屑かな　能村登四郎

鴫（しぎ）

鴫立つは青年白潮とこしなへ　能村研三

雁（かり）

異次元へ消ゆるかりがねかもしれぬ　安居正浩
かりがね

雁渡る等高線は地図の花　植村一雄

雁行きて白衣のごとき空残る　柏山照空

蓋ものの絵柄を合はす雁の頃　佐藤　みほ

光芒を山湖に流し雁渡る　清水　由恵

雁なれや大空に引く点と線　矢野美沙子

アルプスに南や北や雁渡る　藤原　照子

雁よりも高きところを空といふ　今瀬　剛一

火に土をかぶせ雁わたる頃　湯本　道生

雁わたる空に入江のあるごとし　松村　武雄

病院に父置いて来し雁の空　能村　研三

吾も妻も父母亡き齢真夜の雁　林　　翔

一雁の列をそれたる羽音かな　能村登四郎

初鴨（はつがも）

鴨来る

初鴨を翔たす入渠の油送船　中村　久子

鴨が来るまで多摩川を忘れゐし　北村　仁子

鶴来る（つるきたる）

鶴来つつ金属音の遙かにす　正木ゆう子

鶴のもう来さうな山のけぶりかな　今瀬　剛一

落鮎（おちあゆ）

寂鮎

深酔の寂鮎までは覚えをり　大牧　広

飛入りの来て寂鮎の串増やす　小林もりゑ

落鮎の黄の斑を見せて炙らるる　能村登四郎

紅葉鮒（もみじぶな）

目に見えて魞ゆるびそむ紅葉鮒　能村登四郎

鯔（ぼら）

鯔はねて今日の夕日を濡らしけり　荒原　節子

鯊（はぜ）

鯊日和

東京をはみ出して釣る鯊日和　林　昭太郎

弟と父の接点鯊日和　中山寛子

上げ潮の穴が息して鯊日和　三浦青杉子

兎も角も泥くさく生き鯊日和　能村研三

秋鯖（あきさば）

近江へと秋鯖運ぶ峠道　能村研三

鰯（いわし）

ダンプごと鰯糶る町鷗舞ふ　渡部節郎

秋刀魚（さんま）

秋刀魚焼く妻に実家といふがあり　須山　登

ガード下秋刀魚の煙暖簾とす　大場　亨

箱売りのさんま海色あふれさせ　鶴見知子

秋刀魚旨し「食べたい」と陛下宣ひし　林　翔

鮭（さけ）

秋鮭の値札残して売れつくす　吉村陽子

鮭の切身の鮮紅に足止むる旅　能村登四郎

秋の螢（あきのほたる）

秋螢呼び名かなしく愛さるる　能村登四郎

秋の蚊（あきのか）

秋の蚊の刺す針いかに細からむ　林　翔

秋の蝶（あきのちょう）

ワルツにも似て秋蝶の羽根づかひ　須山　登

さいはての砲座に遊ぶ秋の蝶　能村研三

秋の蟬

追憶の木椅子や秋の蟬しぐれ　武藤嘉子
片減りの靴ばかり増ゆ秋の蟬　水上陽三
笛一声秋蟬世界鳴りひそめ　林翔
秋蟬や少しづつ我ほろびゆく　能村登四郎

蜩
かなかな

かなかなや星ひとつづつ呼び出され　内山照久
ひぐらしや嬰のしづもる腕の中　五十畑悦雄
かなかなのほかに音なし杉木立　小林勝子
かなかなの声で発車す五能線　佐々木群
かなかなや書斎整理に日を尽し　嶋田羊六
蜩に心ゆるみて家路かな　舘千咲
ひぐらしの声澄むほどに峡暮るる　辻前冨美枝
蜩の声を広ぐる万華鏡　増谷和子
かなかなや水底に似て森の日矢　田所節子
蜩も水ちかく啼けり気多の海　能村登四郎

法師蟬
つくつくし

鳴くことも起承転結つくつくし　河野美千代
鳴き継ぎて西へ西へとつくつくし　宮坂秋湖
三段の滝に烈しき法師蟬　小澤功始
つくつくし瑞穂の国の音楽師　小林和世
語り樹の被爆の樟や法師蟬　福山和枝
法師蟬短篇集のごと鳴けり　安居正浩
五百羅漢を囃す五百の法師蟬　林翔

蜻蛉（とんぼ）

やんま飛ぶ注連新しき神の池　古関　進
とんぼうの動体視力全方位　峰崎　成規
山頂を示す道標群れとんぼ　木村　美翠
紙たたむやうに翅閉づ鬼やんま　栃原　久子
一服し蜻蛉に鍬を取られけり　三輪　水岬
とんぼのあと穂絮ゆつくり通りゆく　吉田　明
聖時鐘蜻蛉ら露を啣へ飛ぶ　林　翔
激湍にひと淀みあり黒蜻蛉　能村登四郎

赤蜻蛉（あかとんぼ）

月山の風乗り継ぎし赤とんぼ　石山　孝子
赤とんぼ風の蛇行につまづけり　小平　昭七
空瓶の影のあいまい赤蜻蛉　佐藤　みほ
赤とんぼみんなズックを履いてゐた　福島　茂
岬端の空早縫ひに赤蜻蛉　林　翔

虫（むし）

いつからの鍵の二重よ虫時雨　甲州　千草
虫の音や素顔になつてゆく時間　篠藤千佳子
虫の夜昔はありし真の闇　草野　良子
虫すだく生家更地になりにけり　桑島みつ子
木屋瀬（こやのせ）の絵地図にたたむ虫の声　清水佑実子
虫の音の懐ふかくナイトウォーク　鈴木　千年
闇と言ふ大きな壺よ虫しぐれ　永井　収子
電車よりホーム短し蟲すだく　塙　誠一郎

寝返りて虫の音ひとつ近くせり　松本　明子
人声に虫の音絶えてしまひけり　山根タケ子
昼の虫たれも判らぬ抽象画　小菅　暢子
睡るたび虫の耳おく糠まくら　湯本　道生
虫の宿一燈をすら惜しみ消す　岩井　完司
虫の音よさよなら玻璃戸閉めまする　林　翔

残る虫（のこるむし）

国東の咽びなきとも残る虫　松井　のぶ
誠実に鳴きゐて残る虫といふ　大牧　広

蟋蟀（こおろぎ）

つづれさせ　ちちろ

こほろぎのいきなり大き貌のあり　内山　花葉
地球水にほころび易きつづれさせ　安藤しおん
日本の広きを知らずちちろ鳴く　小澤　功始
衰残のこゑたかぶりぬつづれさせ　花田　心作
バス停の薄き座布団つづれさせ　下出　君子
こほろぎの少し冷たき貌形　池田　崇
もう五十いやまだ五十ちちろ鳴く　能村　研三

鈴虫（すずむし）

終ひ風呂旬の鈴虫聞きながら　鈴木美智子
鈴虫や静けき句座となりにけり　工藤　篤子
鈴虫のためし鳴きせし夜のしじま　荒原　節子

松虫（まつむし）

青松虫

人ならば高階の恋青松虫　林　翔

邯鄲（かんたん）

邯鄲や仄かに甘き胡麻豆腐　金田　誠子

鉦叩（かねたたき）

明日祝ぎの小物とものふ鉦叩　武藤　嘉子

月餅の中の漆黒鉦叩　正木ゆう子

螽蟖（きりぎりす）

きりぎりす三日鳴かせて放ちけり　清水　栄子

子の拳割つて顔出す螽蟖　山下ひろみ

きりぎりす聴き溜めて影長くしぬ　林　翔

馬追（うまおい）　すいつちよ

人声のやがて風音すいとの夜　伊藤　式郎

すいつちよの二泊三日の籠残る　久染　康子

蟷螂（まくなぎ）

まくなぎの中に指揮者のゐるらしく　中島あきら

芭蕉像より蠛蠓のつききたる　望月　晴美

空の傷よりまくなぎの降るごとし　松本　圭司

その寺のまくなぎのことまづ思ふ　能村登四郎

蝗虫（ばった）　きちきち

きちきちのきらめく翅音遠筑波　清水佑実子

蝗（いなご）

寂けさの底耐へがたく蝗飛ぶ　林　翔

稲虫（いなむし）　稲子麿

御御足を捥ぎて候稲子麿　能村　研三

蟷螂（とうろう）　いぼむしり

蟷螂のボクサーのごと身がまふる　稲垣尤子

いぼむしり無言が人を笑はする　林　翔

螻蛄鳴く（けらなく）

濡れ縁の父の晩酌おけら鳴く　東島若雄

蓑虫（みのむし）　鬼の子

蓑虫のその蓑一度着てみたき　大畑善昭

蓑虫の蓑ふかくゐるこころざし　柴﨑英子

ひたぶるに師系はひとつ蓑虫も　栃内和江

帰りには鬼の子の丈伸びてをり　久染康子

吹かれゐて蓑虫の蓑青まじる　能村研三

芋虫（いもむし）

芋虫のころころ肥りにくからず　遠藤真砂明

秋蚕（あきご）

外厠借りて覗きし秋蚕棚　能村登四郎

植物

木犀（もくせい）　金木犀

金木犀散り敷くといふ見せ場あり　安居　正浩
眠らねば金木犀の虜なる　頓所　友枝
潮騒の聞こゆる小径金木犀　小澤　功始
木犀の香りほのかに昼の月　金子　なか
今朝の風金木犀の香に満つる　坂田　和子
幇間の細き指さき金木犀　山本　明彦
木犀は金の房垂れ歓喜天　林　翔

木槿（むくげ）　花木槿　白木槿

老いと言ふ生の先端花木槿　荒井千瑳子
木槿咲き下校の子等の声高し　工藤　篤子
彼の国も大和の国も木槿咲く　小林　勝子
肝斑一つ母と重なり花木槿　中村喜美子
一日のいのちたためる白木槿　廣瀬　倭子
日蝕のあとのしろばな木槿かな　渡辺　昭
今にある朝勃ちあはれ木槿咲く　能村登四郎

芙蓉（ふよう）　酔芙蓉

酔芙蓉さやぎ一雨くる兆し　伊澤きよ子

秋薔薇（あきばら）　秋の薔薇

みどりごは泣きて魂燃ゆ秋の薔薇　林　翔

桃の実（もものみ）

白桃　桃

昼の月桃を包むによささうな　甲州　千草
白桃のゆるみ初めし香吐息とも　辻前冨美枝
水に浮く桃しろがねの息をせり　山田　松治
児は知恵の充ちて目覚むる冷し桃　藤井　晴子
白桃の無疵疑ふこともして　清水　麻子
白桃のかくれし疵の吾にもあり　林　翔
白桃をすするや時も豊満に　能村登四郎

梨（なし）

ラ フランス

横顔は子規に如くなしラフランス　広渡　敬雄
有りの実の宝珠のごとく育つ刻　平城　静代
でこぼこは補ふかたちラ・フランス　七田　文子
古文書を読み得て梨の白さかな　小島　史子
百翁の大き耳朶ラ・フランス　鈴木　秋雲
しばらくは静物としてラ・フランス　永井　収子
ラ・フランス心やさしく醜女なり　加藤富美子
梨を捥ぐ日々に悔いなし農に生き　板橋　昭子
母の唄いつも低かりラ・フランス　甲州　千草
水の地球の如くに梨のむきあがる　松本　圭司

柿（かき）

日本の色とも柿の信濃ぶり　藤森すみれ
高鋏見事な柿を下げてをり　大森　慶子
日を浴びて過疎の華やぐ柿の秋　岩瀬　浩一
柿食べて種を明るい空へ吹く　齊藤　實

どの道を行くも御所柿日に映ゆる　棚橋　朗
柿の皮くるくる故郷へ繋がりぬ　角田　光世
柿を捥ぐ空に小さな音たてて　峰　幸子
柿一ついつから残りいつかなし　森田　旅舟
掌上に山透かしめて山の柿　殿畑ただし
仏壇に坐らぬ柿は父の柿　鈴木　鷹夫
ビルの灯に非ず小公園の柿　林　翔
柿の荷結ふ今すこしにて縄足らず　能村登四郎

熟柿（じゅくし）

抽象になりかけてゐる熟柿かな　小嶋　洋子
頼りなき皮がたよりの熟柿かな　和田　満水
一日を二日に生きて熟柿喰ふ　今泉　宇涯
身のうちの精悍起す熟柿食ひ　能村登四郎

林檎（りんご）

かじる林檎アップルパイになる林檎　安居　正浩
磨かれてピカソの赤となる林檎　七種　年男
初恋の日なり林檎を二つ買ふ　阿部　順子
下心なきかに林檎二つ割り　柴田　雪路
林檎一つ投げ合ひ明日別るるか　能村　研三
林檎剝くや胸奥すでに雪降りくる　林　翔

葡萄（ぶどう）

黒葡萄日々揺れてゐる子との距離　小田　里己
種なしのとどのひすぎし黒葡萄　花田　心作
早池峰の風の通ひ路葡萄棚　佐藤　みほ

指先に紫うつし葡萄剝く　舘　千咲
張力の漲る黒き葡萄食ぶ　山田松治
一房が白き吐息のマスカット　都筑智子
悪霊がきてざわめきぬ黒葡萄　小澤克己
籠の葡萄にチロルの日暮きてゐたり　吉田　明
敵手と食ふ血の厚肉と黒葡萄　能村登四郎

栗（くり）

焼栗を買ふも酔余の巷かな　梅村すみを
釈迦像の螺髪に雲や虚栗　水木沙羅
栗剝きてしばし縄文人となる　山本明彦
栗食んで余生といふ語きらひなり　斉藤棹歌
みちのくの縄文月夜栗の笑み　能村研三
栗を拾ひともにはにかむ父同士　林　翔

無花果（いちじく）

ふかしぎな無花果が好き人が好き　下村辰枝
いちじくの初採りは濃く大果なり　齊藤陽子
忙中の閑いちじくの種ぷちぷち　長岡新一

石榴（ざくろ）

実石榴の割れて故なき胸騒ぎ　栗原公子
実柘榴や命ぎつしり抱きしめて　板橋昭子
実石榴やわが青春に三鬼あり　石川笙児
丑三つの書几に柘榴の叫ぶなり　大矢恒彦
胸の内述べてしまへと柘榴の実　島崎洋子
石榴食む存在といふ種のあり　平松うさぎ

割石榴忿怒も笑も紙一重　水上　陽三
実石榴や男の弱き時代とも　吉田　政江
実石榴や夕日の奥の絵本棚　能村　研三
昨日寸前今日また寸前熟れ柘榴　林　翔

棗の実（なつめのみ）

棗の実茅葺厚き武家屋敷　宮田　陽子
鉄舟像の若き眼差し棗の実　河野美千代

胡桃（くるみ）

胡桃割る

胡桃鳴る曾て蕩児のたなごころ　田辺　博充
客呼びの市女は胡桃掌に鳴らす　中津　正克
胡桃の実叩く手元の定まらず　栗城　静子
手の平にのせて味見の胡桃和へ　中山　寛子
胡桃割る右脳のひだを深くせむ　平城　静代
落人の裔ひきつぎて胡桃割る　岩崎喜美子
一撃を遁れし胡桃書架におく　高瀬　哲夫
胡桃には鬼と姫の名手に包む　能村　研三
胡桃割るこきんと故郷鍵あいて　林　翔
襞のふかみで考へてゐる夜の胡桃　能村登四郎

かぼす

かぼすぎゆつと今日のひと日を締めくくる　清水佑実子

柚子（ゆず）

柚子の香の満ちて仏間も華やげり　大浦　郁子
太陽に愛されて柚子凸凹なり　上田　玲子
黄のひかり一樹まるごと柚子匂ふ　大石　恵子

朝風呂や美濃より届く柚子を入れ　中野栄吉
蒼き空より頂きし柚子一つ　吉田明

オリーブの実（み）　橄欖

橄欖を擲げたき真青地中海　林翔

檸檬（れもん）

青空の眩しさにもぐ檸檬かな　平松うさぎ
女王のコインで朝の檸檬買ふ　中尾杏子

榠樝の実（かりんのみ）

強情を日ごと固めて榠樝の実　大石誠

紅葉（もみじ）　黄葉

黄葉照りして仲見世はおもちゃ箱　安居正浩
紅葉して夜は夜叉が舞ふ能舞台　原ひろ子
折からの風も映して床もみぢ　清部祥子
高千穂に紅葉前線降り来たる　小松誠一
新築の木の香ただよふ紅葉季　下出君子
里山の紅葉はじめの便りあり　種山啓子
かづら橋引張り合ひて紅葉山　樋口英子
つづら道結ぶや村の紅葉谷　宮本せつ子
恐山囲む紅葉浄土なる　山田トモヱ
晩年へぎりぎりの燃え紅葉山　高橋ちよ
眠りても紅葉ほてりの耳ふたつ　柴田雪路
御母衣湖に魂を鎮めし夕紅葉　能村研三
燃えながら吾も散りたし紅葉どき　林翔

初紅葉（はつもみじ）

初紅葉せる羞ひを杉囲み　能村登四郎

紅葉かつ散る（もみじかつちる）

延寿寺へ紅葉かつ散る坂一つ　水上　陽三

黄落（こうらく）

黄落期

黄落の昭和を抜けて都電来る　鈴木　浩子

足場組む金属音や黄落期　岡崎ひさし

燃え上る芸術魂黄落期　田中　数江

直感の狂ひやすくて黄落期　樋口　英子

黄落の水に昏みに魚寄れり　能村登四郎

錦木（にしきぎ）

錦木や鳥語いよいよ滑らかに　福永　耕二

桜紅葉（さくらもみじ）

手を振らぬ別れも桜紅葉かな　大川ゆかり

神田川さくらもみぢに曲りゆく　千田　敬

黒ネクタイ桜紅葉の下で替ふ　能村　研三

柞紅葉（ははそもみじ）

朝靄に柞もみぢの色浮かぶ　後藤　貞義

柿紅葉（かきもみじ）

柿紅葉秘仏の腰の括れかな　前川　京子

ななかまど

風聞おそろしななかまどが火元　千田　敬

全山を揺るがす発破ななかまど　大石　誠

ななかまど剣岳へザイル締め直す　杉本　光祥

榧の木平はしりの紅のななかまど　能村登四郎

桐一葉（きりひとは）

桐一葉ことばが触れただけなのに　大沼遊魚
桐一葉何か大きな忘れもの　浅沼久男
地に還るもののさきがけ桐一葉　岡崎伸
一葉落つ一人に慣れし身ほとりに　佐久間由子
桐一葉むかし下谷区浅草区　高木嘉久
引力を少しあそびて桐一葉　三留早苗
桐一葉傘寿しづかに通り過ぐ　渡辺輝子
霹靂と聞きし一葉の真闇かな　林翔

銀杏散る（いちょうちる）

銀杏散る朝礼台は今もここ　大石誠
音楽を聴いてゐるやう銀杏散る　菅谷たけし

色変へぬ松（いろかへぬまつ）

色変へぬ松激湍へ迫り出せり　藤原照子
色変へぬ松や表札女人のみ　峰幸子
色変へぬ松の主の代替り　茂呂昇平
色変へぬ松の支ふる大手門　廣瀬倭子
色変へぬ松原つづき気比の海　能村登四郎

新松子（しんちぢり）

産声の主張の一歩新松子　吉澤濱子
新松子坐禅堂への坂登る　山本明彦

木の実（このみ）

握りしむ木の実に鼓動ありにけり　神山節子

木の実落ち新たな系図生まれけり　内山　照久

木の実独楽勝つよろこびを得てゆるぶ　栗城　静子

木の実独楽じんじん回り淋しいぞ　関根　瑶華

木の実降る赤子に人の好ききらひ　小菅　暢子

その傷の舞へば美し木の実独楽　谷口　自然

走り根に苔の弾力木の実降る　能村　研三

木の実踏みぱちりと夜を目覚めさす　林　翔

杉の実

億年の記憶かメタセコイアの実　塩原　洋子

橡の実

栃の実

小流れに橡の実晒す合掌家　二瓶　重子

一位の実

渡されて手に点りたる一位の実　深見　祐子

団栗

団栗の余生とは地に落ちてより　木村　公子

団栗の転ぶ地軸の傾ぎかな　井原　美鳥

椎の実

椎の実の落ちゆく先の涙石　小出美保子

檀の実

合唱の口の真ん丸檀の実　川畑　良子

合歓の実

合歓は実に青空刻む八ヶ岳　林　翔

菩提子

菩提子と幾つ拾はば菩提かな　林　翔

銀杏（ぎんなん）

焙烙のぎんなん跳ねて母のこと　中野了一
仏眼に似てぎんなんの透きとほる　中根喜与子

海桐の実（とべらのみ）

甲冑とふ武具より眼光海桐の実　伊藤朝海
海桐の実だけの紅さを地の果に　林　翔

紫式部（むらさきしきぶ）　実むらさき

小面に彫師恋せり実むらさき　米光徳子
モノクロの森に艶めく式部の実　島崎洋子
王朝の色なほ褪せず式部の実　仁藤輝男
地の冷えの色に出でてや実紫　林　翔
歩き巫女紅がやや勝つ実むらさき　能村登四郎

臭木の花（くさぎのはな）

狐の嫁入り臭木の花の匂ひくる　米光徳子

臭木の実（くさぎのみ）

旧道に走る断層くさぎの実　平嶋共代

秋茱萸（あきぐみ）

秋茱萸や滂沱滴る牧舎あり　能村登四郎

蔦（つた）　**蔦紅葉**（つたもみじ）

蔦引いて一揆の山を目覚めさす　神山節子
母子墓の耶蘇名と和名蔦かづら　松尾信太郎
廃屋に使はぬ閤や蔦紅葉　大矢恒彦
蔦巻いて古城のごとき給水塔　能村研三

竹の春（たけのはる）

水準器の気泡小さき竹の春　広渡 敬雄

はからずも武蔵野に老い竹の春　武藤 嘉子

八十三歳今からですよ竹の春　ガルシア繁子

芭蕉（ばしょう）

風の哭く塹壕跡や芭蕉林　松尾信太郎

破芭蕉（やればしょう）

破芭蕉ジンギスカンの戦旗めく　大石 誠

カンナ

眼の芯へ羽搏き入りしカンナの緋　林 翔

サフランの花（はな）　泊夫藍

サフランや印度の神は恋多き　正木ゆう子

蘭（らん）

ソムリエの靴音しづか蘭の鉢　望月木綿子

コレクトコール蘭の水やりばかり言ふ　千田 百里

朝顔（あさがお）

朝顔や独り住ひの多き路地　菊地 光子

音楽のやうに朝顔蔓伸ばす　大川ゆかり

朝顔の蔓の巻き癖反抗期　熊倉 松太

朝顔の蕾太しや明日ありと　林 翔

身を裂いて咲く朝顔のありにけり　能村登四郎

夜顔（よるがお）

夜顔に白の帳といふがあり　辻 美奈子

鶏頭（けいとう）

種零しこぼし鶏頭影細る　大沢美智子
もたれあひたる鶏頭の仮分数　柴田　近江
鶏頭の群るるは声の湧くやうに　中島あきら
一雨後の渾身の色鶏頭花　板橋　昭子
すくと立つ鶏頭嬰を出迎ふる　宮内　百花
鶏頭の頸動脈をさぐるかな　坂巻　純子
鶏頭を火と見る齢過ぎしかな　林　　翔

葉鶏頭（はげいとう）

葉鶏頭ふつと真昼の暗みあり　髙橋あさの
葉鶏頭沖に気圧の谷据る　松井志津子

コスモス　秋桜

秋桜ごくりと鳴らし飲む母乳　宮内　百花
コスモスや忘れ易きは生き易し　頓所　友枝

白粉花（おしろいばな）

昏なづみ白粉花の咲き始む　坂田　和子
押上はお白粉花の似合ふ街　佐藤　洋子

鳳仙花（ほうせんか）

鳳仙花道狭ければ昭和濃し　高木　嘉久
女子会てふ老のひと日や鳳仙花　角田　光世
日本語に羅馬字のルビ鳳仙花　倉田千津江
地に還るときの烈しき鳳仙花　髙橋　和枝

鬼灯（ほおずき）

ほほづきの鉢持ち替へる鼻緒ずれ　小坂　士朗

背の低き鬼灯畑賑々し　工藤　篤子

秋海棠（しゅうかいどう）

秋海棠女心を内に秘め　水谷　昭代

菊（きく）

菊の香の残つてをりぬ花鋏　宮内とし子

白菊やはるか明治に維新あり　加藤久仁子

ほつれ糸切つてもらひぬ菊鋏　富川　明子

菊の香や法会の読経朗々と　中野　栄吉

賞受けし菊を並べて呉服店　町山　典子

白葉女住まひし路地の籬菊　能村　研三

真中の流速に菊棄てて来し　能村登四郎

晩菊（ばんぎく）

晩菊やピカソにありし青の時　林　翔

木賊（とくさ）

手拭のはらと落ちたる木賊かな　中原　道夫

弁慶草（べんけいそう）

立ち直り早きは血筋弁慶草　近藤　敏子

弁慶草あしたのジョーは燃えつきし　上谷　昌憲

風船葛（ふうせんかずら）

風船かづら消息あはくつながりて　楠原　幹子

風船葛弱日も吸ひてふくらめり　能村登四郎

西瓜（すいか）

八分の一の至福や初西瓜　町山　公孝

メモになき西瓜を買つて帰りけり　小栗　八重

南瓜（かぼちゃ）

包丁の身動きできぬ南瓜かな　溝口美代子
力ともいへないカ南瓜切る　栗城　静子

冬瓜（とうがん）

冬瓜の声を発せばバリトンか　安居　正浩
冬瓜の透煮身丈に合ふくらし　富川　明子
濁りなく生きたし冬瓜薄味に　木村　公子
よろづ屋に冬瓜ころげ岬日和　佐久間由子
冬瓜のごろりと男所帯かな　多田ユリ子
躓けり己が置きたる冬瓜に　朝長美智子
師のそばにこそばゆくゐる冬瓜汁　清水美代子
冬瓜の黙つて土間に置かれあり　能村　研三

青瓢（あおふくべ）

己とは見えぬものなり青瓢　能村　研三
青く重き瓢手にあり木曽の果　林　　翔

茘枝（れいし）　苦瓜

苦瓜の裂けて激しく物申す　石田　　静

オクラ

オクラ切る正五角形おもしろし　宮野　稔子

秋茄子（あきなす）

てのひらに光る紺青秋茄子　吉田　芳江

甘藷（さつまいも）

穏やかな昼はほつこりふかし藷　礒山　恭行
さつまいもあなめでたさや飽くまでは　林　　翔

マイちゃんが三人もゐる藷掘会　能村登四郎

芋（いも）

八頭

芋水車はじめは泥をとばしけり　酒本八重

団塊の世代自適の芋を掘る　佐藤淑子

ひと鍬に思はぬ手負ひ八頭　羽根嘉津

自然薯（じねんじょ）

自然薯の苦悶の末の形とも　杉本光祥

結界の自然薯を掘る穴賢　上谷昌憲

何首烏芋（かしゅういも）

何首烏藷

地下茎の勢ひあまる何首烏藷　能村研三

零余子（むかご）

手応のあるまで引きてむかご蔓　佐山文子

貝割菜（かいわりな）

風にさへ驚きやすし貝割菜　梅村すみを

起き上がる仕掛絵本や貝割菜　佐野ときは

家建たば妻に新生貝割菜　林翔

唐辛子（とうがらし）

山峡は薬研にも似て唐辛子　齊藤實

唐辛子色をつくして曲りけり　能美昌二郎

畑隅の雨に際だつ唐がらし　網代ユウ子

唐辛子赤の限界まで干しぬ　福島茂

風みちに発火しさうな唐辛子　藤森すみれ

今日も干す昨日の色の唐辛子　林翔

生姜（しょうが）　はじかみ　谷中生姜

はじかみを嚙みて改革企つる　能村研三

谷中生姜の名に残りたるわが生地　能村登四郎

稲（いね）

雨ニモマケズ稲穂一夜に結びけり　工藤節朗

復興へ実りの時を待つ稲穂　稲垣尤子

しなやかに稲穂は風に逆らはず　岩瀬浩一

親鸞の遠流の地なる稲穂波　平岡豊子

もひとつの旅へ乗り継ぐ穂田明り　能村研三

船焼いて海国安房の出穂ぐもり　能村登四郎

稲の花（いねのはな）

稲の花夕日は明日へ還るため　大畑善昭

若き師に学ぶ八十路や稲の花　石川雪江

いつよりか父の手が冷え稲の花　能村研三

稲の花をのきごころ老いてもや　能村登四郎

早稲（わせ）

早稲にまだ青みのはしる肥後の国　能村登四郎

玉蜀黍（とうもろこし）

やせもろこし太平洋はすぐそこに　小野寿子

玉蜀黍骨鳴る音に折られけり　吉田政江

黍（きび）

泣きながら隠れしことも黍畑　石﨑和夫

追はるべき墓か四五基が黍がくれ　能村登四郎

蕎麦の花

安達太良山裳裾ぼかしに蕎麦の花　杉本　光祥
青空につづく高原蕎麦の花　石川　雪江
花蕎麦や日に三本の列車待つ　岩瀬　浩一
土地人と抜ける裏道蕎麦の花　川畑　良子
信濃路の辻に神在す蕎麦の花　菅井　悦子
風渡る村ごとゆれて蕎麦の花　深見　喜子
つくば嶺を背に一面蕎麦の花　水谷　昭代
遠嶺まで一気に晴れて蕎麦の花　藤原　照子
山里の陽の焦げるほど蕎麦の花　鈴木　良戈
蕎麦咲いて旅先で寄る骨董屋　能村　研三

棉

棉吹く

棉吹くや三河男の子の紡ぐ夢　鳥居　公子

蓮の実

蓮の実飛ぶ

蓮の実の飛んで旅情の生れけり　小林　和世

敗荷

破蓮

破れ蓮の水面に余白生まれけり　古守　弓子
平服の仏事がすんで敗蓮　能村登四郎

秋草

色草

色草を挿して野を呼ぶひと間かな　内田　順治
秋草の揃ひし色に通り雨　赤松千代子
秋草やしがらみそつとふりほどき　鈴木真砂枝
秋草に紅い草履や神隠し　林　翔

草の花（くさのはな）

いつからか水買ふ習ひ草の花　五十嵐章子

草の花波の絣は限りなし　林　翔

草の穂（くさのほ）　**草の絮**（くさのわた）

草の絮玩具箱には蓋なくて　甲州　千草

風みちを探り当てたる草の絮　佐山　文子

草の絮飛んで自由に未来あり　伊藤よし江

飛べるだけ飛んで師風や草の絮　大畑　善昭

草の絮飛んで未来を創るかな　林　翔

草の実（くさのみ）

未来図はからから弾け草の種　酒井　敏子

草の実を顕にみせて風わたる　千葉　恵美

草の実の紅きを口に天城越え　林　翔

草紅葉（くさもみじ）

手を浮かせ渡る木の橋草紅葉　菊地　光子

末枯（うらがれ）

末枯の景にむんずと転害門　大浦　郁子

ひろびろと末枯れてをり余生の地　林　翔

萩（はぎ）

花終へし萩のトンネル風の道　鈴木　良戈

初萩や母の形見に吾の文　広渡　敬雄

貝塚は太古の便りこぼれ萩　神戸やすを

盗人萩に袖つかまるる山日和　岩崎喜美子

今頃は句碑のあたりの萩・芒　長尾きよか

開拓地石磊々と萩乱る　林　翔

萩がもと掃かれてありし嫁が来て　能村登四郎

萩の実（はぎのみ）

萩は実に

荷風登四郎終にまみえず萩は実に　能村研三

薄（すすき）

尾花（おばな）

芒描く鉛筆は2Bがよろし　上谷昌憲

抜け道も近道も無し芒原　東　良子

芒狂はせドクターヘリの着陸す　川崎登美子

花芒風の騒ぎを受け流す　赤松千代子

枯れてなほ光たたへる芒原　伊藤朝海

芒原山動くかに風にゆれ　熊本富美子

尾花風分ければちちの墓標かな　桑島みつ子

阿蘇寝かせ久住座らせ薄原　古賀咲子

こがね色撒き穂をゆらす山芒　斎藤　衛

しろがねの風を手折りぬ芒原　佐久間由子

迷ひさう忘れられさう芒原　佐藤克江

永らへて今芒野に夢さぐる　柴田詩子

小上がりにすすき一穂加賀ことば　鈴木齊夫

山巓になほ日を残し芒の穂　中野了一

浄土とも逆光に透く芒原　丹羽昭子

甲斐駒の芒どこから風になる　水澤紀代子

捨て畑は芒の浄土夕日落つ　小林もりゑ

潮錆の八丈すすき大揺れす　能村研三

萱（かや）
萱の穂

館趾の荒涼として白穂萱　能村登四郎

泡立草（あわだちそう）

釣人の泡立草に紛れけり　太田鈴代

蘆の穂絮（あしのほわた）

芦の絮飛びつつ民話ほろびかね　能村登四郎

葛（くず）
葛嵐

葛葉うら見せては風におもねけり　岩井完司
ペンのみのこの身軽しや葛嵐　林翔

葛の花（くずのはな）

後山に葛刈り入りし葛さわぐ　能村登四郎
男もまた流されやすし葛の花　渡辺昭
曖昧な川の水域葛の花　能村研三
奥浄瑠璃てふ昔あり葛の花　能村登四郎

郁子（むべ）

水木邸むべの実二つ寄り添ひし　中村喜美子

美男葛（びなんかずら）
さねかづら

風の振る櫂歌の里のさねかづら　下村辰枝

藪からし（やぶからし）

藪からし引けば生垣まで動く　岡崎伸

野の菊（ののぎく）
野紺菊

民さんにすこし妬心の野菊摘む　安藤しおん
それぞれの道を歩みて野紺菊　柴田詩子
土うすき岩の対馬の野紺菊　林翔

浜菊（はまぎく）

浜菊の断崖咲きを矜持とす　能村 研三

貴船菊（きぶねぎく）　秋明菊

秋明菊はるかこの地の嫁となる　種山 啓子

狗尾草（えのころぐさ）　**猫じやらし**（ねこじやらし）

辛抱よ辛抱雨の猫じやらし　林 翔

老いて得し知己大切にゑのこぐさ　能村登四郎

牛膝（いのこずち）

牛膝つけて昭和にまぎれ込む　鳥居 公子

悪友の悪友は吾ゐのこづち　林 昭太郎

藪虱（やぶじらみ）　草虱

草じらみ縋りつかれる義理もなし　鈴木 伸一

冒険の足りなき日々や草虱　能村 研三

曼珠沙華（まんじゆしやげ）　彼岸花

一斉といふは恐ろし彼岸花　楠原 幹子

この色に香のなき安堵曼珠沙華　宮内とし子

瞑りても火の色消さぬ曼珠沙華　大浦 郁子

曼珠沙華少女に戻りたくもなし　小林 奈穂

落日の余燼まだある曼珠沙華　小林もりゑ

大地よりストロー伸びて曼珠沙華　七種 年男

群生てふ大地の力曼珠沙華　佐々木よし子

曼珠沙華おのれを通す一本気　菅井 悦子

曲るのは嫌ひ直立曼珠沙華　高瀬 良枝

人少し拒みて咲けり曼珠沙華　永尾 春己

曼珠沙華星に衰死のあるといふ　中島あきら
夭折の天才多し曼珠沙華　仁藤輝男
残像のあざやかなりし曼珠沙華　花田心作
瀬戸内の島影に揺れ彼岸花　平本朋子
ひと筋の日矢ひと叢の曼珠沙華　堀口希望
曼珠沙華ほむらの中に身をおきて　宮野稔子
火の色しか持たぬ一途や曼珠沙華　吉田陽代
曼珠沙華百万本の地は熱し　望月晴美
殉教もころびも我が祖曼珠沙華　荒井千佐代
百あれば百の直立曼珠沙華　河口仁志
地へ茎のまみどり差して曼珠沙華　能村研三
曼珠沙華その呱々の声聞きたしや　林翔
曼珠沙華天のかぎりを青充たす　能村登四郎

桔梗（ききょう）

桔梗のあすは開かむ花ゑくぼ　伊藤真代
桔梗咲き桔梗の影も一つ咲く　菅谷たけし

千屈菜（みそはぎ）

みそはぎや節榑立ちし母の指　礒貝尚孝
みそはぎや先師と波郷背の高く　加藤富美子

女郎花（おみなえし）

合掌家の裏まで透けて女郎花　田中まつみ
朝市の筵より買ふをみなへし　高橋ちよ

男郎花（おとこえし）

伝在五中将の墓をとこへし　能村登四郎

吾亦紅（われもこう）

野の景をロビーにひろぐ吾亦紅　高久　正

人間の深みのいろに吾亦紅　望月木綿子

吾亦紅一筆箋に会ひたしと　平山　恵子

五代目の守る酒蔵吾亦紅　神田八重子

もう吾に喧嘩は売れぬ吾亦紅　石川　笙児

水引の花（みずひきのはな）　水引草

水引の花咲く庭の御薄かな　金井　双峰

水引草身は老いて眼は老ゆまじや　林　翔

竜胆（りんどう）

濃竜胆足元に咲くペアリフト　石山　孝子

目を洗ふ竜胆リフト終点まで　大畑　善昭

みせばや

みせばやの咲いて若狭の水信仰　能村　研三

杜鵑草（ほととぎす）

夢二の世の半衿かとも杜鵑草　髙橋あさの

杜鵑草暮れ母の忌の仏間暮る　林　翔

松虫草（まつむしそう）

湿原に松虫草は風の花　林　翔

露草（つゆくさ）　螢草

すこし命まもりすぎたる螢草　能村登四郎

千振（せんぶり）

千振の鬼門の軒に乾きをり　朝長美智子

鳥兜（とりかぶと）

むらさきはドラマのはじめ鳥兜　藤森すみれ
やんごとなき色を戴き鳥兜　楠原幹子
奥入瀬の霊気が包むとりかぶと　浅沼久男
幾人か敵あるもよし鳥かぶと　能村登四郎

忍草（しのぶぐさ）

三河路の逢妻男川（あいつまおがわ）しのぶぐさ　能村登四郎

蓼の花（たでのはな）

蓼紅葉茎まで紅し恋しの湯　林翔
蓼紅葉

赤のまんま（あかのまんま）

妹は今も妹赤のまま　菊川俊朗
絵手紙のはしより零れ赤のまま　板橋昭子
赤のまま地鶏は卵産みおとす　中村宏枝
知らぬ道歩む楽しさ赤のまま　茂呂昇平
縁みなふとした出会ひ赤のまま　田所節子

烏瓜（からすうり）

三親等の賑ひ烏瓜引けば　松井志津子
山姥の灯してゆけりからす瓜　諸岡和子
右吉野左明日香やからすうり　渡辺輝子
烏瓜引くや些細が大ごとに　須田千代
烏瓜ふたつ夕日の忘れもの　鳥居公子
まさをなる空にさからひ烏瓜　秋葉雅治
烏瓜引くや愛憎もつるる日　柴田雪路
からす瓜曳けば寄りくるむかしかな　川島真砂夫

小鳥らの饗宴の燭からすうり　林　翔

水草紅葉（みずくさもみじ）

軽食の午後見て水草紅葉かな　能村登四郎

茸（きのこ）

棒一本犬を一匹きのこ守　岡崎　伸

けむり茸蹴つて心のユダ飛ばす　近藤　敏子

煙茸地の溜息を吐きにけり　佐川三枝子

鳶茸の濡れ羽色なる饅づくり　吉田　政江

松茸（まつたけ）

松茸を裂く快感のありにけり　楠原　幹子

松茸もすこし反り気味なるがよし　小泉　旅風

湿地茸（しめじ）

おまはんも俳句かと婆しめぢ売る　渡辺　昭

毒茸（どくたけ）

笑ひ茸夕日ころがり落ちにけり　栃内　和江

竹林に別の風あり毒茸　米光　徳子

耶蘇名聖ルチア毒茸踏み歩く　荒井千佐代

月夜茸（つきよたけ）

月夜茸踏みて異様に昂ぶれり　池田　崇

猿の腰掛（さるのこしかけ）　猿茸

山姥の座り皺ともましら茸　沖島　孝光

時候

冬（ふゆ）

冬帝　冬将軍

東京の死角に冬の金魚かな　頓所　友枝
見通せる十番線の先も冬　松井志津子
繋がれて冬のボートとなりにけり　広渡　敬雄
冬帝のひそむや杉は直なる樹　髙橋あさの
猫跳んで冬が動きぬ老ぐらし　伊藤　真代
冬帝の降りこぼしたる雀かな　鈴木　節子
冬の鶏すわる日向の移りをり　福永　耕二
薄暗き木立が閨の冬茹かな　大石　恵子
昇りきしオリオンに息つめて冬　河野　智子
原発を逃れ十六万人の冬　齊藤　陽子
湖心より織りなす波の冬冴　酒井　敏子
冬燈台いくたび濤の散華見し　田辺　博充
冬将軍列島深く陣を組む　平岡由美子
冬帝を迎へて森の大欅　平城　静代
冬の旅一つ手前でバスを降り　藤井ふさ子
700系冬の京都に滑り込む　前川　京子
風哭いて稗搗節の里は冬　梅村すみを
自転車を突つ込んである冬の藪　吉田　汀史
冬かげろふ夫の柩と越ゆる川　中尾　杏子

勝つための拳にあらず冬走者　能村研三
この若き心を映せ冬鏡　林　翔

初冬（しょとう）　はつふゆ

はつふゆの光積み上げ角砂糖　林　昭太郎

十一月（じゅういちがつ）

みづかきの濡らす十一月の石　甲州千草
ポケットに十一月の深さかな　小田里己
泪目の中に十一月ゆるる　能村登四郎

神無月（かんなづき）

削らるる歯に炎の匂ひ神無月　成宮紀代子

立冬（りっとう）

正面に山ある安堵冬に入る　藤森すみれ
ポプラ並木遠近法の冬が来る　千田　敬
玉砂利の足裏に冬の来てをりぬ　頓所友枝
立冬や砥石にのこる鋼の香　石川笙児
石切の北壁峨々と冬に入る　石﨑和夫
包丁のいかづち模様冬に入る　柿本麗子
飄々と雲漂うて冬に入る　清部祥子
軒下に吊すもの増え冬に入る　後藤松渓
洗ひ場の石の目乾く今朝の冬　佐川三枝子
田の鷺の思惟か祈りか冬に入る　羽根嘉津
立冬の火勢たがへて鍋二つ　北村仁子
全身を率ゐて乳房冬に入る　今泉宇涯
今朝冬の大根おろしのうすみどり　林　翔

冬ざれ（ふゆざれ）

潮錆のブイの高積み冬ざるる　佐久間由子
巨船去り港にはかに冬ざるる　木村　治
俊寛の嘆きの海や冬ざるる　小澤利子
冬ざれや怒濤の迫る銚子港　木村　茂
杉山も檜山も無口冬ざるる　小林勝子
冬ざるる蔵の構へのカレー店　荒木澤子
冬ざれの石塊（くれ）となる牛の糞（まり）　林　翔

小春（こはる）　小六月

祝ひ着に紐のいろいろ小六月　伊藤　文
煮卵の砂町銀座小六月　会田三和子
秒針のなき日時計や小六月　小栗八重
小春日の佳き日京佳と命名す　須山　登
ネクタイを緩め小春のカフェテラス　中西恒弘
小春日の反古より拾ふ恋の文字　林　一郎
小春日の頰を寄せ合ふ道祖神　深見祐子
のら猫の欠伸の口も小春かな　水澤紀代子
水準器気泡天見る小春かな　峰崎成規
浮き玉の積まれ港の小春かな　本池美佐子
父とゐてただ父とゐて小春かな　矢野美沙子
久びさのジョギングの汗小春の日　藪下謙二
波郷より直伝の薄目して小春　鈴木鷹夫
小春日や耳元で聴く梳鋏　能村研三
何思ひ出してか交む小春蠅　林　翔

手をつなぎくる湖の小春波　能村登四郎

冬浅し（ふゆあさし）

浅き冬生姜効かせて魚味噌煮　坂部英子

冬めく（ふゆめく）

耳や鼻突き出るものの冬めける　齊藤實

冬暖か（ふゆあたたか）

冬ぬくし

冬あたたかベンチに鳩の忘れ羽根　井原美鳥
ジオラマのごとき柴又冬ぬくし　石川笙児
冬ぬくし艪音に任せ柴又へ　市瀬千加子
晴やかな宴あいさつ冬ぬくし　小澤功始
冬あたたか古墳をのぼる土竜塚　佐々木よし子
冬ぬくし子はよき伴侶得つつあり　須山登
新聞の裁ち口の波冬あたたか　関洋子
伽藍より剝がれ翔つ鳩冬ぬくし　中島昭親
天へ向け金管楽器冬ぬくし　深川峰子
冬ぬくし欄外までも書く日誌　荒井千佐代
冬ぬくしクルスをつけし鬼瓦　能村研三
冬ぬくき大足も大き掌もあらず　能村登四郎

十二月（じゅうにがつ）

鳴かせては押し込むコルク十二月　秋葉雅治
十二月の後ろに誰か居るらしき　菅原健一
磨り減りし魚板音よき十二月　鈴木浩子
吹き消したやうな夕暮十二月　板橋昭子
巻き戻し出来ぬ発条（ぜんまい）十二月　金井双峰

何もかも走りとぶやう十二月　児玉　明子

十二月はればれ父の揚げ法事　佐々木よし子

シスターのかばんの四角十二月　田川美根子

手にメモをして看護師の十二月　工藤　節朗

鍵の癖指が覚えて十二月　都筑　智子

地下鉄の乗換へ上手十二月　能村　研三

削るほど紅さす板や十二月　能村登四郎

冬至（とうじ）

一陽来復　冬至南瓜

一陽来復炒飯の宙返り　小田　里己

一陽来復だんだんに減る花器の水　河野美千代

這ひ這ひに冬至南瓜の通せんぼ　林　玲子

冬至の夜ピーマンの種かたよりぬ　平松うさぎ

全身を傾け冬至南瓜切る　吉川　隆史

踊り場の小窓より見ゆ冬至凪　能村　研三

師走（しわす）

極月

遮断機の上り師走の動き出す　座古　稔子

極月をなほ丁寧に暮しけり　阿部　順子

青信号一気に人を吐く師走　伊藤よし江

極月や旅の始めは義仲寺に　下村　辰枝

極月のてふてふ結びの固さかな　菅原　健一

東西線と南北線に乗り師走　高木　嘉久

老人力てふを小出しに師走かな　松井　のぶ

噺家の座して駕籠舁く師走かな　千田　百里

師走朔日海のしるべの崖マリア　能村　研三

風呂敷てふやさしきものの師走かな　能村登四郎

年の暮（としのくれ）

年の瀬　年の湊　歳晩

書留の二重ふうとう年暮る　菊地光子

年の瀬や「木屋」「にんべん」もビルの中　福田肇

甘栗のからりと割れて年の暮　吉田輝夫

ありもせぬものに躓く年の暮　河本功

レインボーブリッジ年の湊の月あげて　林玲子

小鳥屋は小鳥と居たり年の暮　林翔

歳晩の野や一煙もなく晴れし　能村登四郎

数へ日（かぞえび）

数へ日を花道近き席に居り　永井収子

数へ日の秒針ときに命令形　島田浩美

数へ日の一日なりしがもてあます　能村研三

数へ日や十指忽ち五指となり　林翔

数へ日の素うどんに身のあたたまり　能村登四郎

年の内（としのうち）

二三片餅を焙るや年の内　能村登四郎

行く年（ゆくとし）

逝く年

行く年の大海原に星一つ　工藤節朗

橋なかばにて逝く年と思ひけり　能村登四郎

小晦日（こつごもり）

藁屑とひとつ鳰ゐて小晦日　能村登四郎

大晦日（おおみそか）

大年　大歳

金色の雲曳く入日大晦日　福山和枝

大年のくらき波打つ水位標　能村研三
大年や久遠の星に見守られ　林翔
大歳といふ海溝を前にせり　能村登四郎

年惜しむ

年惜しむことで足らひし誕生日　能村研三
かにかくによき年として惜しみけり　能村登四郎

年越

年越しの奉納射会かがり燃ゆ　石﨑和夫

年の夜　除夜

飴切つて切つて門前町の除夜　千田百里
水位満つごと年の夜の来たりけり　望月晴美
寝る前に叩いて除夜の白枕　能村登四郎

一月

一月の音にはたらく青箒　能村登四郎

寒の入　寒に入る

一瞬に紙が刃となる寒の入　永井収子
若冲の赤の贅沢寒に入る　菊川俊朗
夜泣きには魔法の乳房寒に入る　石山孝子
吹きすぎる風に棘あり寒に入る　矢野美沙子
裏由布のひとすぢの径寒に入る　殿畑ただし

大寒

一切を捨て大寒の欅照る　羽根嘉津
大寒のこころに楔強く打つ　望月晴美
大寒の勝鬨橋を跳ね上げよ　今瀬一博

大寒をのぼる満月父逝けり　遠城健司
やはらかに踏み大寒の青畳　神戸やすを
大寒の竜頭の滝のシャンデリア　倉田千津江
大寒の闇白樺は白を貫く　林　翔
大寒に見て若鷹の斑のふえし　能村登四郎

寒の内（かんのうち）

寒九　寒四郎

花の息にくもる花屋の寒の玻璃　北川英子
南座を筋交ひに来る寒四郎　千田　敬
キャタピラー寒の更地に刻印す　高木嘉久
段ボールつぶす寒九の身を乗せて　湯橋喜美
大的を射ぬく寒九の白襷　石﨑和夫
ぴりぴりと裂けゐる寒の空気かな　髙橋和枝
白湯にほふ薬のにほふ寒九かな　長岡新一
どの濤も折れて寄せ来る寒四郎　松井志津子
賽銭のこつんと寒の懐へ　森岡正作
舵切つて舳先を寒の真南へ　遠藤真砂明
漉き込まれ寒の花咲く染椿　林　翔

冬の朝（ふゆのあさ）

冬曙双拳あげ誕生す　大沢美智子

冬の暮（ふゆのくれ）

複写機が光の箱となる寒暮　林　昭太郎
まつ白な紙で指切る寒暮かな　能村研三
鉄筆をしびれて放す冬の暮　能村登四郎

短日（たんじつ）

短日の灯を積み上げて人住めり　荒原 節子

玻璃みがく短日の陽の痛きかな　頼田 幸子

短日のワインで煮込む肉野菜　小林 奈穂

公開の秘仏にまみゆ日短か　秋山ユキ子

犬連るる人の速足日の短か　林 翔

冬の夜（ふゆのよ）

寒き夜

和紙は耳洋紙刃を持つ寒夜かな　安藤しおん

寒き夜のいづこかに散る河豚の毒　能村登四郎

霜夜（しもよ）

碁石打つ音響き合ふ霜夜かな　牧田 雪子

霜夜戻る音を殺して消防車　森田 旅舟

冷し（つめたし）

底冷

曲家に甕のごろりと底冷す　鈴木 浩子

底冷といふより蔵書冷なりし　北村 仁子

底冷は敗者の冷えか北の庄　能村登四郎

寒し（さむし）

コートなきゆゑの寒さとも違ふ　菅谷たけし

地下へ地下へ新地下鉄の寒さかな　関 洋子

集乳缶触れて音たつ寒さかな　吉川 隆史

豆腐同型もつとも寒き日と思ふ　中島 秀子

寒き日はいのち湯気立つ嬰児抱く　藤井 晴子

寒むといふ同じ言葉の妻とをり　松本 圭司

きざはしにから足を踏む寒さかな　能村 研三

十二神将八方の魔は寒からむ　林　翔
ただ寒きばかりに過ぎて今昔(いまむかし)　能村登四郎

冴(さ)ゆ

拍子木の音色冴え来る橋向う　江崎孝彦
傾聴の耳当て冴ゆる懺悔台　能村研三
冴える夜の冴えの底ひに己をり　能村登四郎

凍(い)つ　凍む

オルガンに鍵かけて出づ凍つる世に　荒井千佐代
太梁の凍てて緊るや蔵二階　能村研三
夕凍みは屋根石どちの睦みどき　林　翔

三寒四温(さんかんしおん)　四温　三寒

野草図鑑持ちて四温の人となる　松井志津子
杭といふ杭に鵜のゐる四温かな　石川笙児
稽古着と動悸をわかち四温かな　中野了一
三寒の四温に増ゆる子の言葉　林　昭太郎
三寒一温三寒一温ずつとこれ　大畑善昭
負け方のマナーもありし四温晴　能村研三
三寒の鯉がみじろぐ泥けむり　能村登四郎

厳寒(げんかん)　極寒

厳寒や古武士の相に夫逝けり　小林もりゑ
併合の極寒の地も市内なり　下出君子
強ひられて極寒の死者合掌す　能村登四郎

しばれる　しばれ

油断すな夫の声とぶしばれ坂　吉田陽代

冬深し（ふゆふかし）　冬深む

ポケットに両手食はれて冬深む　菅原　健一
遠父の記を叙し冬も深みけり　能村登四郎

日脚伸ぶ（ひあしのぶ）

定位置の電車の乗り場日脚伸ぶ　高橋あさの
しゆぽしゆぽとハンドソープや日脚伸ぶ　深川　峰子
枝うつる雀賑はひ日脚伸ぶ　石戸　キコ
退庁の自転車軽し日脚伸ぶ　齊藤　陽子
右左違ふ握力日脚伸ぶ　佐藤　みほ
地球儀のくるりと日脚伸びにけり　牧田　雪子
湯畑の湯気立つかぎり日脚伸ぶ　林　翔

春待つ（はるまつ）　待春

待春の砂に埋もれし監視台　久染　康子
土偶みな祈りのかたち春を待つ　岩瀬　浩一
はちみつの流るる速度春を待つ　小田　里己
待春のまだ下ろされぬ乳母車　須田　千代
待春や向う岸より来る渡舟　角田　光世
待春のたたまれてある車椅子　田所　節子
春を待ち欅の幹を抱き測る　能村　研三
何なすと言ふにあらねど春を待つ　能村登四郎

春近し（はるちかし）　春隣

鉢を割る力根にあり春隣　内山　花葉
翻車魚と硝子越しなる春隣　菊地　光子
おはじきに朱色ひとすぢ春隣　栗原　公子

ジーパンをV字に干して春隣　石田静
祝ぎごとの二つ三つ聞く春隣　中坪一子
青墨のあはあはとのび春隣　長谷川鉄夫
下駄の緒の右だけゆるむ春隣　林翔

冬尽く（ふゆつく）

一冬を越えて吾あり五体あり　能村登四郎

節分（せつぶん）

名の知らぬ歌手の来てゐる節分会　菊地光子
節分や面をはづしぬやさをとこ　林慶太
節分の煎り豆鬼と子らで分け　杉原かはる
節分や昔の闇は深かりき　勝田みつ子

天文

冬の日（ふゆのひ）　冬落暉

行きたがふ電車を透かし冬落暉　小松 誠一
干し物を畳む妻の背冬日差　大野 秀夫
直線は出船の水脈の冬日かな　上野 翠子
冬日濃き男鹿半島の海猛る　木村 茂
火の鳥の舞姿なり冬落暉　佐々木 昭
冬日濃し登四郎翔のとこしなへ　能村 研三
今日よりの古稀の身冬日ぐるみかな　林 翔
冬の日になじみて京間畳かな　能村登四郎

冬晴（ふゆばれ）　寒晴（かんばれ）　冬麗

冬麗やとなりの駅の見ゆる駅　小嶋 洋子
冬うらら影絵のやうな子どもたち　阿部眞佐朗
冬麗や大工の弾く墨の糸　河本 功
寒晴や駅伝中継絵巻かと　伊藤 照枝
寒晴やきつぱり見せる潮境　小河原清江
冬麗やふれて分けあふ静電気　栗原 公子
しつかりと結ぶ靴紐寒日和　中村 宏枝
冬うらら話しかけたくなる背中　馬場由紀子
寒晴や波止に物干す男達　東 良子
冬晴や宝珠かすめて鳩の翔つ　前川 京子

冬晴や焦点決まる槍穂高　山越朝子
遊び着の休日出勤冬うらら　能村研三
老いといふ冬麗かの時永かれ　林翔
冬麗や老麗の語もありてよき　能村登四郎

冬旱（ふゆひでり）
寒旱

冬旱たたまれて泣くパイプ椅子　菊地光子
化粧してなにか足らざり寒旱　千葉惠美
埋め戻す土余りたる冬旱　能村研三
傷なめて傷あまかりし寒旱　能村登四郎

冬の空（ふゆのそら）

冬空に高炉はいまもそそり立つ　木村治
冬天を蹴上げ鉄棒ひとまはり　町山公孝
冬空にとどまる鳥の力かな　松村武雄

冬の雲（ふゆのくも）

凍雲より日矢のさしたる捨て田かな　内田順治
寒雲へ浦上へ坂登るべく　林翔

冬の月（ふゆのつき）
寒月　月冴ゆる

寒月や貨車ながながと川渡る　菊地光子
能登金剛寒満月をもち上ぐる　阿部眞佐朗
寒月を傾け森のがらんどう　石田静
寒月を背負うて帰る道白し　小坂士朗
今まさに寒月海に入らむとす　保泉孟史
冬満月父の瘦身鳴りもどる　松島不二夫
耳鳴りは宇宙の音か月冴ゆる　林翔

冬の星（ふゆのほし）　冬銀河　星冴ゆ　寒星

峡眠る冬の銀河の尾に巻かれ　森岡　正作
星冴ゆるギリシャの神をちりばめて　堀口　希望
まばたきは瞬の黙禱冬銀河　林　昭太郎
数式はうつくしきかな冬銀河　阿部眞佐朗
レコードに針を置く音冬銀河　荒井千佐代
摺貝をはめ込んだやう冬銀河　稲垣　尤子
寒星を射抜くわが眼の澄みにけり　今瀬　一博
枯れてこそ見ゆるものあり冬銀河　内田　順治
日付け無き家族写真や冬銀河　大川ゆかり
冬銀河窓は宇宙の始発駅　岡　真紗子
鉄塔は夢の架け橋冬銀河　小川　流子
地下鉄に息つぎありぬ冬銀河　小嶋　洋子
調絃の音胸に満つ冬銀河　朝長美智子
凍星をあまたちりばめ長寿村　長岡　新一
星冴ゆる天空にわれ居るごとし　宮野　稔子
群青のグーグルアース冬銀河　矢崎すみ子
冬銀河本気で生きて仮の世や　高橋　ちよ
死をもつて消息わかる寒の星　能村　研三
坂のぼり寒星もいま荒息す　林　翔

冬北斗（ふゆほくと）　寒北斗

灯台に波のたてがみ寒北斗　座古　稔子
六分儀もて測る船位置寒北斗　沖島　孝光
冬北斗この大海に果てあらむ　大場　亨

屋久杉の黙のふんばり寒北斗　富川　明子
透明になるまで禱る寒北斗　松井　のぶ

オリオン　三つ星

オリオンの慄へて伝書鳩の小屋　上谷　昌憲
三つ星のひとつは波に濡れゐたり　荒井千佐代
貝殻の螺旋は宇宙オリオン星　深川　峰子
オリオンの翼伸びきる漁火の上　林　翔

寒昴（かんすばる）

耳遠き妻へ声張り寒昴　林　翔
天上に師も弟子もゐて寒昴　能村登四郎

天狼（てんろう）　シリウス

シリウスを覚えて吾子は十代へ　辻　美奈子
天狼や日本の道は海に尽き　千田　百里

冬の風（ふゆのかぜ）　寒風

寒風の一路ひたすら走者の背　礒貝　尚孝

凩（こがらし）　木枯

木枯や太白星は天の鋲　岡澤　田鶴
門をはづし木枯放ちけり　阿部眞佐朗
凩やロールキャベツの透きとほり　内山　照久
木枯しや体温計の銀のすぢ　大川ゆかり
木枯や縞馬は縞寄せ合つて　大沢美智子
凩に身の内どこか攫はれし　賴田　幸子
遠こがらし家々にひと飼はれゐる　小菅　暢子
凩へ顔突つ込んで道を訊く　大橋　俊彦

死者の指組むや木枯野を渡る　柏山照空
夕木枯し火の山は彫りふかく聳つ　冨岡夜詩彦
凩は胎内にゐしころの音　能村研三
凩にあらがひ来たる薄涙　能村登四郎

寒波（かんぱ）
寒波来る

窓ガラスのへのへのもへじ寒波くる　河野美千代
列島の反りを極めて寒波急　能村研三
急ぎゐて寒波の芯に入るごとし　能村登四郎

北風（きたかぜ）

北風の呼び名変はりて新任地　高木嘉久
北風鳴るや忍返しの槍を研ぎ　柴田近江
北風に立ち己が余生を推しはかる　保泉孟史
北風吹くと話好きなる吃り星　林翔

空風（からかぜ）

関東ローム層三日続きの空つ風　佐山文子

北颪（きたおろし）
筑波颪　穂高颪

田も川も筑波颪の中にあり　松丸佳代
訃報来る穂高颪の平手打ち　小林もりゑ

ならひ

研師来てつくばならひを確かむる　吉田政江
夕ならひ六角塔は錐もみに　能村研三

神渡し（かみわたし）

一斉に絵馬からからと神渡し　木村琴

虎落笛（もがりぶえ）

目つむりてG線上の虎落笛　北川英子
ネクタイを解いて聞こえる虎落笛　高木嘉久
北斎の白波荒ぶ虎落笛　小嶋洋子
目瞑ればおのづと禱り虎落笛　栗原公子
神々のおはす巌や虎落笛　古居芳恵
太梁は夜に艶増す虎落笛　能村研三

初時雨（はつしぐれ）

灯を消してすぐに眠る子初時雨　遠城健司
瀬戸内は沖よりくるか初しぐれ　能村登四郎

時雨（しぐれ）　片時雨

歩のやうに並ぶ舟屋の時雨れけり　能美昌二郎
越後路の時雨やすさよ安吾の碑　髙橋あさの
早池峰の山は明るく片時雨　市川和子
しぐるるや母を訪はねば母消ゆる　岡澤田鶴
風紋てふ風の轍や磯時雨　中田とも子
石庭の時雨十五の石の顔　福山和枝
しぐるるや琵琶湖は足袋のかたちして　望月木綿子
ぐい呑みにころばす本音加賀しぐれ　米田紀子
椎の洞のぞくしぐれの幻住庵　渡辺輝子
冬時雨ヘッドライトの切結び　林玲子
渇筆のあたりしぐるる旅ごころ　都筑智子
北山やしぐれ絣の杉ばかり　福永耕二
口能登の刈田時雨を急ぐかな　能村研三

嫁入りの木曾の狐か小時雨か　林　翔
しぐれ来てやや早き灯の寺泊　能村登四郎

冬の雨（ふゆのあめ）

逝きし人追ふがごとくに冬の雨　島崎洋子

寒の雨（かんのあめ）
寒九の雨

捨て灰をなだめ寒九の雨なりし　能村登四郎

霰（あられ）
初霰

白絹のくらさをたたむ夜の霰　森山夕樹
軽い屋根が先づよろこべり初霰　林　翔

霙（みぞれ）

売られゆく仔牛の眼霙来る　田中君子
疲れてはほとほと蒼き夕霙　能村登四郎

氷晶（ひょうしょう）　ダイヤモンドダスト

ダイヤモンドダスト手足を忘れをり　辻前冨美枝
ダイヤモンドダストの中の髪膚かな　渡辺　昭

霧氷（むひょう）
霧氷林

夕映えのこぼるるばかり霧氷林　栃内和江
朝日出でたりきんきんと霧氷林　大畑善昭

樹氷（じゅひょう）
樹氷原

ゴンドラの影上りゆく樹氷原　原田耕作

霜（しも）

霜晴やガラスのやうな橋渡る　福島　茂
月面に降り立つごとく霜踏めり　大石　誠
今日までの拾ひ学問霜の花　望月木綿子

氏神へ霜の階段踏みしむる　江崎孝彦
微小なる柱を組みて霜の華　関　洋子
遮断機の下りきつて撥ね霜日和　吉田輝夫
鶏鳴のよくよく透る霜の照り　能村研三
真夜覚めて波郷と呼べり霜こだま　林　翔
霜掃きし箒しばらくして倒る　能村登四郎

雪催（ゆきもよい）

雪雲

本抜けば本かたと寄る雪催　七田文子
モノレール音無く過ぎて雪催　高木嘉久
教会の鐘のくぐもり雪もよふ　鈴木一広
竜が目を片方閉づる雪催　平松うさぎ
草稿を寝かすひと夜や雪もよひ　藤原照子
高層階隠すさや雪催　吉村陽子
先行くは路通か余呉の雪もよひ　北川英子
雪催とは不機嫌な雲の色　池田　崇
石鹸に花の浮彫雪催ひ　大川ゆかり
雪雲に暮しの煙届きをり　加藤久仁子
妻の煮るもの溢れたがるよ雪催　吉田　明
廻廊の足音さばしる雪催　能村研三
膠煮る香がどこかして雪催　能村登四郎

初雪（はつゆき）

起きて知る初雪なりし止んでゐし　望月晴美
駆けるかける初雪の日のランドセル　佐野ときは
露天温泉（ゆ）や初雪の由布神さびて　柿添ひと志

雪（ゆき）

白神の風騒風狂雪来るか　森岡　正作
連れ添うてをり雪片は雪片と　千田　敬
こんなにも隣が近き雪の朝　鈴木　一広
雪降り積む夜光時計は針重ね　井原　美鳥
雪やんで懐紙のごとき夜の掌ざはり　中島　秀子
ことことと豆煮る匂ひ雪来るか　荒原　節子
雪降るや空気しづかに重くなる　内山　花葉
雪を来て雪を眺むるカフェオーレ　遠城　健司
あかときの雪咲きながら降りてくる　大川ゆかり
積る雪村を大きくしたりけり　小山田子鬼
直滑降の果て新雪に埋もりぬ　川畑　良子
雪降れり手つかずの詩の無尽蔵　工藤　節朗
積る雪古きアルバム引き寄せぬ　小島　史子
膝の子もいつか旅立つ六花　小林　奈穂
月山が陣張る雪の鎧着て　佐藤　淑子
雪こんこ鉄瓶の湯の滾りたる　柴田ふさこ
雪ですよ窓辺に寄せる車椅子　清水佑実子
中空に立山ありき雪屏風　新橋しげを
滝壺の暗き瑠璃色雪ふれり　関　洋子
トンネルは大きな馬蹄雪しきり　高木　嘉久
鳴立庵音なく雪の来てゐたり　辻前冨美枝
淋しさの心の隙間雪降れり　中津　正克
たまゆらの雪の光を惜しみけり　服部　実生

獣等と同じ息して雪を行く　藤森すみれ
護摩赫々比叡は雪に埋もれたり　堀口　希望
降る雪や朱鷺も獣も寝ぬる頃　松本　明子
赤き実の落ちて小さき雪のくぼ　三留　早苗
風荒れやこぼれ松葉が雪を刺す　峰　幸子
降る雪に薄墨色の人来たる　宮内とし子
御柱となる樹を洗ふ雪さんさん　宮坂　恒子
雪しんしん夜半に割るる竹の音　村田ヤス子
矩形美しテニスコートの無垢の雪　吉田　陽代
豪雪に包まれ繭のごとくゐる　小野　寿子
雪を摑みてマラソンの汗拭ふ　遠藤真砂明
雪の速さで降りてゆくエレベーター　正木ゆう子
行く筈の旅先よりの雪だより　佐佐木　徹
なまぐさき切株に雪積もりだす　長谷川鉄夫
鶴となる前の千代紙雪降れり　中尾　杏子
伐採の一樹の雪が雪を打つ　松本　圭司
雪ゆたか兎が眠るうさぎ小屋　川島真砂夫
小さき稿一夜眠らすささめ雪　吉田　明
生きものにあぶらののりし根雪の夜　坂巻　純子
男には肩の稜線雪来るか　能村　研三
降る雪の奥も雪降るその奥も　林　翔
ひとりでに扉があき雪の街に出る　能村登四郎

雪晴（ゆきばれ）

雪晴の鳶の目にある山河かな　菊川　俊朗

シュプールの触れ合ふ殺気深雪晴　宮坂　恒子
雪晴のふるさとに干す一張羅　岡澤　田鶴
深雪晴れ仁子純子の遥かなり　加藤久仁子
百歳の針目大きく深雪晴　須田　千代
深雪晴耐へたるものの光りけり　吉川　隆史
誰彼も寡黙になりし深雪晴　おかたかお
深雪晴屋根に男を駆り立てし　池田　崇

風花（かざはな）
吹越

青天のどこかほころび風花す　岡澤　田鶴
風花や天に半月残りたり　吉村　陽子
師と同じ誕生日けふ風花す　都筑　智子
吹越にどすんとありぬ煙出し　辻　直美
うすずみの昼の夢さめ風花す　林　翔
捨て人形風花に眼をひらきゐる　能村登四郎

吹雪（ふぶき）

吹雪く夜はノイズの中に地方局　林　昭太郎
地吹雪の壁のごとくに立上り　服部　実生
地吹雪に正義貫くやう進む　三留　早苗
身を斜にして地吹雪に負けてゐず　髙橋　和枝
地吹雪が北の斜面を責めやまず　能村　研三

しまき
雪しまき

もう何も怒らぬ人へ雪しまく　石田　静
雪しまく藁の匂ひの市立てり　吉田　芳江
御陣乗太鼓に神のり移る雪しまき　能村　研三

雪女（ゆきおんな）　雪女郎

白昼の白き闇より雪女郎　金井双峰

雪女郎履物までは確かめず　浅沼久男

民話の会出番窺ふ雪女　佐々木昭

ワープロに弾き出されし雪女　工藤節朗

雪女郎その消えぎはの雪けむり　今瀬剛一

しづり　しづり雪

晩鐘に和す禅林のしづり雪　後藤貞義

去る記憶留まる記憶垂り雪　馬場由紀子

曲り家の曲り目よりのしづり雪　能村研三

冬の雷（ふゆのらい）　寒雷

図形解くための補助線冬の雷　吉武美子

伐折羅大将寒雷走る眉間かな　林翔

鰤起し（ぶりおこし）

鰤起し古九谷の青際立てり　本池美佐子

鰤起しといふ風雪にあこがるる　能村登四郎

冬の霧（ふゆのきり）　冬霧

冬霧の消えて茫々草千里　清部祥子

冬霧よわが生何に押されゆく　林翔

冬の虹（ふゆのにじ）

子をそつと呼ぶ冬虹を消さぬやう　武藤嘉子

廃鉱の島嶼（とうしょ）抱けり冬の虹　水木沙羅

哀しみはあとから冬の虹消えて　林玲子

新約より旧約が好き冬の虹　波戸岡旭

冬夕焼（ふゆゆうやけ）　冬茜　寒夕焼

過去といふ時間の積木冬茜　千田　敬

長距離バス発ちたるあとの寒夕焼　長岡　新一

山の端に活を入れつつ寒夕焼　中坪　一子

冬夕焼山上の雲輝やかす　工藤　篤子

冬夕焼男すとんと幕おろす　北村　幸子

わが見ざる胞衣（えな）の色とも冬夕焼　林　翔

うつ田姫（たひめ）

うつた姫の案内のままに小海線　清水佑実子

うつた姫出羽に真白き花咲かす　槇　孝弘

地理

冬の山（ふゆのやま）

雪嶺　枯山

雪嶺に刃物返しの日ざしかな　田所節子
雪嶺の根に百選の水を汲む　松井のぶ
枯山を包むがごとく投網うつ　門岡木偶子
種牛の冬山を見る耳の張り　土屋和子
子の而立遠まなざしを雪嶺に　河口仁志
枯山の月光垢離といふべかり　辻直美
魚板打ち冬の山気の濃くなりぬ　能村研三
雪嶺を据ゑ一故旧なき故郷　林翔
雲一つなき冬山を怖れけり　能村登四郎

山眠る（やまねむる）

マラソンのしんがり送り山眠る　羽根嘉津
靄ごめに日の透く甲斐の山眠る　渡辺輝子
たつぷりと陽を入れ雑木山眠る　神山節子
山眠る十戸の村を懐に　須崎輝男
父母眠る墓を抱きて山眠る　西本幸
薄ら日のベールを掛けて山眠る　二瓶重子
散るといふいのちのリレー山眠る　望月晴美
山眠る句碑分骨のごときあり　吉武千束
母のゐるホーム抱きて山眠る　吉村陽子

切株の渦みな楕円山眠る　渡部節郎
神の座に返る田畑や山眠る　藤森すみれ
山眠る走り根絆深くして　北村幸子
湧水の脈を確かに山眠る　中原道夫
深眠る百名山に洩れし山　能村研三
眠るまへ山は姿を正しけり　林翔

冬野（ふゆの）

おほどかに彫らるる仁王冬野道　大浦郁子
冬野行く恐るるもののなき蹠　堀園子

枯野（かれの）

枯野行く皆無頼派の顔持てり　森岡正作
けものめく枯野の窪に風除けて　久染康子
風切つて女の歩く枯野かな　東良子
唾呑んで耳取り戻す大枯野　甲州千草
由布山鶴見山枯野の裾を重ねあふ　河野美千代
靄ごもる枯野は沼を深く抱き　髙橋あさの
師の灯す枯野あかりを踏み行かな　酒本八重
なほ奥に一泉のありわが枯野　大畑善昭
枯野人暦のうしろゆくごとし　松本圭司
わが庭のごとく枯野をゆく齢　林翔
火を焚くや枯野の沖を誰か過ぐ　能村登四郎

雪原（せつげん）

雪原に星拾ふまで遠く来し　北川英子
雪原のくぼみのどこか水鳴れり　髙橋和枝

冬田（ふゆた）

傷あらぬ雪原に顔埋めたし　能村　研三
冬田百枚越え来し黙の深さかな　中島あきら
藁撒ける冬田は神の御座所とも　宮坂　恒子
病まざれば今旅のころ冬田見て　能村登四郎

冬景色（ふゆげしき）

一日で橋を架け替ふ冬景色　能村　研三

水涸る（みずかる）

川涸る

川涸れて石百態の日の温み　佐々木よし子

寒の水（かんのみず）

嚙むやうに寒九の水を飲みにけり　関根　瑶華
ランナーへ駈けて手渡す寒の水　網代ユウ子
寒の水ごくごく此の世にありてこそ　荒原　節子
寒の水硯の海と浅瀬かな　清水　栄子
寒九の水身ぬちにをさめ喪の仕度　清水　由惠
寒の水ごくり喉元の太りけり　久染　康子
癒えし胃の寒水の沁みよろこべり　能村登四郎

冬の泉（ふゆのいずみ）

僧形の身に添ふ齢冬泉　能村登四郎

冬の川（ふゆのかわ）

みな海に出づる安らぎ冬の川　荒井千瑳子
冬の川息をしづめて海に入る　井澤　禎子
橋くぐりおだやかになる冬の川　髙橋マキ子
飛び石を渡る近道冬の川　森谷　一芳

冬の海（ふゆのうみ）

銚子電鉄冬の太平洋どまり　遠藤真砂明

改札に人なくひらく冬の海　能村登四郎

冬の波（ふゆのなみ）

冬怒濤

布良星の一際低し冬怒濤　石﨑和夫

冬濤の五体投地をさながらに　佐川三枝子

打ちつけて火の生まるるか冬怒濤　能村研三

霜柱（しもばしら）

踏みしめてこめかみに鳴る霜柱　岡部玄治

純粋培養きらきらと霜柱　楠原幹子

踏み込めば心地よき音霜柱　金子なか

ざくざくと我が道行かむ霜柱　島田浩美

大地をば浮かす力や霜柱　鈴木新一

片意地のくづるるに似て霜柱　和田満水

対診のきびしき言語霜柱　鈴木良戈

初氷（はつごおり）

登校のまづ初氷踏む遊び　松井志津子

氷（こおり）

氷面鏡

結氷の音育ちゆく日暮かな　長岡新一

凜々と湖の声する結氷期　小林和世

星の世界の入口にゐて氷割る　今瀬剛一

束髪の母重ね見る氷面鏡　林翔

氷柱（つらら）

須臾たりき氷柱に茜差したるは　大畑善昭

氷柱解けをり尖端の饒舌な　齊藤　實
十勝晴れ氷柱雫に励まされ　賴田　幸子
一本は着地寸前軒氷柱　市川　和子
切先まで青の威通す草氷柱　おかたかお
大氷柱打ちて奏でるソラミレド　後藤　貞義
大入日透かして尖る軒氷柱　鈴木美智子
暮れ残るつららの中の微光かな　水澤紀代子
日のしづく光のしづく軒つらら　古守　弓子
草氷柱けものの寝息安らけし　栃内　和江
楢山の心音溜まる日の氷柱　波戸岡　旭
すだれなす氷柱に月の光くる　吉田　明
死神の双眸氷柱二本かな　林　翔
日と氷柱そのほかなべて簡潔に　能村登四郎

冬滝（ふゆたき）

凍滝

遠目にも凍つ一山の要滝　望月　晴美
凍滝の中も吹雪いてゐたりけり　広渡　敬雄
双峰の鎹として瀧凍つる　久染　康子
凍滝のうちに秘めたる青の季　千田　敬
凍滝を見し眼の奥の透きとほり　鈴木　節子
凍滝の触れえぬ高さ仰ぎけり　今瀬　一博
冬滝の行者一撃炎となりぬ　岡澤　田鶴
有無を言はせぬ凍滝となつてをり　楠原　幹子
滝凍てて一渓谷の安息期　黒岩武三郎
水晶になるまで吹かれ冬の滝　甲州　千草

夕影を曳く凍滝のクライマー　近藤敏子
もう叫びなき凍滝の青さかな　宮坂恒子
凍て滝となる寸前の水蒼む　河口仁志
しつかりと見ておけと滝凍りけり　今瀬剛一
蒼むまで神の凍らす瀧氷柱　松島不二夫
月徐々に射す凍滝の苦悶相　林翔
月射して凍滝さらに凍つる刻　能村登四郎

波の花（なみのはな）

浪の華舞つて怒濤の日本海　金子なか

狐火（きつねび）

狐火のとぶやじよんがら急調子　関根瑶華
敦盛の縁行道の狐火か　古山智子
狐火や五指より放つ静電気　岡澤田鶴
遠き目をして狐火を語りけり　加藤富美子
狐火やひよんな事から芝居観に　齊藤實
眼鏡はづして狐火を信じをり　富川明子
狐火を見て背後にもある思ひ　今瀬剛一
狐火を見たと六本木の夜明け　長谷川鉄夫
師のごとく痩せれば見ゆる狐火か　坂巻純子
狐火に危機管理マニュアル覗かれし　能村研三
狐火の狐ばしりに躓けり　能村登四郎

生活

冬服（ふゆふく）

冬服の白洲次郎の伊達ごのみ　座古　稔子

セーター

セーターを解いて記憶に深入りす　石田　静

セーターを脱ぐ青春の静電気　河本　功

とつくりセーターより首出して今日始まる　能村登四郎

外套（がいとう）　オーバー

外套の臓腑を抜きて吊りにけり　大沼　遊魚

外套の姿勢正しく掛けらるる　髙橋　和枝

外套のかくしは父のごと深し　大牧　広

喫泉に飲むオーバーの翅ひろげ　林　翔

コート

野鳥の会ずらりとダウンコートかな　諸岡　和子

二重廻し（にじゅうまわし）　マント

くろぐろと太宰のマント玻璃の中　小野　寿子

綿入（わたいれ）

綿入れに縫ひたる母の温みあり　吉田　春美

褞袍（どてら）　丹前

丹前の父の胡座は子の玉座　平本　朋子

褞袍着てをれば無敵の心地せり　仁藤　輝男

蒲団（ふとん）　蒲団干す

家族欄を眺むるごとし干蒲団　藤井　遥

江ノ島と富士のあひだに蒲団干す　大森　春子

寝足らひし蒲団きつぱり干されけり　辻前冨美枝

太陽のまん前に干す客蒲団　鈴木　千年

夢に母出てこぬ蒲団打ち叩く　望月木綿子

蒲団干す日の温りを閉ぢこめて　坂田　和子

ぎゆつと抱けと言はれて運ぶ羽蒲団　甲州　千草

物ぐさ太郎になるよと蒲団はぎし母　吉田　明

毛布（もうふ）

白毛布泣きたきときの深かぶり　明田　和子

白毛布ねむりは水位増すごとし　北村　仁子

角巻（かくまき）

角巻をすつぽり冠り我を通す　小野　寿子

膝掛（ひざかけ）

膝掛を編む来し方の色とりどり　小沢きく子

膝掛に編みこんでゆく母ごころ　二瓶　重子

ねんねこ

赤べこにねんねこの子も首を振る　門岡木偶子

ねんねこや子育てのころ嫁の頃　辻　直美

同温と言ふねんねこの絆かな　原　教正

重ね着（かさねぎ）

重ね着の果は切符のありどころ　長谷川鉄夫

着（き）ぶくれ

着ぶくれし身をつらぬいて足二本　今瀬　剛一
着ぶくれていよよ欲張り婆となる　栗原　公子
着ぶくれのせゐかも知れぬ物忘れ　小林もりゑ
着ぶくれの一塊となりし我　寺田　和子
志うすれゆく程着ぶくれて　三好千衣子
着ぶくれて問診票に嘘ひとつ　森谷　一芳
着ぶくれの重力で階くだりけり　林　翔
着ぶくれてまさかと思ふ裏の芸　能村登四郎

紙子（かみこ）　紙衣

敗戦記の畳み込まれてゐる紙衣　大沼　遊魚

毛皮（けがわ）

毛皮着て鏡の向う側の国　松井志津子
妙齢の毛皮夫人が講師らし　樋口　英子

毛衣（けごろも）　裘

だしぬけに改札閉まる裘　川畑　良子
逆撫でもして毛衣をしまふかな　中原　道夫

冬帽子（ふゆぼうし）　毛糸帽

駅で別るる中折れと毛糸帽　楠原　幹子
帰らうかどこか寄らうか冬帽子　齊藤　實
ひと席を占めたる杖と冬帽子　東島　若雄
六地蔵毛糸帽子の深かぶり　平岡由美子
一輛に冬帽一人しかをらず　能村　研三
居酒屋のさて何処に置く冬帽子　林　翔

耳袋（みみぶくろ）

幾山河旅経て来たる冬帽子　能村登四郎

山国や軍馬の像に耳袋　小野　寿子

耳袋して負けん気を通すかな　能村　研三

マスク

立体マスクして横顔の鳥科めく　諸岡　和子

君待てばマスクマスクの交差点　中村喜美子

あまり多くてマスクの変と思ひけり　細川　洋子

襟巻（えりまき）　マフラー

マフラーに吐く息ためて塾帰り　須山　登

襟巻をちよつと直して背を押す　高瀬　良枝

求職の生徒マフラーきつく巻き　桑島みつ子

マフラーに年男なる勢ひあり　能村　研三

手袋（てぶくろ）

皮手套まづ情熱のわし摑み　安藤しおん

手袋の中や働く五指ありて　永澤千恵子

手袋を忘れし人を追ふ手かな　林　翔

足袋（たび）

ぴつたりと足袋より意志の貫けり　都筑　智子

白足袋はすいすいと行くものなりし　林　翔

足袋あかき妻が追ひゆく厨芥車　能村登四郎

雪沓（ゆきぐつ）

行くほどに母の声して雪沓は　三浦青杉子

樏（かんじき）

何を見に来し樏の返し跡　久染康子
踏み出しは力を抜いて輪樏　加藤久仁子
輪樏つくづく人間二本足　吉田陽代

雪下駄（ゆきげた）

雪下駄に履きかへてゆく露天風呂　佐々木みき子

毛糸編む（けいとあむ）　毛糸玉

毛糸玉小さくなりて膝に寄る　宮内とし子
思ひ出の端引き出して毛糸玉　荒井千瑳子
毛糸編む母となる日を数へつつ　金井双峰
我が道の歩数のごとく毛糸編む　新橋しげを
毛糸編む十指どれにもある役目　鈴木秋雲
毛糸編む針の交差に光り射す　中井桂雨
毛糸玉ころがり地球自転せり　大橋俊彦
毛糸編むほこほこ陽をも編み込みて　松本秀子
過去辿りゆくごと妻の毛糸解く　松島不二夫
毛糸玉幸さながらに巻きふとり　能村登四郎

茎漬（くきづけ）　茎の石　白菜漬

茎石を拾ひに川へ行つたきり　大沼遊魚
茎の石どこかで骨の鳴りし音　辻前冨美枝
白菜の樽に相性良き重石　菅井悦子
居坐つてをんなの遺る茎菜石　柴田雪路
漬菜石つひに孤独の重み出す　能村登四郎

酢茎（すぐき）

塩打てば勢ふ渦や青酢茎　林　翔

沢庵漬（たくあんづけ）

沢庵の樽に風棲む母なき後　小野　寿子

乾鮭（からさけ）

乾鮭や越後町屋の通し土間　佐川三枝子

乾鮭の風に削がれつ味深む　小栗　八重

塩鮭（しおざけ）　新巻

新巻を吊るして戸口までも星　岡部　玄治

削ぎ削ぎし新巻もなほ吊るを得む　林　翔

海鼠腸（このわた）

海鼠腸の仔細は聞かず啜りをり　能村　研三

甲羅煮（こうらに）　甲羅酒

甲羅酒歌はむかしへ溯る　酒本　八重

ボジョレヌーボー

キヨスクにボジョレーヌーボー入荷せり　吉村　陽子

新海苔（しんのり）

新海苔の裏に残れるさざれ波　齊藤　實

新海苔を二・四・八と折る朝餉　町山　公孝

雑炊（ぞうすい）

雑炊に玉子を花と溶く男　田所　節子

焼藷（やきいも）

馴染みとて素性は知らず焼芋屋　今瀬　一博

スーパーの焼芋売場午後三時　河浦　正樹

鯛焼（たいやき）

帝劇の灯を借りてゐし焼芋屋　大牧　広

鯛焼を買ふいささかの負の心　藤原　照子

ぬくもりの欲しく鯛焼買ひにけり　平間　洋子

鯛焼を割つて五臓を吹きにけり　中原　道夫

鯛焼も生きのよさをば賞すべき　能村登四郎

餅（もち）

餅搗（もちつき）　餅配

餅搗の手水の嫗日を叩く　中津　正克

玄関の華に驚く餅配　小島　史子

父となる子が懇に餅を切る　柴田たき恵

弓形の島のまほらに餅を切る　矢崎すみ子

腹立ててあと切なかり餅を焼く　鈴木　節子

磨かれて明日はときめく餅の臼　小椰　鳩子

納豆餅出羽は心底楽土なり　細谷　友汀

水餅（みずもち）

産む日待つ水餅しんと眠らせて　中尾　杏子

水餅の二つ三つは忘れられ　能村登四郎

寒造（かんづくり）

歌詠みの杜氏もをりし寒造　能村　研三

熱燗（あつかん）

熱燗や杜甫も李白も眠くなり　上谷　昌憲

熱燗やぽろり私事ですが　安居　正浩

熱燗や五臓六腑のなき埴輪　町山　公孝

眉尻を下げてこれこれこの熱燗　岡　真紗子

熱燗の二本目よりの浮世かな　河浦正樹
次の手を考へてゐる燗熱し　熊倉松太
熱燗や風音ひとり友として　鈴木新一
武雄忌の燗一合の蕎麦屋酒　能村研三
熱燗や人が波郷を言へば泣き　林翔

鰭酒（ひれざけ）

鰭酒やオーロラ色のほのほ立て　久染康子
鰭酒に神事のごとき火を灯す　齊藤實
鰭酒にぽつと火の点く夜雨かな　梅村すみを
鰭酒のコップが熱き一口目　高瀬哲夫

玉子酒（たまござけ）

熱ゆらゆら波もこがねの玉子酒　林翔

寝酒（ねざけ）

寝酒して夢に日当る道つづく　池田崇
西行の歌にも倦みし寝酒かな　吉田汀史

火酒（かしゅ）

男には男の悼み火酒ふふむ　松本圭司

葛湯（くずゆ）

さざ波は胸にもありて葛湯掻く　小澤利子
うす照りの葛湯や父は縁側に　能村研三
その日より遺著となりたり葛湯とく　能村登四郎

蕎麦掻（そばがき）

蕎麦掻を父流に食む書肆帰り　能村研三

鴨鍋（かもなべ）

鴨鍋に黒き銃弾潜みをり　後藤貞義

葱汁（ねぎじる）

根深汁

介護する夫ありてこそ根深汁　網代ユウ子

干菜汁（ほしなじる）

熔岩原の風吼ゆる夜の干菜汁　栃内和江

牡丹鍋（ぼたんなべ）

梁太く柱も太く牡丹鍋　宮内とし子

怯むなく喪明け前なる牡丹鍋　能村登四郎

寄鍋（よせなべ）

寄鍋や等圧線は間合つめ　田所節子

ちり鍋（ちりなべ）

鱈ちり

鱈ちりや戸締り早き島暮し　松本明子

鮟鱇鍋（あんこうなべ）

鮟鱇汁

深海の話に及ぶ鮟鱇汁　佐藤みは

薬喰（くすりぐい）

すぐ酔うて見せる男よ薬喰　上谷昌憲

割箸といふ軽きもの薬喰　加藤久仁子

オシラサマへ臭ひ流すな薬喰　林翔

おでん

のれんよりはみだす背中おでん酒　内山照久

村のこと熱く語りておでん酒　栃原久子

角と丸ほどよくなじむおでん鍋　神田八重子

おでんの蒟蒻ふとよぎるピタゴラス　楠原幹子

風呂吹（ふろふき）

風呂吹を頬張る女よく笑ふ　草野　良子

湯豆腐（ゆどうふ）

湯豆腐や面と向かへば言へぬこと　関根　瑶華

湯豆腐を舌で転ろばす熱さかな　三輪　水岬

湯豆腐の夭々たるを舌が待つ　能村登四郎

煮凝（にこごり）

煮凝の溶けて昭和の消えやすき　齊藤　實

煮凝の骨一片の叛くなり　鈴木　伸一

煮こごりや髄まで頂戴仕る　神田八重子

煮凝や笑ひ流して済まぬこと　渡辺　昭

煮凝の揺れゐるままを口にせる　能村　研三

寒卵（かんたまご）

寒卵置いて卓布の真白なり　花田　心作

寒卵いのちはじめの日の出いろ　吉田　陽代

寒天造る（かんてんつくる）　寒天干す

寒天干す村中海の匂ひ満つ　原　ひろ子

冬構（ふゆがまえ）

村総出白川郷の冬がまへ　中野　光子

連山の威に促され冬構　能村　研三

一握の葛籠尾村も冬構　能村登四郎

冬籠（ふゆごもり）

冬籠ソーラー屋根に日を集め　岡澤　田鶴

冬ごもりらしくて声も殺しゐる　能村登四郎

北窓塞ぐ（きたまどふさぐ）

北塞ぎ読むいにしへのものがたり　荒井千瑳子
燻り香の「結」の台帳北塞ぐ　安藤しおん
北塞ぎかの麗子像描かれしと　中原道夫
北塞ぐより深まりし北指向　能村研三

目貼（めばり）

目貼りして来し方繕ふごとくなり　武藤嘉子
首の骨こつくり鳴らす目貼して　能村登四郎

隙間風（すきまかぜ）

隙間かぜ否死神のささめ言　林翔

雪囲（ゆきがこい）

雪囲ひしてたましひのよく眠り　佐佐木徹

藪巻（やぶまき）

藪巻の中僂なごとせる虫のゐる　中原道夫

雪吊（ゆきつり）

青空を引つ張つてゐる雪吊ぞ　大畑善昭
雪吊りに奏でてみたき百の弦　小嶋洋子
雪吊に一分の隙も無かりけり　塩野谷慎吾
雪吊の新縄匂ふ廓跡　清水由惠
雪吊に心のたわみ正したり　土屋和子
雪吊りの縄目数へて老いにけり　藤井ふさ子
雪吊りや職人芸の縄の華　山田トモヱ
雪吊の風に鳴るほど弦張れり　吉田芳江
雪吊のいらぬ気位楡大樹　吉田陽代

積るはずなき所なり雪吊す　能村研三

雪掻（ゆきかき）

二の腕の替へ欲しくあり雪を掻く　山越朝子

雪を掻く無口となりし親子かな　石戸キコ

雪掻きの躍起と思ふ背はまろし　能村研三

雪下し（ゆきおろし）

雪卸し蕩けるやうに寝入るなり　池田崇

雪踏（ゆきふみ）

雪踏みて無病息災祈願かな　高橋才子

すが漏り（すがもり）

すが漏りのあとや名立たる竜安寺　吉武千束

寒燈（かんとう）　冬灯

寒燈を消す紐すこし足しておく　柴田雪路

みづうみに寄り添ふ暮し冬灯　酒井敏子

校舎てふ闇のしじまの一寒灯　山田松治

一燈にかへり寒燈みな灯す　西山禎一

冬座敷（ふゆざしき）

一刀の他何もなき冬座敷　森岡正作

冬座敷使はぬ日には丸く掃く　佐々木みき子

嫁がせて後の空白冬座敷　高橋才子

ほのぼのと母乳の匂ふ冬座敷　北川英子

畳替（たたみがえ）

肘やをら撫してはじまる畳替　林一郎

障子（しょうじ）

紙と木の息づきありぬ白障子　阿部順子

生返事咎められたり障子内　坂本徹

襖（ふすま）

白襖

正確は時につまらぬ白襖　能村研三

絨緞（じゅうたん）

辞令受く絨毯につと足取られ　朝長美智子

暖炉（だんろ）

暖炉には暖炉の吐息夜更けぬ　吉田陽代

木の家に石積む暖炉あかあかと　堀園子

人厭ひのときに人恋ふ暖炉の火　河野絢子

煖炉なり薪の夜語りよもすがら　林翔

暖房（だんぼう）

譲られし席を譲りて暖房車　栗城静子

ストーブ

旅着濡れストーブの輪に湖船待つ　堀口専哉

ストーブを独り占めして父でゐし　梅田津

炭（すみ）

茶をすする炭火の色を愛でながら　長岡新一

喪にこもる常居に炭をつぎながら　髙橋マキ子

太炭を手づかみで継ぐ雪の小屋　長谷川鉄夫

熾りくる炭きらきらと鳴りにけり　森山夕樹

父に無き破門除名や炭を継ぐ　能村研三

埋火(うずみび)

埋火や嬶座に古りし大火箸　三好千衣子

埋火の余燼を掻けば鼓動せり　鈴木伸一

遺されてどこか埋火ぐらしかな　望月晴美

埋火や髪に差し込む指の先　辻直美

消炭(けしずみ)

消炭のまだ濡れてゐる路地明り　吉武千束

炭俵(すみだわら)

ふかく妻の腕をのめり炭俵　能村登四郎

炬燵(こたつ)

星近き高野泊りの初炬燵　羽根嘉津

みちのくの白波分ける炬燵船　槙孝弘

炬燵子へひとつ覚えの鶴を折る　中村宏枝

初炬燵といふ御馳走をいただきぬ　能村登四郎

炉(ろ)

火天

火箸もて囲炉裡に描ける山の地図　諸岡和子

合掌家囲炉裏に語り部ゐるごとし　石山孝子

言霊のさきはふ郷に炉の煙　水上陽三

煤艶の吊縄締まる火天かな　能村研三

いそのかみふるき世がたり炉辺ばなし　林翔

榾(ほた)

また榾をかへすや山気背にくる　岡部玄治

もてなしといふ大榾の燃えつぷり　小野寿子

死に体にして崩れざる榾ありぬ　辻美奈子

連想の深み深みへ榾を足す　能村研三

火鉢（ひばち）

切口に泡ふつふつと榾火かな　能村登四郎
住み代はるこの家に残す火鉢かな　大森慶子
婆さまの鏝さし入るる古火鉢　上野節子
大火鉢骨董市の隅ふさぐ　宮坂秋湖
女将とは火箸使ひのさまよかり　松村武雄
旧知二代耶馬客殿の箱火鉢　能村研三
離れがたくあり埋み火のある火鉢　能村登四郎

手焙（てあぶり）

なほらひや手焙に手の花が咲き　上田玲子

行火（あんか）

鳥けもの寝まるや吉野に行火抱き　藤井遥

湯婆（ゆたんぽ）

湯たんぽや腓返りといふ謀叛　小松誠一
湯婆を児を抱く如く手繰り寄す　鈴木伸一
湯婆の冷めてしまひし重さかな　中原道夫
湯婆より足が離れて睡り落つ　福永耕二
湯婆をひつそりと抱く齢かな　能村登四郎

懐炉（かいろ）

言ひ足りぬ分は懐炉を持たせけり　佐山文子

敷松葉（しきまつば）

敷松葉昼から酒の付くといふ　中原道夫

湯気立（ゆげたて）

湯気立てて黙り通すも力かな　能村研三

干菜湯（ほしなゆ）

ふるさとの星大粒な干菜風呂　小澤克己

ラッセル車（しゃ）　除雪車

ラッセル車眠れぬ夜を遠く過ぐ　小山田子鬼
除雪車の戦車の如く走り去り　熊本富美子
鉄橋で一息をつくラッセル車　小松誠一

冬耕（とうこう）

冬耕の畝まつ直ぐに夕日まで　小河原清江
冬耕のとどめに己が影を打つ　須崎輝男
生真面目に冬耕の畝並びをり　阿部順子
冬耕のひとりといふは行に似て　高橋ちよ
冬耕の人帰るべき一戸見ゆ　能村登四郎

大根引（だいこんひき）

大根引く大地の力わが力　大橋忍
落柿舎の静止の中の大根引　吉武千束
大根引く嘘も誇張も無き暮し　大浦郁子
大根抜く摑みどころはみな同じ　能村登四郎

大根干す（だいこんほす）

干大根十日の縄目ゆるみたる　松本圭司
黒潮の香のうすうすと干大根　小澤利子
海光に懸大根の白濁る　木村公子
水しぶき陽しぶき大根洗ひけり　中野光子

切干（きりぼし）

大根干す昭和ひと桁まだ確か　樋口英子
切干や山彦もすぐそばにゐて　大畑善昭
西海の風の切干ちぢみ出す　水木沙羅
切干の小さき袋に納まりぬ　鶴見知子
切干や甘味に残る日の匂ひ　塩野谷慎吾
昭和一桁きりぼしのよく縮む　辻　直美

蕪引（かぶらひき）

蕪引く谷戸の暮色は踵より　井原美鳥

干菜（ほしな）

干菜竿連ね籬に声籠る　中津正克

蓮根掘る（はすねほる）

れんこん掘る

沈みたる胸より歩く蓮根掘　樋口英子
おいそれと身うごきならず蓮根掘　近藤　実
思はざる長さによろけ蓮根掘　谷口自然
一景のそこだけ動く蓮根掘　川島真砂夫
蓮根掘無声映画のごとくなる　能村研三
蓮掘のすべりし跡か一文字　能村登四郎

葛晒し（くずさらし）

葛晒す屋号の桶に日を沈め　中津正克

狩（かり）

渡り猟夫降り稜線を一瞥す　森岡正作
字の名は猿田猟犬耳尖る　酒本八重
猪追ひの警笛夜の小海線　渡辺輝子

闇の濃さ確と見届く猟夫かな　能村　研三

鷹狩（たかがり）　放鷹

放鷹の声悲しとも鋭くて　会田三和子

放鷹の構へに解くや緋房紐　渡部　節郎

鷹匠（たかじょう）

鷹匠の拳ふはりと鷹を据ゑ　大沢美智子

鷹匠の一笛奔る四囲の山　二瓶　重子

鷹匠の眼光鷹を正しけり　樋口　英子

鷹匠の眼差し鷹は信じをり　板橋　昭子

竹瓮（たっぺ）

せせらぐや竹瓮沈めしあとの水　田辺　博充

魞簀編む（えりすあむ）

魞簀編む納屋に被さる比良の影　三好千衣子

牡丹焚火（ぼたんたきび）

牡丹焚円やかに灰残りをり　甲州　千草

忌を修すごと牡丹の一枝くべ　能村登四郎

菊焚く（きくたく）

菊焚くに程よき窪のありにけり　角田登美子

一病のただよひごころ菊を焚く　鈴木　節子

菊焚いてこれより先のうす瞼　北村　仁子

身中にまだ種火あり菊を焚く　木村　公子

焚くものの中より一縷菊匂ふ　清水　栄子

菊を焚く余生焦らず頑張らず　原田　耕作

菊を焚く煙はせめて許されよ　能村　研三

紙漉（かみすき）　紙干場　楮蒸す

紙漉きの真昼の窓の暗き音　鈴木良戈
ゆすりたる水の重さや紙を漉く　長岡新一
紙漉女のぬれ手に風の遠慮なし　近藤鉦子
太陽が白を引き出す紙干場　宮内とし子
楮蒸す山の薄ら日焚き込みて　三好千衣子
廃屋と思ひしが紙漉く音す　今瀬剛一
干し上りよきけば立ちの吉野紙　能村研三
百漉けば百の祈りや紙漉女　林翔

寒紅（かんべに）

寒紅濃く女も二言ありませぬ　七田文子
寒紅やまだひたすらに生きるため　樋口英子

焚火（たきび）

誰彼となく来て育つ浜焚火　座古稔子
マタニティーブルー焚火に手を翳し　小林奈穂
多次元てふ宇宙の隅に夕焚火　大矢恒彦
木の形の崩れず焔立つ大焚火　おかたかお
擦れ違ふ人に焚火の匂あり　栃原久子
誰も無口や出漁を待つ焚火　松井志津子
焚火して遠くばかりを見てをりぬ　中原道夫
炎の中に激浪を見し大焚火　能村研三
夕映えの遠き焚火は地の吐息　林翔
夜焚火やうしろの榛の木がゆらぐ　能村登四郎

火の番　寒柝　夜廻り

寒柝の足を速める怒濤音　中津正克
老のみの夜回り柝は強く打つ　大橋忍
夜廻りの足いきいきと戻りけり　望月晴美

火事　遠火事

遠火事とわかり胡座を組み直す　岡部玄治
江戸つ子の血を遠くひき火事好み　能村研三
今思へば皆遠火事のごとくなり　能村登四郎

避寒　避寒宿

避寒宿取り柄は酒が旨かりし　能村研三

雪見

雪見るや始終を肩に手を置かれ　能村登四郎

探梅

探梅の己を探す一日かな　杉本光祥
風音のなかの水音探梅行　林昭太郎
光りものちよつと抓んで梅探る　成宮紀代子
探梅のはずが地酒につかまりし　能村研三
探梅の紅き苞のみ見て返す　林翔
思はざる急流とあふ探梅行　能村登四郎

牡蠣船

牡蠣船の混じる船数漁日和　赤松千代子

寒釣

去るときの石がゆらぎし寒の釣　三浦青杉子
寒釣は残り釣見る人は去る　林翔

夜咄（よばなし）　夜語り

蠟涙を溜めて夜語り佳境なり　能村研三

綾取（あやとり）

レインボーブリッジあやとりのかたち　小嶋洋子

あやとりの川から川へひとりなり　鈴木浩子

縄飛（なわとび）

縄跳びの輪に遠き日の空がある　佐野ときは

縄とびの波の真ん中転校子　大森春子

竹馬（たけうま）

竹馬のたたらを踏みて走り出す　吉田輝夫

竹馬に土まだつかず匂ふなり　林　翔

雪投げ（ゆきなげ）　雪合戦　雪礫

直線も抛物線も雪合戦　福島　茂

先生へ思はざる子の雪つぶて　宮坂恒子

雪兎（ゆきうさぎ）

赤き実の片目は悲し雪うさぎ　山下ひろみ

雪兎螢光灯に崩れけり　大橋俊彦

雪達磨（ゆきだるま）　雪仏

生きいきならぶ天気図の雪だるま　石川笙児

雪達磨少年の声暮るるまで　後藤松渓

雪だるま星降る夜には歩くかも　梅村すみを

化野に睦みて千の雪仏　三好千衣子

スノーマン・スノーウーマン並び溶け　林　翔

雪像（せつぞう）

一雨のありて雪像力抜く　栗城静子

スキー　シュプール

シュプールを追うてシュプール恋の道　浅野吉弘

スキードーム海への斜度を構へをり　能村研三

スケート

スケートが誰よりうまく反抗期　平野重雄

ラグビー

まだぎらぎらとラグビーの敗者の眼　遠藤真砂明

負けて泣き勝つて涙のラガーかな　岩瀬浩一

枯れし野を強く引き寄せラガー蹴る　能村研三

寒稽古（かんげいこ）

正座して師を待つしじま寒稽古　岡崎ひさし

迫力に身じろぎ出来ぬ寒稽古　小栗八重

強弓の片肌まぶし寒稽古　近藤敏子

少年のほてりの匂ふ寒稽古　嶋田羊六

床の間の鷹が窺ふ寒稽古　能村研三

寒復習（かんざらい）

寒ざらひ妥協一切なかりけり　小菅暢子

薄明に草稿練るも寒復習　能村研三

寒中水泳（かんちゅうすいえい）

海に入るまでの足踏み寒泳子　渡辺満枝

湯気ぐるみなる寒泳の白褌　長谷川鉄夫

寒泳子水をはなるるこゑ発す　吉田明

寒泳の衆目を負ふ褌の白　能村登四郎

湯ざめ（ゆざめ）

湯ざめせぬやう火の色のバスタオル　小林　奈穂
螢光灯消えかけて点く湯ざめかな　高瀬　哲夫
ビデオに吾湯ざめのごとく登場す　能村　研三

風邪（かぜ）

まつ青な海へ落ちゆく風邪心地　内山　花葉
風邪籠り硝子のやうな眼の猫と　大川ゆかり
庭師来て風邪引きさうな庭となる　岡崎　伸
切り刻む個人情報風邪心地　小林　奈穂
トローチの輪を抜けてゆく風邪心地　佐野ときは
銀紙のくしやりくしやりと風邪心地　細川　洋子
繚乱の花柄布団風邪引けり　能村　研三

咳（せき）

しはぶき
しはぶけり黄色い線の内側で　千田　百里
咳込むや身の内にある噴火口　藤原　照子
第二楽章終れば咳が咳を呼ぶ　岩崎喜美子
理髪師のマスク越しなる咳貰ふ　林　翔
咳了へてほのかに来たる人の息　能村登四郎

嚔（くさめ）

大嚔札所の山に谺せり　神山　節子
大くさめ魂すこしはなれけり　石川　笙児
くさめして枯山水を驚かす　松村　武雄
たまに来て息子の嚔大いなる　林　翔

くさめして突然顔に日が当る　能村登四郎

水洟（みずばな）

死をききしとき水洟のはしりけり　能村登四郎

息白し（いきしろし）

白息

息白く発光体となる走者　岡澤田鶴

古文書を素読の朝の息白し　山本明彦

二次会は白息太き方に付く　長谷川鉄夫

白息をゆたかに織子故郷持つ　松島不二夫

暁光にわが白息の真直なり　林翔

白息のかく乏しくてかく生きて　能村登四郎

悴む（かじかむ）

橋越えて急往診を悴める　鈴木良戈

悴む手大きな手もて包まるる　大森春子

先走る数値目標悴める　能村研三

悴みてあやぶみ擁く新珠吾子　能村登四郎

懐手（ふところで）

昂然と今無為ならぬ懐手　林翔

ふところ手臍に触れたるなつかしき　能村登四郎

胼（ひび）

胼薬

遠き日の傷もいたはる胼ぐすり　武藤嘉子

胼薬遠海鳴りも擦りこみぬ　大牧広

母をおもへば貝の器の胼ぐすり　渡辺昭

霜焼（しもやけ）

耳ふたつ霜焼ふたつ風を聞く　能美昌二郎

子の頃とちがふ指より霜焼けし　長谷川鉄夫

雪眼鏡（ゆきめがね）

雪眼鏡かけはらからを遠くする　北村仁子

木の葉髪（このはがみ）

睫毛てふかくも小さき木葉髪　林　翔

日向ぼこ（ひなたぼこ）

日向ぼこ過去に凭れてゐたりけり　内山照久
パリ時間持ち来しままの日向ぼこ　佐々木群
自分には見えない背中日向ぼこ　関根瑶華
言の葉とならぬ呟き日向ぼこ　大矢恒彦
開く書の重たくなりし日向ぼこ　塩野谷慎吾
一切の貸し借りはなし日向ぼこ　近藤　実
夫臥せる向うに猫の日向ぼこ　加藤富美子
古里のここはまほろば日向ぼこ　小林もりゑ
猫すこし横へずらして日向ぼこ　岡崎　伸
日向ぼこ現在完了形の気分　安居正浩
恍惚の死もありてよき日向ぼこ　能村登四郎

年末賞与（ねんまつしょうよ）

冬賞与けふ討入りの日と思ふ　広渡敬雄

年用意（としようい）

空気圧ぱんぱんにする年用意　安居正浩
年用意築地は人の湧くところ　古関　進
赤富士の一幅宿の年用意　柴田一世
久々に穴掘ることも年用意　能村研三

煤払（すすはらい）　煤逃

煤払ふ神も仏も庭へ出し　菅谷たけし
煤払して我が身だけ残りをり　菅原　健一
煤逃の書肆より酒肆へ地下巡る　塩野谷慎吾
煤逃げの理屈屁理屈好天気　高木　春夫
煤逃げの見逃し刻を計りをり　太田　鈴代
死神のくさめ小さし煤払　林　翔
煤逃げと言へば言はるる旅にあり　能村登四郎

社会鍋（しゃかいなべ）

ひつそりとビルの谷間に社会鍋　佐山　文子

歳暮（せいぼ）

子もいつかそれなりの齢歳暮来る　杉野　昌子
お歳暮のもういい筈を送りけり　松本　圭司

賀状書く（がじょうかく）

篆刻の俄仕込みや賀状書く　千葉　恵美
かにかくに補遺の部となる賀状書き　水上　陽三

日記買ふ（にっきかふ）

飛ぶやうな余生たいせつ日記買ふ　岡崎　伸
人の世の我も旅人日記買ふ　高木　春夫
来世へつづく十年日記買ふ　平間　洋子
夢の世の続きの為に日記買ふ　齊藤　實

古日記（ふるにっき）　日記果つ

「絆」の字朱色で記せし日記果つ　寺田　和子
濃淡の筆跡十年日記果つ　田中　数江

暦売（こよみうり）

松に荷を預けてをりぬ暦売　中原道夫

古暦（ふるごよみ）

暦焼く怱忙の日を焼くごとく　林翔

忘じ得ぬ日も刻まれし暦焼く　能村登四郎

注連飾る（しめかざる）

注連飾るメーンマストのてつぺんに　遠藤真砂明

注連飾る錆釘確と定位置に　佐々木昭

定型をあくまで通し注連飾る　能村研三

年忘（としわすれ）

都合つくことの淋しさ年忘れ　鈴木鷹夫

忘年の灯を裏山へ流しけり　久保田博

忘れ得ぬ亡き人ひとり年忘れ　林翔

ざれ歌のわが声なりし年忘れ　能村登四郎

行事

勤労感謝の日

入浴剤香る勤労感謝の日　桑島みつ子

腕相撲競ふ勤労感謝の日　長岡　千波

勤労感謝の日仁丹の小粒　辻　直美

顔見世

顔見世や師の在さば華やぐものを　辻　直美

顔見世や追ひ出し囃子に送られて　能村登四郎

亥の子　亥の子餅

わが年の猪年の果ての猪の子餅　能村登四郎

七五三

合はす手の小さくずれて七五三　今瀬　一博

七五三遙けき雲も鈴振るや　林　翔

十二月八日

十二月八日の白きごはん粒　米光　徳子

世田谷ぼろ市　ぼろ市

ぼろ市の買手まかせの哲学書　岩崎喜美子

年の市

歩道攻めといふ商ひ歳の市　能村　研三

羽子板市

羽子板のかんざし揺るる手締かな　廣田　健人

羽子板市金銀の刻奔流す　林　翔

飾売（かざりうり）

飾売まだ腰掛けてゐるゆとり　東　うた子

飾売る焚火の貌に覚えあり　鈴木　鷹夫

冬至粥（とうじがゆ）

失せ物のやうな昼月冬至粥　清水　麻子

柚子湯（ゆずゆ）　冬至風呂

ゆつたりと柚子湯にをれば哲学者　安居　正浩

口笛を習つてをりぬ冬至風呂　大橋　俊彦

喜寿の身を柚子湯に沈め労りぬ　石川　雪江

わが肌をわが嗅ぐ夜かな柚子湯して　林　翔

匂ひ艶よき柚子姫と混浴す　能村登四郎

千葉笑（ちばわらい）

千葉笑ひ笑ひの外にいつもわれ　能村登四郎

年の火（としのひ）

年の火の心しづめの炎とならむ　能村　研三

晦日蕎麦（みそかそば）

当直の白衣のままの晦日蕎麦　下川　景右

覚書き一つ忘れて晦日蕎麦　中坪　一子

追儺（ついな）　鬼やらひ

鬼やらひ男世帯は鬼ばかり　町山　公孝

あをあをと北斗逆立つ追儺かな　佐久間由子

髭僧の空切る気迫追儺の夜　深川　峰子

漁夫の子海に向ひて鬼やらひ　網代　鏡子

海風に船から聞こゆ鬼やらひ　櫛引　明江
遅き子に残す追儺の窓ひとつ　長谷川鉄夫
死角とは死神の場所追儺豆　林　翔
夜深き鬼やらひにて豆剰(あま)す　能村登四郎

柊挿す(ひいらぎさす)

海鳴りの門に柊挿しにけり　佐久間由子
夜雲殖ゆ柊挿せる冠木門　鈴木　良戈
柊挿す父が家長である至福　能村　研三

厄落(やくおとし)　厄詣

烈風に髪逆立てて厄詣　能村　研三
漂々と戻りて男厄落し　能村登四郎

神の旅(かみのたび)　神の留守

ペン皿に化石がひとつ神の留守　藤井　遥
古書店に秤置かれて神の留守　須山　登
なせることなせし一日や神の留守　斎藤　衛
神の留守木の根に添はす結神籤　能村　研三
異常気象神もためらふ旅ならむ　林　翔
贋の歯を口に棲はせ神の留守　能村登四郎

神迎へ(かみむかへ)

神迎ふ雲をたまはり由布二峰　能村　研三

恵比寿講(えびすこう)

遠嶺はみな雪に染み恵比寿講　能村登四郎

酉の市(とりのいち)

一の酉居職はあかり借しみなく　秋葉　雅治

佃煮の折詰ひとつ一の酉　大石　誠
首筋を風のいたぶる三の酉　加藤富美子
羽織るもの一枚持たす一の酉　久染　康子
術後よき声出て雨の一の酉　湯橋　喜美
三の酉ある二の酉をやりすごす　吉田　明
板前は教へ子なりし一の酉　能村登四郎

義士会（ぎしかい）

義士討入の日

義士の日の三河の山河哭けり　羽根　嘉津
義士の日の運河を上る魚の群　堀口　希望
義士の日や歩かう会の列に蹤き　田所　節子
パン生地を叩いて義士の日とおもふ　宮内とし子
義士の日のアンテナの向き正しをり　北川　英子
義士の日の妥協許さぬ会議あり　能村　研三

神楽（かぐら）

神あそび

おどけても影のさみしき神楽面　柴田　雪路
舞ふほどにたましひ溶けゆく神あそび　梅村すみを
神楽中入り竹さかづきのカッポ酒　能村　研三

里神楽（さとかぐら）

誰恵比寿誰大黒と里神楽　峰崎　成規
里神楽くらがり酒を賜れり　能村　研三

夜神楽（よかぐら）

過客にもむすびふるまふ夜の神楽　能村　研三

遠山の霜月祭（とおやまのしもつきまつり）

霜月祭

霜月祭素手で湯を切る暴れ面　吉田　政江

花祭（はなまつり）　三河花祭

鬼の背に湯気立つ三河花祭　古居芳恵

和布刈神事（めかりしんじ）

対岸に和布刈神事の灯の揺らぐ　能美昌二郎

除夜詣（じょやもうで）

暗きより声の先立つ除夜詣　髙橋あさの

漆黒の闇は海なり除夜詣　荒井千佐代

常連の炎影に揃ふ除夜詣　鳥居公子

十夜（じゅうや）

百畳に夕闇迫る十夜かな　森田潤子

十夜法要一山の僧の綺羅　秋山ユキ子

お十夜の過ぎて三日の寺竈　能村登四郎

御正忌（ごしょうき）　報恩講　御講凪

報恩講法話に笑ひさざめける　工藤篤子

鮒鮓の渋味のこなれお講凪　成宮紀代子

除夜の鐘（じょやのかね）

息を吸ひ一気に除夜の鐘を撞く　深川峰子

百八つ目なりしか鐘のもう鳴らぬ　林翔

寒垢離（かんごり）　寒行

寒垢離を見る全身を棒にして　荒原節子

邪鬼払ふ裂帛の声寒行堂　仁藤輝男

寒行の声濤となり渦となり　柴﨑英子

寒行のひとかたまりの狂ひゆく　吉田汀史

寒行の燭を揺らせし荒び声　能村研三

寒行僧起ち居に山気漂はせ　林　翔

寒行の嗄声の中の澄みし声　能村登四郎

寒念仏（かんねぶつ）

寒念仏干し椎茸の耳反りて　木村公子

クリスマス　聖夜　聖菓

停泊の船の丸ごとクリスマス　福島　茂

観覧車聖夜の街へ降りてくる　篠藤千佳子

三毛猫を膝に眠らせクリスマス　阿部眞佐朗

ロボットの素直な歩み降誕祭　菊地光子

聖菓切る除数にサンタ加へけり　小松誠一

暮れてより街いきいきと聖夜来る　近藤鉦子

次々に天使のあくび聖夜劇　佐々木泰子

地下街の真上ホワイトクリスマス　富川明子

牛乳に正義の白さ降誕祭　頓所友枝

降誕祭一寸ひねつて盛るパスタ　林　玲子

幼児に絵本を選ぶ聖夜かな　平山恵子

みづうみは光の器クリスマス　細川洋子

湯浴み子をささげ渡せし聖夜かな　能村研三

聖夜にてぎんぎらぎんの音地獄　能村登四郎

芭蕉忌（ばしょうき）　時雨忌

時雨忌や縁側に干す旅鞄　河野美千代

白秋忌（はくしゅうき）

故郷に雲の棚引く白秋忌　村松忠治

澄む水に任す流れ藻白秋忌　林　翔

波郷忌（はきょうき）　風鶴忌

十三星霜波郷忌のわが鬢白し　林　翔
今にして切字にまよふ風鶴忌　能村登四郎

一葉忌（いちようき）

戸袋に何の明るさ一葉忌　安居正浩
いのちとは使へる時間一葉忌　阿部順子
路地奥の霜解け遅し一葉忌　秋葉雅治
満月へ枯葉の昇る一葉忌　林　翔

三島忌（みしまき）　憂国忌

男二人朝の飯食ふ憂国忌　町山公孝
耳朶の熱しと思ふ憂国忌　櫛引明江
風音を拾ふマイクや憂国忌　林　昭太郎

一茶忌（いっさき）

一茶忌や筺を温めし朱の火鉢　能村研三
干大根細り細るや一茶忌へ　林　翔

耕二忌（こうじき）

耕二忌や共に旅せしことのあり　鈴木良戈
耕二忌を坐り直して急に冬　高瀬哲夫
耕二忌とおもふ新宿北風の中　秋葉雅治
耕二忌の黒千代香で酌む燗焼酎　能村研三
耕二忌の昴な刺しそ妻を子を　林　翔
耕二の忌以後を湯ざめのごとくをり　能村登四郎

レノン忌

レノン忌の街に出づれば枯木星　千田百里

漱石忌（そうせきき）

四字熟語組み立て遊ぶ漱石忌　岩崎喜美子

今にして読み浅かりし漱石忌　藤井　晴子

動物

冬眠（とうみん）

冬眠の蛇鶩かすブルドーザー　水谷　昭代
冬眠の安らぎに似て逝きしはや　松村　武雄

寒立馬（かんだちめ）

みちのくの果ての海鳴り寒立馬　笹原　茂

狐（きつね）

狐啼きてK点越えの大ジャンプ　柴田ふさこ

鼯鼠（むささび）

鼯鼠にからだ覆はれ眠りたし　正木ゆう子

狼（おおかみ）

狼の声滅びたり蝕の月　朝長美智子

鷹（たか）

蒼鷹

八ヶ岳残照鷹高みつつ流れつつ　大沢美智子
風を得て鷹たちまちに岬統べ　石﨑　和夫
関門の空丸く明け鷹舞へり　木村　公子
大鷹や三河は風のすべり台　塚本　初美
雲抜けて一羽の鷹の点になり　水澤紀代子
鷹居つくほどの位の木なりけり　能村　研三
翔つときの精気が掠む青鷹　能村登四郎

鷲（わし）

飼はれつつなほ大鷲の瞳かな　木村　治

寒禽（かんきん）

身じろぎもせぬ寒禽の艶をいふ　中原　道夫

寒雁（かんがん）　冬の雁

冬の雁三羽といふは列なさず　林　翔

冬の鵙（ふゆのもず）

水へ水へと冬雁の死処さがし　能村登四郎

言へさうで言へぬ一言冬の鵙　永田　敏子

笹鳴（ささなき）

笹鳴や真行草の石だたみ　中野　了一

まだ声は片仮名まじり笹子鳴く　川島真砂夫

寒雀（かんすずめ）　ふくら雀　冬雀

日溜りのそこここ動く寒雀　今瀬　一博

偉丈夫の振りしてふくら雀かな　中坪　一子

寒雀の群光塵となりゐたり　熊倉　松太

はればれと鳰亭を辞す寒雀　鈴木　節子

生きるにも上手下手あり冬雀　近藤　実

寒雀もうしばらくは側にゐて　北村　幸子

寒鴉（かんがらす）

寒鴉己が座標を選びたり　佐々木　群

梟（ふくろう）

梟鳴くデンパノトドカナイトコロ　上谷　昌憲

梟の鳴いて深酒してゐたり　浅沼　久男

梟の畑の夜警仕る　加藤富美子
梟やまくらの中はそばのから　吉田　汀史
梟の夜の呟きを鳴くといふ　林　翔

水鳥（みずとり）　浮寝鳥

寄り添へる等間隔の浮寝鳥　江崎　孝彦
水鳥の脚より下はねむる水　三浦青杉子
すこしづつ流るると見せ浮寝鳥　能村登四郎

鴨（かも）

鴨打

文系も理系もともに鴨の陣　柴田　詩子
墨いろの朝となりゐる鴨の水尾　清水　麻子
絆とは生くるとは鴨群れてをり　渡辺　昭
鴨猟にみやび心の仕掛かな　能村　研三

鴛鴦（おしどり）

鴛鴦の思ひ羽映す水の艶　能村　研三

鳰（にお）

かいつぶり

凪ぐ湖に独りの水尾を曳ける鳰　中島　昭親
水中に飛べる空ありかいつぶり　諸岡　和子
裏切つて人愉しますかいつぶり　黒岩武三郎
鳰の湖日照雨しづかによぎりけり　峰　幸子
不器用に見えしが達意かいつむり　波戸岡　旭
点うごき寂滅界の鳰となる　林　翔
遠目きくさびしさ鳰の数もよみ　能村登四郎

都鳥（みやこどり）　百合鷗

江戸遺構の舫ひを今にゆりかもめ　藤代　康明

散らばりてさみしさ分つ都鳥　辻前冨美枝

鶴（つる）

鶴唳や残月凍つるあたりより　梅村すみを
純白の眠りに入るや雪の鶴　渡辺　昭
鶴守になりたきこころ嘘ならず　能村登四郎

凍鶴（いてづる）

凍鶴に合はせてありし遠眼鏡　工藤　節朗
そよぎたる胸毛に鶴の凍てられず　柴田　雪路
鶴の歩の止りぬ凍てに入るならむ　能村登四郎

白鳥（はくちょう）

白鳥の雲低ければ低く来る　大畑　善昭
純白へ試練まだある子白鳥　安居　正浩
白鳥来とうに切れたるパスポート　頓所　友枝
翼に日乗せて白鳥着水す　大沢美智子
白鳥の羽搏きくだく鏡凪　近藤　敏子
みづうみは蘇生の器白鳥来　佐久間由子
白鳥に十戸の村の賑はひぬ　西村　渾
白鳥は湖に古城は断崖に　花田　心作
水光る白鳥守は藁に住み　矢崎すみ子
白鳥湖今オーロラの磁気飛沫　山崎ふじ子
天網より大白鳥を迎へけり　吉武　千束
白鳥に取り巻きと言ふ鴨の数　池田　崇
白鳥のこのなつこさは凍て残り　今瀬　剛一
白鳥の飛来の余力頸にあり　能村　研三

白鳥の愛ふかければ頸もつれ　能村登四郎

鯨（くじら）

鯨棲む海に網の目緯度経度　福島　茂

鯨来る海の起伏を叩きつつ　菊川　俊朗

文楽人形首のがくりと鯨ひげ　古山　智子

鯨跳ぶアラスカ湾の大飛沫　沖島　孝光

いつの生（よ）か鯨でありし寂しかりし　正木ゆう子

鱩（はたはた）

地方紙にくるまれ鱩届きけり　中村喜美子

旗魚（かじき）

旗魚舟舳先に長の仁王立ち　沖島　孝光

鱈（たら）

鱈汁

鱈汁に望郷果つる飯場かな　森岡　正作

鰤（ぶり）

鰤大根

鰤大根ならば帰ると電話切る　長谷川鉄夫

歌詞なべて二番あやふや鰤大根　小菅　暢子

女手に出刃の切味鰤捌く　柴田　一世

越中ははや鰤のとき男波来る　杉本　光祥

寒鰤（かんぶり）

よき嫁のつもりで捌く寒の鰤　柿本　麗子

鮟鱇（あんこう）

鮟肝

鮟肝に灯のぼつてりと魚市場　田所　節子

鮟鱇を一番星の下に吊る　遠藤真砂明

河豚（ふぐ）

魂のすとんと溶けて河豚白子　能美昌二郎

潤目鰯（うるめいわし）

水掛論潤目鰯のにがみとも　能村研三

柳葉魚（ししゃも）

ししやも揚ぐ昼なほ暗き不凍港　杉本光祥

寒鯉（かんごい）

寒鯉もベンチの人も動かざる　中山めぐみ

泡ひとつ生くるしるしの寒の鯉　高橋ちよ

寒鯉とわれ遂にわれより動く　能村研三

寒鮒（かんぶな）

薄墨がひろがり寒の鯉うかぶ　能村登四郎

動かざるものに寒鮒釣りの背　丹羽昭子

寒鮒にその川の水すこし入れ　三浦青杉子

ずわい蟹（がに）

蟹の脚折る手にからむ怒濤音　川島真砂夫

海鼠（なまこ）

億年を戦はずしていま海鼠　佐々木よし子

簡潔に生きて海鼠に腸ひとつ　齊藤實

電極を持つてゐるかに大海鼠　七種年男

海鼠には海鼠のあすの見えるかも　金井双峰

進化論の外れに海鼠うづくまる　北川英子

牡蠣（かき）　酢牡蠣

難波津で酢牡蠣を食べし旅納　能村研三

冬の蝶　凍蝶

凍蝶のいま四次元の翅づかひ　栃内　和江

凍蝶にしくしくの声ありにけり　能村登四郎

蟷螂枯る　枯蟷螂

枯蟷螂せめては斧を挙げよかし　林　翔

綿虫　雪螢　雪婆

綿虫を払ひやんはり断る手　甲州　千草

綿虫の綿で装ふ命かな　加藤富美子

列車待つ人みな寡黙雪螢　岩瀬　浩一

雪婆に逢へずに帰る白馬村　大網　健治

ふつきれて身の軽くなる雪螢　菅井　悦子

綿虫や雪来る湖を喪のいろに　藤森すみれ

わたむしの風の継ぎ目をこぼれ出づ　岡本　富子

捉へむとせし綿虫の芯曇る　福永　耕二

綿虫に曖昧な顔預けをり　能村　研三

綿虫の小さき五臓も舞ひにけり　林　翔

唇緘ぢて綿虫のもうどこにもなし　能村登四郎

植物

早梅（そうばい）

早梅に早瀬こそ白飛ばすもの　林　翔

臘梅（ろうばい）

臘梅や明るさ暗さ綯ひまぜて　武藤　嘉子

返り花（かえりばな）

返り花集ひて老を口にせず　北村　幸子
趺ひとつはづし息ぬく返り花　能村登四郎

室咲（むろざき）

室の花

翻訳は創作に似て室の花　細川　洋子
室の花あれこれ咲かせ蟄居めく　小林もりゑ
室の花人消すものに朱一本　中島あきら

冬桜（ふゆざくら）

寒桜

朝空は無欲の青さ冬ざくら　羽根　嘉津
見頃ともみえず見ごろの冬ざくら　望月　晴美
吾歩み鳩も歩めり寒桜　中村喜美子
冬桜鳩の羽音の柔らかし　中村　久子
人生にまだある余白冬ざくら　永井　収子
半どんとふ言葉遥けし冬桜　岡崎ひさし
晩年は力を抜けと冬桜　河口　仁志

冬薔薇（ふゆばら）

冬薔薇投げてグランドゼロの底　佐々木　群
また一戸村を出てゆく冬薔薇　曽出きよの
隊員のベレーはみどり冬薔薇　笠井　令子
花芯へと翳を重ねて冬薔薇　菅井　悦子

冬牡丹（ふゆぼたん）　寒牡丹

被せ藁の中の孤高や寒牡丹　藤原　照子
師の遺墨つぶさに拝し冬牡丹　林　一郎
冬牡丹美しき安らぎ藁の中　新橋しげを
寒牡丹この叫びにも似たる紅　能村登四郎

寒椿（かんつばき）

寒椿空気を割つて落ちにけり　久染　康子
古民家に暮しの匂ひ寒椿　須山　登
寒椿江戸切支丹座敷牢　山本　明彦
朱で印す緘の一文字寒椿　坂本　徹
たをやかに生きたくもあり寒椿　鈴木真砂枝
寒椿散り紅の径となる　斎藤　衛
美しき緒の楔なせ寒椿　能村　研三

侘助（わびすけ）

侘助は寂しき花よ日当りても　梅村すみを

山茶花（さざんか）

山茶花が京花紙のやうな朝　中村喜美子
さざんか花や門太き神輿倉　嶋田　羊六
山茶花の夕日ひとひら剝がれけり　林　翔

八手の花（やつでのはな）
花八手

花八手家族写真の皆若し　平山恵子

街道の家奥深き花八手　棚橋朗

老いはかく音もなく来る花八つ手　林翔

柊の花（ひいらぎのはな）

礫刑の丘ひひらぎの花零る　水木沙羅

純白の花ひひらぎの裏鬼門　中坪一子

茶の花（ちゃのはな）

茶の花や小夜中山の石畳　鈴木齊夫

茶の咲いて仏間を居間となす齢　大牧広

妊りし子へ蘂ふかく茶が咲けり　松島不二夫

茶の咲いて遙けき音は音ならぬ　林翔

ポインセチア

分校はみんなが主役ポインセチア　村田ヤス子

ポインセチア童話の国へ子の眠る　羽根嘉津

千両（せんりょう）

雁木坂名のみを残し実千両　辻前冨美枝

裏庭に千両のあるめでたさよ　中山寛子

実千両楷書に生きてきし夫へ　北村幸子

南天の実（なんてんのみ）

人待ちの色を濃くして実南天　北村幸子

実南天晩成といふ佳き言葉　菅谷たけし

青木の実（あおきのみ）

嬰の指すでに意志もつ青木の実　酒井敏子

夫にだけは言へるわがまま青木の実　宮下　桂子

蜜柑（みかん）

みかんもぐ指先に陽を引き寄せて　殿地　毬子

仏手柑（ぶしゅかん）

佛手柑父の拳のよぎりけり　槙　孝弘

橙（だいだい）

橙の坐り心地のよささうな　酒本　八重

朱欒（ざぼん）　文旦

文旦の急所さがしてゐる刃先　七種　年男
今日のこと今日答出し朱欒剝く　湯橋　喜美
閑素なる武家屋敷町ザボン熟れ　能村登四郎

木守（きまもり）　木守柿

夕やつれほどの光を木守柿　栃内　和江
風のほか触れぬ高さの木守柿　栗城　静子
真実の色を尽して木守柿　近藤　実
夕づきし陽にとりすがり木守柿　林　翔
木守柿ひとりとなりし今を見る　能村登四郎

冬林檎（ふゆりんご）

冬林檎ひとつ灯してひとりなる　篠藤千佳子
静電気ためて真赤な冬林檎　七種　年男

枇杷の花（びわのはな）

わが刻を今日はわが持つ枇杷の花　林　翔
病む妻に嘘いくつ言ふ枇杷の花　能村登四郎

冬紅葉（ふゆもみじ）

隧道を万華鏡とし冬紅葉　神戸やすを
廃校の校歌は石に冬紅葉　笠井令子
枯れざまの哲学めきし冬紅葉　柴田ふさこ
冬紅葉まだ一筋の好奇心　土屋和子
晩年の各駅停車冬もみぢ　渕上千津

紅葉散る（もみじちる）

水底に都の燃ゆる散紅葉　松井志津子
散り急ぐ桜紅葉や田原坂　古賀咲子
石塔の石の月日や散紅葉　廣瀬倭子
ほろびには遠きいろして散り紅葉　北村幸子
散紅葉忽ち濡れて滝しぶく　林翔

落葉松散る（からまつちる）

落葉松が散る落葉松の匂ふなか　酒井敏子

木の葉（このは）

空に舞ふ木の葉一期（ご）の快（け）楽とも　林翔

枯葉（かれは）

枯葉言ふ「最期とは軽いこの音さ」　林翔

落葉（おちば）　落葉焚

ひとせの悔の嵩ほど落葉焚　田辺博充
落葉踏む五感の覚める心地して　永井収子
落葉踏む落葉と話するやうに　石橋みどり
落葉して巨木は四肢をさらしけり　伊藤文
ゆるやかに地の膨らめる落葉どき　小田里己

落葉踏む縄文人も聞きし音　永澤千恵子
貝塚や落葉踏む音後ろより　宮田陽子
弱気なる火も見ゆ落葉かさね焚く　岡本富子
朴一葉父が加へし落葉焚　能村研三
カサてふ落葉コソてふ落葉色たがへ　林翔
耳掻いてかさりこそりと落葉の音　能村登四郎

柿落葉（かきおちば）

開拓の村の名残りや柿落葉　村松忠治
馬糞紙にクレヨン描きの柿落葉　おかたかお

朴落葉（ほおおちば）

笥にもせむ日のぬくもりの朴落葉　秋葉雅治
先師よりの便りか朴葉散りにけり　小栗八重
文を置くごとく始まる朴落葉　松島不二夫
一瞬の風の息継ぎ朴落葉　能村研三

銀杏落葉（いちょうおちば）

御堂筋銀杏落葉の果てもなし　林翔

冬木（ふゆき）

冬銀杏大地摑みしまま眠る　大橋忍
かの冬木世紀末には方舟か　荒井千佐代
素裸の生き方も良し冬欅　杉本光祥
着想は負に片寄れり冬木道　北村幸子
冬木みな空に根の張る如くなり　鈴木伸一
饒舌をつくして冬の木となれり　鈴木節子
冬木道果てて峙つ工学部　能村研三

冬木かげわが影なべてあるがまま　林　翔

冬木立（ふゆこだち）

犬二匹戻す指笛冬木立　遠城　健司

ぐーに勝つぱーの勢ひ冬木立　町山　公孝

寒林（かんりん）

寒林や月研ぐ音の風疾し　伊藤　朝海

名の木枯る（なのきかる）

枯欅　枯れ落葉松

蒼天へ大網打ちし枯欅　峰崎　成規

枯れといふほのかな温み落葉松に　藤森すみれ

枯木（かれき）

裸木　枯木道　枯木立　枯木山

裸木や億光年の星の花　古山　智子

裸木や眠ればちから湧くからだ　細川　洋子

無一物否無無尽蔵大枯木　岡崎　伸

落日の吾もひと色枯木道　五十畑悦雄

シンプルな生き方もよき枯木立　石橋みどり

裸木の寒風摩擦真つ最中　内山　照久

裸木の登つてごらんといふ姿　甲州　千草

裸木となりて真価を問はれけり　根本　世津

裸木や千手観音御座します　矢野美沙子

裸木に風の棲みつくけもの道　藤森すみれ

一念のどこか気の合ふ枯木立　松井　のぶ

棒つきれ振つて下り来し枯木山　広渡　敬雄

裸木となりても朴の位あり　能村　研三

裸木を肌色に染め朝日さす　林　翔

枯蔓(かれづる)

道ふさぐこの傲岸な一枯木　能村登四郎
枯蔓が伸び縋りえし茜雲　林　翔
枯蔓の節のところで燃え残る　能村登四郎

冬枯(ふゆがれ)　枯る

枯れありてこそ青空の静謐に　安居正浩
歓声のして枯れ土手の滑り台　野村敏子
秒針の震へ枯れゆくものの音　溝呂木信子
髪すべる肩へ淡海の枯れ明り　岡島亘江
枯るるもの枯れてたぎつ瀬奢りをり　江淵雲庭
海の枯れ見ゆるまで佇つ岬かな　能村研三
枯るる中一茎折れて生鮮烈　林　翔
国東や枯れていづくも仏みち　能村登四郎

冬芽(ふゆめ)　冬木の芽

冬木の芽兄となる子を抱きしむる　藤井　遥
地に還へるものを力に冬木の芽　小栗八重
ふくらみは祈りの姿冬木の芽　荒木澤子
力抜くことも生き方冬木の芽　上野節子
まつさらな未来ありけり冬木の芽　大森慶子
母と子にいささかの距離冬木の芽　佐藤みほ
沖晴よ金鯱晴よ冬木の芽　鈴木美智子
日と風に揉まれて光る冬木の芽　吉川隆史
佳きことば聞くは力や冬木の芽　吉田陽代
動かせし梯子の下の冬青芽　鈴木節子

冬木の芽ほど紅さしてわが悍気　能村登四郎

雪折（ゆきおれ）

雪折れし楠の香りや杜に満つ　諸岡　和子

雪折れの杉の錆散る橋懸り　北川　英子

冬苺（ふゆいちご）

寒苺

寒苺九々を覚えし子が分ける　廣瀬　倭子

寒苺いつかかならずひとは死ぬ　花田　心作

寒苺買はずに戻り忘れ得ず　林　　翔

冬菊（ふゆぎく）

冬菊の芯まで凍ててよみがへる　正木　浩一

水仙（すいせん）

水仙のプライド傷口濡れてをり　望月木綿子

海鳴りのちちははの墓水仙花　小島　史子

潮さゐは母のまり唄野水仙　中尾　杏子

いまつきし灯が水仙にあつまりぬ　吉田　明

水仙の一茎一花挿しにけり　能村登四郎

葉牡丹（はぼたん）

葉牡丹の大渦小渦のゆるびだす　小久保千代

日比谷音楽堂葉牡丹の整列す　吉田　政江

アロエの花（はな）

案内図になぞる島の名花アロエ　秋山ユキ子

皇帝ダリア（こうていダリア）

世の中を皇帝ダリア見下ろしぬ　保坂　要

皇帝ダリア霜月の空ほしいまま　清水佑実子

枯菊（かれぎく）

枯菊の枯れ果ててなほ色残す　近藤鉦子
枯菊を括ればじわと押しかへす　広渡敬雄
枯菊や名残り香高く括らるる　宮田陽子

枯蓮（かれはす）

添ふものの無き枯蓮の気骨かな　板橋昭子
余力なほ水底にあり枯蓮　高久　正
完璧の枯蓮被爆図見るごとし　柿本麗子
枯蓮全うすると言ふことは　七田文子
融通の利かぬ折れやう枯はちす　富川明子
蓮の枯れほどの完璧ありやなし　湯本道生
太陽のさがせばありて蓮枯るる　久保田博
枯蓮の透きし向うに父の墓　能村研三
蓮ほどの枯れぶりなくて男われ　能村登四郎

冬菜（ふゆな）

一面の朝日艶増し冬菜畑　寺田和子

白菜（はくさい）

水さんさん白菜きゆきゆと洗ひ上ぐ　中野光子
白菜を割る一濤の迫るとき　小澤克己
白菜を離島のごとく採り残す　能村研三
洗ひ上げ白菜も妻もかがやけり　能村登四郎

葱（ねぎ）

葱焼いてとろんと消ゆる猜疑心　篠藤千佳子
葱足してやうやく鍋のやうになる　岡崎ひさし

真直ぐなところが好きさ君と葱　大網健治
飛騨葱の白味の長き心（うら）情け　長尾きよか
葱長しはるばるたどる小口切り　辻直美
鍋底の煮瘦せの葱の味深し　林翔
葱の香が怒りの最中ながれくる　能村登四郎

大根（だいこん）

自転車の尾を振る荷台泥大根　浅野吉弘
嘘ついて大根の白ふと眩し　水澤紀代子
大根おろし父の苦言の味すなり　岡崎伸

人参（にんじん）

人参の芯に虹あり刻みけり　辻直美

蕪（かぶ）

蕪赤し飛騨の訛りの温みとも　金井双峰

ブロッコリ

ブロッコリもこもこ関東ローム層　辻美奈子

麦の芽（むぎのめ）

起きあがる麦の芽しかと踏まれては　木村治

冬草（ふゆくさ）

冬青草

冬青草むかしは父のよく歩き　松島不二夫

枯蘆（かれあし）

不揃ひの枯蘆さばく水馴れ棹　近藤敏子
風の癖つけて枯芦倒れをり　大橋俊彦
枯芦に風出てどこか傷つけり　館野たみを

枯尾花（かれおばな）　枯芒

枯れてより黙示のかたち芒原　酒本　八重

枯芝（かれしば）

枯芝の日曜といふ甘き色　波戸岡　旭
未来図や枯芝に置く椅子二脚　林　翔

枯葎（かれむぐら）

悪たれも弔辞のひとつ枯葎　能美昌二郎
枯葎雁字搦めに吹かれをり　佐山　文子

冬蒲公英（ふゆたんぽぽ）

われの影冬たんぽぽへ重ねけり　梅村すみを

藪柑子（やぶこうじ）

藪柑子ぽつんと赤し忌を修す　武藤　嘉子
変体仮名の文にてこずる藪柑子　佐山　文子
吉良さまを敬ふ寺の藪柑子　能村登四郎

石蕗の花（つわのはな）

花嫁に日矢の集まる石蕗日和　二瓶　重子
島聖堂の鍵穴太し石蕗の花　柿本　麗子
石蕗の花夫の残せし聴診器　荒木　澤子
瞬きは父の返事よ石蕗の花　伊藤　照枝
石蕗咲いて水琴窟の音清か　岩佐　政子
ゆるやかに覇気の高まり石蕗の花　柴田　久恵
石蕗咲いて生家の間取おもひ出す　能村　研三
石蕗咲いて波は語り部囁き部　林　翔
まづ頭怠けさせをり石蕗日和　能村登四郎

冬菫（ふゆすみれ）　冬すみれ

中庭は家のポケット冬すみれ　　頓所　友枝

冬すみれ嬉しさはすぐ口に出て　　樋口　英子

竜の玉（りゅうのたま）

零れては地霊と睦ぶ龍の玉　　栗城　光雄

龍の玉叱られし子のしやがみ泣き　　伊藤　真代

時候

新年(しんねん)

あらたまの年　年迎ふ　年明く

あらたまの仰ぐ一樹のありてよし　矢崎すみ子
あらたまの波打ち際を夫のあと　秋山ユキ子
悠久の一点に生き年迎ふ　荒木　澤子
身の丈に合ひし目標年新た　小澤　功始
中宵の汽笛一声年明くる　倉田千津江
ありつたけの時計合はせて年迎ふ　佐野ときは
あをあをと奈良墨を磨り年新た　柴崎　英子
小社も動き初めたる年迎へ　鈴木　千年
割烹着白にこだはり年新た　長岡　千波
あらたまの胸突八丁九十歳　渕上　千津
あらたまの年明けくわつと九十九里　町山　公孝
招福の巳の置物や年新た　村田　正子

正月(しょうがつ)

海峡や金波銀波のお正月　木村　公子
正月の厨きりりと割烹着　深見　喜子

初春(はつはる)

初春や傘寿まさかのパスポート　藤原　照子
城壁の反りゆるやかに明の春　中野　了一
鉄瓶の湯の沸く音も千代の春　上野　節子

初春や割れば卵に黄身二つ　福田　肇
メルヘンもて始まる新春文章会　林　翔

去年今年（こぞことし）
今年

卵割ればカラザ引き合ひ去年今年　千田　百里
石筍のひそかに育つ去年今年　佐々木よし子
去年今年汀に生くるものの泡　千田　敬
機内食和食で今年始りぬ　松下　秀夫
三面鏡のどのわが顔も去年今年　今泉　宇涯
家中の待機電力去年今年　阿部　順子
去年今年命惜しめと粥を炊く　佐野　敏江
去年今年同じ畳の上にあり　廣瀬　倭子
避難所にピアノが一つ去年今年　吉川　隆史
こま結び解けぬ絡みの去年今年　峰崎　成規
去年今年の父の形見のなかに我　小菅　暢子
マヤ文明改めて知る去年今年　松井　のぶ
迷ふなく素志を貫く去年今年　能村　研三
去年今年去年今年とて今更に　能村登四郎

元日（がんじつ）
お元日

元日の家族の芯に赤ん坊　田所　節子
元日の空たふとくて退屈で　栗原　公子
箸置に箸かしこまるお元日　荒原　節子

元朝（がんちょう）
大旦（おおあした）　元旦

灯明と父と踏台お元日　千田　百里
保育所の矮鶏を見に来し大旦　荒井千佐代

溶銑の湯道を奔る大旦　小松誠一
乗鞍の遥かに澄めり大旦　熊本富美子
元朝や見ゆるものみな光もつ　林慶太
元旦の地震列島を揺らし過ぐ　小澤克己
元朝やシャツにかすかな静電気　能村研三
人はいさ吾は元旦の日章旗　林翔
元旦の最初の客の皓歯かな　能村登四郎

二日（ふつか）

鷹匠の一笛が統ぶ二日かな　森岡正作
足袋裏のかすかなる穢の二日かな　能村登四郎

三日（みっか）

三日かな世の雑踏の入りくる　宮本せつ子

三が日（さんがにち）

ほのぼのと家がふくらむ三が日　佐久間由子

四日（よっか）

理髪店のポールくるくる四日かな　金田誠子
目覚しを止めて四日の動きだす　福田肇
四日はや虜にされし歯科の椅子　牧田雪子
四日はや下品の魚焼くにほひ　久染康子
鏘然と四日のピアノ目覚めたり　林翔

五日（いつか）

黒燦々正月五日の護美袋　林翔
五日晴わが生れし日を天の祝ぐ　能村登四郎

六日（むいか）

決裁箱にバランス生れて六日かな　高木嘉久

七日（なのか）

透明な朝をかぞへて七日なる　平本朋子

人日（じんじつ）

人日やドン・ジョバンニの幕が開く　大森春子
人日の大樹より降る禽の声　柿本麗子
人日やいくつになれど母は母　河野智子
人日や嬰に大きな注射針　七種年男
人日や銀座に小買物をして　柴﨑英子
人日やいつもの刻の回収車　鈴木一広
人日や枝にそぐはぬ鳥のゐて　田辺博充
人日や灰汁美しき豆を煮て　堀　園子
人日や悪書にいまだときめきて　大牧　広
人日やをのこの眉の細づくり　能村研三
腓返りす人日ののつけから　能村登四郎

松の内（まつのうち）

灯が洩れて雨あたたかき松の内　渡辺輝子
針山の針をそろへて松の内　町田まさ子

松過（まつすぎ）　松明

松明けの空存分に一つ星　今瀬一博
松過ぎやなすべきことの迫りくる　能村登四郎

小正月（こしょうがつ）

三代の男ばかりの小正月　能美昌二郎

日を弾く巫女のかんざし小正月　二瓶　重子
果実酒をあけて服喪の小正月　須山　登
寺百軒根岸に迷ふ小正月　能村　研三
嬰(ちご)よりの貰ひあくびや小正月　能村登四郎

女正月(おんなしょうがつ)

おしやべりとサラダたつぷり女正月　小川　流子
針を持つことなき日々や女正月　佐藤　みほ
初恋の話に還る女正月　石田　静

二十日正月(はつかしょうがつ)　骨正月

腕ふれば足すすむなり骨正月　能村　研三

天文

初茜（はつあかね）

初茜ドボルザークに酔ひながら　千田百里
湯煙を空に吸はせて初茜　中村宏枝
昇る陽に万歳挙がる初茜　小澤功始
灯台の裸身艶めく初茜　田谷ひろし
山脈をうてなに白山初茜　米田紀子
わが干支は猛牛にして初茜　能村研三
遠き日の日の丸讃歌初茜　林翔

初明り（はつあかり）

点滴の一滴づつの初明り　内山照久
恙なく生きる力の初明り　小栗八重
あをあをと畳の上の初明り　河野美千代
紅に背振山の峰の初明り　古賀咲子
おみくじに未来予想図初明り　小林勝子
混沌の奥の奥より初明り　佐川三枝子
家並の目覚めゆくごと初明り　柴田久恵
古稀喜寿の揃ひて迎ふ初明り　山田トモヱ
寝袋に耳から覚めて初明り　渡部節郎
人生の幕寸前の初明り　藤井晴子
みちのくの海を想へり初明り　能村研三

初あかりそのまま命あかりかな　能村登四郎

初日（はつひ）

初日の出

たたみ来る波の金色初日の出　松井志津子
ゆるぎなき沖に初日の濡れ昇る　板橋昭子
青空に由布嶺清し初日の出　石川雪江
初日受く縄文杉の泰然と　大浦郁子
潮騒は地球の鼓動初日待つ　座古稔子
二世帯に門扉はひとつ初日さす　須山登
初日の出両手に熱き血の通ふ　高橋才子
樹の虚を静かにみたす初日影　林一郎
初日差す畳に母を誘へる　松本明子
初日の出づきんづきんとわが鼓動　楠原幹子
「がんばつぺ・いはき」みんなで初日待つ　遠藤真砂明
枝が鞭となり山頂の初日の出　波戸岡旭
光年の中の瞬の身初日燃ゆ　林翔

初空（はつぞら）

初御空

入母屋は翼のかたち初み空　望月晴美
初空や雲は微光を湛へつつ　村松忠治
大泣きのみどり児蹴上ぐ初御空　清水由恵
初空へルネッサンスの志　能村研三
一禽が一の字を書き初御空　林翔
見飽きたる筈の初空待つてをり　能村登四郎

初晴（はつばれ）

初晴れの光となりて軒すずめ　武藤嘉子

初霞（はつがすみ）

海原に浮く大島の初がすみ　渡辺　輝子
松多き町に住み古り初霞　能村登四郎

初松籟（はつしょうらい）

鳥居くぐりて清心の初松籟　五十畑悦雄
初松籟一寺一社を誇りとす　酒本　八重

初凪（はつなぎ）

初凪や白帆は海の置手紙　河口　仁志
ベーリング海に初凪といふ海の皺　沖島　孝光
初凪の一湾アルミ箔びかり　萱谷たけし
初凪の潮目で頒つ三番瀬　能村　研三
初凪をみださず鳰の水潜り　能村登四郎

御降（おさがり）

お降りの甲板たたく男降り　沖島　孝光
御降りにふと良寛の書が見たし　松本　圭司

淑気（しゅくき）

百畳に物一つなき淑気かな　菊川　俊朗
農具みな磨かれし納屋淑気満つ　大橋　　忍
一番太鼓杜の淑気をゆるがしぬ　五十畑悦雄
書き出しの一字定まる淑気かな　加藤久仁子
調墨の筆の濃淡淑気生る　久保喜代子
溶鉱炉昇る白煙淑気満つ　廣瀬　倭子
湿原の鶴歩み出す淑気かな　山崎ふじ子
子の家族来てより淑気四散せり　田所　節子

太鼓打つかかと構への淑気かな　能村　研三

そぎ竹を淑気溢るる斜め削ぎ　林　翔

ひそかなる袴さばきの淑気かな　能村登四郎

地理

初景色（はつげしき）　初山河

常の木々常の家並も初景色　北川英子
学校のチャイム流るる初景色　小山田子鬼
鉄鉢に掌の温みある初雪嶺　柏山照空
津軽路は余白ばかりの初山河　鈴木伸一
巨船白く沖にとどまる初景色　松井志津子
音はまだ眠りの中や初山河　宮下桂子
はればれと一切空の初山河　遠藤真砂明
ひと筋のけむりも加へ初景色　松本圭司
初景色二階厠に母校見ゆ　能村研三
干大根去年より縮む初景色　林翔

初富士（はつふじ）

初富士と障子を開けてもてなさる　杉本光祥
初富士の見える丘まで車椅子　種山啓子
初富士と思ひ電車の席を立つ　高瀬哲夫
初富士の見ゆる地に住みめでたけれ　能村登四郎

初筑波（はつつくば）

むらさきは争はぬ色初筑波　今瀬一博
初筑波風に押さるる畦歩き　吉田政江

初浅間（はつあさま）

しろがねの装ひ正す初浅間　　大石 誠

生活

春着（はるぎ）　春著

ふき艶の長押にかける春著かな　髙橋　和枝

春着の児所作に小鈴の音が添ひ　田所　節子

喰積（くいつみ）

喰積の膳こまごまと妣の声　上田　玲子

草石蚕（ちょろぎ）

客辞して草石蚕ころがるお重箱　大森　慶子

数の子（かずのこ）

数の子を嚙んで齢を嚙みしむる　林　翔

結昆布（むすびこんぶ）

よくぞ連れ添ひし歳月結び昆布　北川　英子

ごまめ

「笑点」の与太を小耳にごまめ炒る　成宮紀代子

小鰭の粟漬（こはだのあわづけ）

熱き飯そして粟漬小鰭かな　能村登四郎

切山椒（きりざんしょう）

眺めよき部屋に通され切山椒　川畑　良子

何やかや姉妹寄り合ふ切山椒　髙橋あさの

花びら餅（はなびらもち）

花びら餅出でての句座のめでたさは　林　翔

あけぼのの色とも見えて花びら餅　能村登四郎

屠蘇（とそ）

ビートルズ流し亡き子に屠蘇供ふ　ガルシア繁子
屠蘇祝ふ傘寿の歳を戴きて　吉田　芳江
屠蘇の座や織田木瓜を家紋とす　能村登四郎

年酒（ねんしゅ）

盃洗の銀の内張り年酒くむ　能村　研三
死神は下戸かも我は年酒くむ　林　翔
年酒の座つくづく膝のうすきかな　能村登四郎

雑煮（ぞうに）

金泥の屋号久しき雑煮椀　座古　稔子
雑煮食ふ大洋に足ふんばつて　沖島　孝光
若菜香る三河の雑煮祝ひけり　柴田　詩子
幸せのまんまるならむ雑煮餅　松井　のぶ
加賀ぶりも年々薄れ雑煮膳　能村登四郎

太箸（ふとばし）　祝箸

七度目の干支の父なる祝箸　能村　研三

門松（かどまつ）　飾竹　松飾

覇気こもる切つ先天へ飾竹　廣瀬　倭子
松飾庭の赤き実ちよいと添へ　平本　朋子
変つても日本は日本よ門松よ　林　翔

注連飾（しめかざり）　**輪飾**（わかざり）　飾り船

輪飾の藁にひとつぶ籾の金　望月　晴美
雄ごころの沖ひと巡り飾り船　松島不二夫

旋盤に輪飾のある静寂かな　大森慶子
輪飾を掛け高階の鉄扉　田所節子
鋳釘に注連かけわれの世も古りし　能村登四郎

蓬萊（ほうらい）

蓬萊や能登びとの血もすこし継ぎ　能村登四郎

鏡餅（かがみもち）

神様の重さとおもふ鏡餅　小田里己
君が代は一番にて完鏡餅　和田満水
貫禄の罅をも見せて鏡餅　能村研三

飾海老（かざりえび）

老いとはかく鬚しなやかな飾海老　能村登四郎

福藁（ふくわら）

福藁に月光の射す青さかな　小沢きく子
福藁を敷くもうれしき踏むもまた　能村登四郎

松納（まつおさめ）

松納めしその手で立つる弔旗かな　林翔

飾納（かざりおさめ）

輪飾の釘ごと昭和はづしけり　坂巻純子

鳥総松（とぶさまつ）

日を洩らす浦上の雲鳥総松　荒井千佐代
八幡藪知らず小路の鳥総松　成宮紀代子

鏡開（かがみびらき）

離家の父待つ鏡開きかな　能村登四郎

餅花（もちばな）

餅花や蔵街の天はればれと　髙橋あさの
餅花や祇園にあまた小路あり　市瀬千加子
餅花を焙りて今日の小昼かな　永澤千恵子
餅花を作る十指の華やげり　二瓶　重子
餅花へ歩行器の子の力足　羽根　嘉津
餅花や祈りにも似る轆轤の手　藤原　照子
餅花や晴着化粧のオシラサマ　林　翔
餅花や間取よき家のところ得て　能村登四郎

繭玉（まゆだま）

団子花

繭玉や心解かれて受話器置く　鶴見　知子
うつばりの太きうねりや団子花　塩原　洋子

掃初（はきぞめ）

初箒

希にしか家に居ぬ子の初箒　浅野　吉弘
あをあをと草の香ありぬ初箒　中島あきら

初座敷（はつざしき）

こんもりと嬰眠りをり初座敷　今瀬　一博
家康の花押威を張る初座敷　清水　由恵
うす紙に透ける落雁初座敷　大森　慶子

初暦（はつごよみ）

何事のひそみてをるや初暦　栗原　公子
をろがみて師の句をなぞる初暦　佐山　文子
祝事は大方しるし初暦　渡部　節郎
まづ児らの行事を記す初暦　稲垣　尤子

双手もて受くる傘寿の初ごよみ　渡辺輝子
初暦真北より刻うごき出す　大畑善昭

初湯
初風呂

初湯して赤子の五指のそつとひらく　今瀬一博
とろとろと眠くなる昼初湯して　武藤嘉子
四肢伸ばし古稀の初湯を溢れさす　塩野谷慎吾
子の夢の大きがよろし初湯かな　鈴木新一
かの衛星通る頃なる初湯かな　田辺博充
初湯して肌に元気な泡無数　松本圭司
初風呂をすこし賢くなりて出づ　能村登四郎

初電話

傘寿翁より初電話叱られし　渡辺昭

笑初
初笑

みどりごの初笑とも欠伸とも　堀口希望
あの世からどやどやと来て初笑　石田静
岳晴れのどどつと天抜く初笑ひ　宮本せつ子
口重の唇がうごきて初笑　松島不二夫
孫が来て祖父の顔描く初笑　林翔

泣初
初泣

初泣の乳歯真幸くありにけり　辻美奈子
泣き初めは長女か次女か棟へだて　能村登四郎

初髪

初髪の一人卓球選手なり　小野寿子
初髪に譲られし席まだ香る　岡崎伸

初鏡（はつかがみ）

いきいきと男が老ゆる初鏡　遠藤真砂明
よくばつて生きむと決めて初鏡　関根瑶華
相応の白髪めでたし初鏡　宮田陽子
初鏡らしく眦上げてゐし　能村登四郎

初夢（はつゆめ）

初夢の母の一語を聞き返す　小澤利子
初夢の梁山泊のをんなわれ　岡澤田鶴
空白は獏に喰はれし夢はじめ　髙久正
初夢や天馬が翼張るところ　木村茂
初夢に鷹飛ぶ羽音聞きにけり　樋口英子
初夢にさへ不遇時の父を見し　大牧広
初夢は水琴窟の音のごとし　秦洵子
火と水とあとはわからず夢はじめ　能村研三
初夢の戸口も木の香新たかな　林翔
初夢の茫洋たるをよしとせり　能村登四郎

宝船（たからぶね）

乗合の地球は青し宝船　矢崎すみ子
呪文めく和歌美しき宝船　古山智子
死神は乗船拒否の宝船　林翔

稲積む（いねつむ）　寝積む

寝ね積の音なき家を猫歩む　林翔

年始（ねんし）　御慶　年賀客

馬術部の生徒ら馬へ御慶かな　小野寿子

裃のやうな言の葉年賀客　大沼　遊魚
裏まさりの羽織ひらりと御慶かな　上田　玲子
神馬にも御慶を申し帰りけり　下村　辰枝
ノンアルコールビールで御慶申しけり　佐山　文子
御慶まづ共に老いたる夫へかな　松井　のぶ
龍といふ虚の荘厳を年始かな　林　翔
賀の客の若きあぐらはよかりけり　能村登四郎

年玉（としだま）

年玉やひらがなで書く子の名前　大川ゆかり
年玉を出すきつかけの髪飾り　河口　仁志

初便り（はつだより）

初メール　年賀状

ニホンゴを紡ぐ指先初メール　上谷　昌憲
極上の声を束ねて賀状来る　大橋　俊彦
賀状受く日本の子等に笑顔あり　大場　亭
覚えたての平仮名跳ねる年賀状　二瓶　重子
紙薄く情濃くパリの初便り　林　翔
わが門を去りにし人の賀状くる　能村登四郎

初刷（はつずり）

初刷を抱へ世界の重さとは　辻　直美
初刷に秋櫻子詠なきさびしさ　林　翔

初写真（はつしゃしん）

タイマーに瞬の静寂初写真　五十嵐章子

書初（かきぞめ）

筆初　初硯

酔ざめのかひな宥めて筆初　秋葉　雅治

たつぷりとおろす筆先初硯　鈴木　秋雲
書初の文字おほどかに宇宙の宇　平本　朋子
子の書初骨太なるを選びけり　吉田　陽代
一川に対するごとく書初す　能村　研三
書初や阿波より届く手染紙　林　翔
初硯と思ひねんごろに水注ぐ　能村登四郎

読初（よみぞめ）

読み初め声に出したき日本語　種山　知子
全集の月報からの読初　能村　研三
読初の書への抜毛はそつと吹く　林　翔

日記初（にっきはじめ）

初日記先づ晴れとのみ記しけり　吉澤　濱子
初日記おのづと正座してゐたり　佐々木みき子

初旅（はつたび）

初旅や安房の白波車窓まで　岩佐　政子

乗初（のりぞめ）

初電車

岬発陽がいつぱいの初電車　菅谷たけし
一瞬の富士たふとかり初電車　佐々木よし子
凪時の山河したがへ初電車　能村　研三

稽古始（けいこはじめ）

稽古始師の健やかを恃みとし　種山　知子

弾初（ひきぞめ）

幼な児の弾き初めを師は見下ろせり　林　翔

打初（うちぞめ）　初鼓

序破急の音迫り来る初鼓　岡　真紗子

謡初（うたいぞめ）

帯の皺しごき強気の謡初　井澤　禎子

初扇（はつおうぎ）

初扇ぴしりと齢はね返す　樋口　英子

初釜（はつがま）　初点前

初釜の棒炭赫と匂ひけり　上田　玲子

かすかなる音のありけり初点前　笹原　茂

磯の香の留椀の出て初手前　清水　由恵

水差しはヴェニスの絵硝子初点前　能村　研三

掛柳（かけやなぎ）　結柳

結び柳そのしだり尾の先つちよ芽　北川　英子

結び柳よく結び得てめでたけれ　能村登四郎

初句会（はつくかい）

穢れなき富士が正面初句会　林　慶太

初句会いつもの席に坐りけり　河浦　正樹

亡き耕二へ拍手とどろく初句会　林　翔

仕事始（しごとはじめ）　医務始　初仕事

赤ん坊の泣き笑ひより医務始　鈴木　良戈

象洗ふ四人がかりの初仕事　河口　仁志

初仕事ついたち零時五分かな　林　翔

鍬始（くわはじめ）

鍬始土竜に先を越されゐて　鳥居　公子

樵初（きこりぞめ）　斧始

斧始気骨の木霊生みにけり　柴田 近江

初漁（はつりょう）　漁始

船団の三角形に漁始　鈴木 浩子

手斧始（ちょうなはじめ）

ぬくみある手斧始の木屑かな　石川 笙児

御用始（ごようはじめ）

今はむかし御用始の茶碗酒　礒貝 尚孝

初市（はついち）　初糶　大発会

初糶に声ひときはの漁師妻　山田 松治

大発会気圧の谷の移りけり　上谷 昌憲

初荷（はつに）

初荷来る動きはじめし海の色　木村 公子

離島への郵袋ひとつ初荷とす　渡部 節郎

買初（かいぞめ）

買初はサンローランの老眼鏡　岩村 曜子

初買に不祝儀袋買ふことも　楠原 幹子

蔵開（くらびらき）

手擦れの戸軋ませ御蔵開きかな　加藤 房代

歌留多（かるた）　百人一首　坊主めくり

ひらがなの海に溺るる歌かるた　石田 静

歌留多取りさてもをみなの戦かな　小菅 暢子

歌留多会ゆづれぬ恋の得意札　佐々木泰子

百人一首ほがらかに悲歌読まれけり　松村 武雄

恋の札撫切りに取る歌留多かな　能村研三
恋歌を読むに瞑り歌がるた　林翔
坊主めくりの引き当てし憎うつくしき　能村登四郎

双六（すごろく）

絵双六

よはひにも欲しき振出し絵双六　岡崎伸

福笑ひ（ふくわらひ）

もう妻と寝ぬる子はなし福笑ひ　石川笙児

羽子板（はごいた）

大羽子板弁慶が身を乗り出して　湯橋喜美
老い母のただ羽子板を抱きけり　辻直美
裏絵よき羽子板として秘蔵せり　能村登四郎

手毬（てまり）

手毬唄

二つ三つ突いて戻しぬ逸れ手鞠　久染康子
手毬唄四は信濃なるははの故郷（くに）　柴田雪路
手毬唄先のいくさを知る世代　辻直美
手毬唄そのさき風の音つなぐ　湯本道生
手毬唄ここのつ十はさびしけれ　能村登四郎

独楽（こま）

勝ちすぎの独楽引つ込めてしまひけり　今瀬一博
勝独楽といふも孤独の渦の中　荒原節子
負け独楽となりて見えきし縞模様　栗城静子
巻き甘き独楽に父の手加はれり　髙橋あさの
曲独楽の芯にかすかな風の渦　富川明子
あばれ独楽澄みゆく音を見つめけり　髙橋和枝

勝ち独楽のゆつくり色の現はれし　吉川隆史
負独楽のごとりと色を取もどす　柴田雪路
きはやかな大山独楽の五彩かな　酒本八重
負独楽のこつんと哀し雲を見て　中尾杏子
負独楽のよき負けぶりに習はむか　能村登四郎

正月の凧（しょうがつのたこ）

初凧

初凧や燿ふ富士と光る海　鈴木齊夫

破魔弓（はまゆみ）

破魔矢

日を撥ねる破魔矢の鈴の金と銀　峰崎成規
破魔矢受くすでに長子の自負ありて　柴田近江
振袖に抱かれ破魔矢の鈴憩ふ　佐々木泰子
しののめの光を拝し破魔矢享く　笹原茂
まだ暗き道にかざして白破魔矢　吉田輝夫
破魔矢受く掌にをりからの雪も受く　河口仁志
ただならぬ白さ破魔矢は抱くべし　林翔
いそのかみ布留の破魔矢を賜りぬ　能村登四郎

獅子舞（ししまい）

獅子頭

獅子舞の獅子と出くはすエレベーター　川畑良子
獅子舞の不意に伸びる手熨斗摑む　後藤貞義
強情の系譜や加賀の獅子頭　渕上千津

懸想文売（けそうぶみうり）

懸想文買ふいささかの喜捨ごころ　上谷昌憲

行事

若水（わかみず）

若水の杓に張力生れけり　石川笙児

若水をまるく廻して米を研ぐ　木村公子

太陽を入れて若水汲みにけり　小山田子鬼

若水の桶に波うつ時佳かれ　能村登四郎

鞠始（まりはじめ）

装束の激しく動く鞠始め　中坪一子

弓始（ゆみはじめ）　初弓

大灘の日を射る勢ひ弓始　石﨑和夫

一閃の心を放つ弓始　今瀬一博

初弓のきりきり加齢遠ざくる　近藤敏子

新足袋に願ひ込めたる弓始　永津国明

海国の気をひき絞り弓始　樋口英子

まづ天をきりきり絞り弓始　川島真砂夫

的を射て直立まもる弓始　能村研三

箱根駅伝（はこねえきでん）

箱根駅伝風に抗して襷継ぐ　倉田千津江

成人の日（せいじんのひ）　成人式

成人式傘に隠るる髪飾り　藪下謙二

成人の日をむらさきに松林　鈴木節子

年男（としおとこ）

面を取り嬰なだめたる年男　後藤貞義
年男袴捌きの良かりけり　樋口英子

ひめ始（はじめ）　姫始

日の丸の間に垂れゐる姫始　吉田汀史

出初（でぞめ）　出初式

出初式水の高さの揃ひけり　保泉孟史
先づ海に向かひ黙禱出初式　市川和子
青空を大きく蹴つて出初式　大橋俊彦
竹青き出初梯子の高さかな　能村研三

初芝居（はつしばい）　初曾我

初曾我に富士の緞帳下りて終ふ　湯橋喜美
一笛で場の変りゆく初芝居　深川峰子
師の在さばあの席ならむ初芝居　渡部節郎
喝采も祈るも両手初芝居　清水佑実子
緞帳のそろりと動く初芝居　鈴木良戈
妻あらば誘ひしをこの初芝居　能村登四郎

初場所（はつばしょ）

初場所の砂かぶりまで及ぶ塩　佐々木みき子
初場所や取的は下駄弾ませて　成宮紀代子

七種（ななくさ）　**七日粥**（なのかがゆ）　薺打　薺粥

さみどりは色のはじまり七日粥　荒原節子
野に摘みてこその七草粥であり　浅沼久男
七種の粥にあをみのかすかあり　茂呂昇平

薺打つ妻にときどきありがたう　大網　健治
七草や月日のくぼみ俎に　佐久間由子
呪文めく囃し言葉や薺打つ　塩原　洋子
俎板の音に子の寄る七日粥　柴田　一世
七日粥互ひの黙の湯気ゆたか　髙橋あさの
七草粥神に仏に湯気立てて　高橋　才子
小さき鍋妻と二人の七種粥　中野　栄吉
七日粥湯気ほかほかと野の香り　水谷　昭代
天井に湯気の届きぬ七日粥　大橋　俊彦
おほかたを昭和に生きて薺粥　富川　明子
胸中の昭和終らず薺粥　加藤久仁子
煩悩の息でさましてなづな粥　鈴木　節子
半生を生地住まひや薺打つ　能村　研三
薺打つ音黄泉よりの母の音　林　翔

若菜摘（わかなつみ）

若菜摘む子に寄る月日かさねつつ　武藤　嘉子
膝つきて標野はここよ若菜摘む　安藤しおん
日溜りや二人に足りる若菜摘む　棚橋　朗

七種爪（ななくさづめ）

七種爪爪は老なき茜いろ　能村登四郎

粥柱（かゆばしら）

粥柱老いても己恃みゐて　渕上　千津

成木責（なりきぜめ）

立志とはしんどきものよ成木責　酒本　八重

えんぶり

えんぶりの富を祈願の腰落し　工藤節朗
えんぶりや土も香にたつ雪畳　林翔

なまはげ

なまはげに子は泣きながら歯向へり　池田崇
なまはげの刃こぼれしたる紙包丁　諸岡和子
なまはげの一歩は床を踏み鳴らす　工藤節朗

かまくら

点す灯の心音となる小かまくら　池田崇
繭ごもりめくかまくらに膝折りて　諸岡和子
かまくらや僧のつむりのごと並び　加藤富美子
かまくらの灯りに濁りなかりけり　河口仁志
かまくらの籠り灯りの燭度かな　能村研三

土竜打（もぐらうち）

休みなき島の風車や土竜打　米光徳子

左義長（さぎちょう）　どんど　飾焚く　吉書揚

どんどの火煽りて喜寿のこころざし　小山田子鬼
どんど火の風の加勢に噎せにけり　菅井悦子
めらめらと顔ゆがめさすどんどの火　石山孝子
禍も福も炎に均さるる飾焚き　髙久正
真つ直ぐの炎色を吉とすどんど焼　髙橋あさの
高天へ無心の火照り吉書揚　矢崎すみ子
どんど火のその丈仰ぐ仁王立　鈴木節子
対岸よりどんど崩れの煙来る　坂本俊子

どんどの火雪嶺をしもはためかす　森山　夕樹
カメラN氏の片手拝みにどんど燃ゆ　渡辺　昭
どんど火の傾く方に夜の山　能村　研三
どんど焼きいま完璧の火の柱　能村登四郎

初詣（はつもうで）

初詣完璧の空賜はりぬ　久染　康子
神杉に星やどりをり初詣　武藤　嘉子
初詣運たぐり寄す鈴の綱　伊藤　式郎
キャベツ苗買ひて鹿島の初詣　三輪　水岬
初詣逆恵方とは知らざりし　林　翔

恵方詣（えほうまいり）　恵方道　恵方

恵方道飛行機雲の一直線　田中　数江
朱にほのと染まる高嶺を恵方とす　古守　弓子
遠く住む母在す方を恵方とす　峰　幸子
赫々と日の射す方を恵方とす　能村登四郎

白朮詣（おけらまいり）　白朮火

白朮火の遠くに見えて躓けり　坂本　俊子

七福神詣（しちふくじんまいり）　福詣

巡拝のなべて小さき七福神　黒岩武三郎
福詣毘沙門すこし遠かりし　能村登四郎

玉せせり（たませせり）

裸身より湯気たちのぼる玉せせり　梅村すみを

鷽替（うそかえ）

鷽替に句会流れを誘ひけり　湯橋　喜美

鶯替へて素直なこころ持ち帰る　永井　収子

替へて来し鶯の飾り場少し変へ　能村登四郎

十日戎（とおかえびす）

初戎　福笹

初えびす加茂川白き鳥殖えて　角田登美子

福笹に酒の香りのあるもよし　能村登四郎

初卯（はつう）

踏み鳴らす初卯の神楽湯花釜　渕上　千津

梵天祭（ぼんてんまつり）

梵天待つ足場の雪を踏み固め　藤原　照子

揉みながら梵天阿吽の呼吸あり　池田　崇

初勤行（はつごんぎょう）

初勤行五百羅漢の顔なごむ　古関　進

初薬師（はつやくし）

初薬師より青空を連れ帰る　小澤　克己

初閻魔（はつえんま）

射的屋にまづ日の当る初閻魔　大橋　俊彦

初大師（はつだいし）

初弘法

風鐸の響き遍し初弘法　嶋田　羊六

初大師小腹を満たす串のもの　湯橋　喜美

初不動（はつふどう）

成田屋の寄進の碑あり初不動　塩原　洋子

鳩の目にルビーの光初不動　菅谷たけし

初弥撒（はつみさ）

弥撒始

這ひ這ひの嬰が前に来し弥撒始　荒井千佐代

春聯（しゅんれん）

初弥撒や白繭に似て嬰の睡り　中尾　杏子

春聯の「福」の逆さ字福よ来い　能村　研三

春聯の真下なる座を賜りぬ　能村登四郎

動物

初雀（はつすずめ）

弾み来る小さな客ぞ初雀　種山　啓子

初雀百度石より群れて立つ　森田　潤子

初雀雪のいづこにひそみゐし　吉田　明

米噛んで胸すんなりと初雀　林　翔

初鴉（はつがらす）

瑠璃色の羽をたたみて初鴉　佐藤　みほ

初鶏（はつとり）

初鶏に先だつ母の厨事　森本　和子

嫁が君（よめがきみ）

貧しさの想ひ出ばかり嫁が君　橋本　逍風

嫁が君昭和の芋を曳き行けり　千田　敬

植物

楪（ゆずりは）

楪や血脈通ふ茎の色　東　良子

楪や恩師迎へる床柱　佐々木みき子

ゆづり葉や一村同じ氏姓（かばね）　諸岡　和子

楪や古き調度の捨てがたく　峰　幸子

楪や白神岳の奥知れず　小野　寿子

楪やゆづるべき子のありてよき　能村登四郎

穂俵（ほだわら）

莫告藻

莫告藻をひろふ落日見尽して　渕上　千津

福寿草（ふくじゅそう）

朝日子があそびに来るよ福寿草　千田　敬

余生いま佳境と思ふ福寿草　大沼　遊魚

気散じの一歩が万歩福寿草　植村　一雄

微笑みて光の中の福寿草　坂田　和子

福寿草怠ければすぐ昼の来て　高瀬　哲夫

薺（なずな）

初なづな

初なづな嬰にかすかな土踏まず　荒井千佐代

索引

あ

う

か

雁が刈り狩が雁の落か	かり鳥もう芥が空か蚊が蚊と蒼か蚊が鳴か鴨か鴨か亀か亀か神か神か紙か			
渡る田 葉 葉 う 松 葉 ち 散 うつる	鳥 鳥 あ ぢ 夜 柱 蚊 鳴 帳 鍋 鳴 渡 迎 留 渡 子 紙			
	飛 け 鯉 風 鍋 一 の る へ ぬ し 子			
	瓜 風 俎 の手 旅			
	の 花 火			
240 246 356 386 99	214 304 96 345 325 422 148 213 300 148 348 377 175 68 325 369 369 125 358 342
雀か雀か雀か雀か雀か雀か雀か雀か	枯か枯か枯か枯か枯か枯か枯か枯か枯か枯か枯か枯か枯か軽か			
ぢが復坊鯉鶉象雁野	枯ぢ枯川枯枯枯葉枯枯枯枯枯枯歌			
習ふ 鳥す	鳥野 枯は目借時 芦 連葉 菊 木			
習 古	明け 明け			
雀 うた	借時 野 菊 居			
376 398 344 361 380 361 376 376	12 156 21 70 393 391 386 335 389 391 388 393 392 178 417 286
寒か元か寒か寒か寒か寒か寒か寒か	寒か寒か寒か寒か寒か寒か寒か寒か寒か寒か寒か			
露林 甘鮎鯉藍雁紅	雁寒鴉寒神寒寒寒寒鴉寒寒出寒寒			
入 雛 月 詣 縁 緩 天 椿 中 卵 立				
風 あ 仏 造 釣 造 鴨 別				
水 内 人り雨 月 を る				
内 泳				
223 388 209 358 62 379 380 321 325 336 315 327 372 310 291 351 349 359 383 346 398 361 279 349 375 324				

索引・四三六

啄木鳥（きつつき）	273
北帰行（ほっきこう）	350
北に恋窓を開く（きたにこいまどをひらく）	45
北風（きたかぜ）	325
北颪（きたおろし）	325
帰省（きせい）	164
義士会（ぎしえ）	62
義士の討入（ぎしのうちいり）	370
雉（きじ）	71
如月（きさらぎ）	16
樵（きこり）	417
菊（きく）	252
菊の初花（きくのはつはな）	229
菊日和（きくびより）	251
菊酒（きくざけ）	258
菊膾（きくなます）	248
菊人形（きくにんぎょう）	357
菊戴（きくいただき）	49
菊植う（きくうう）	70
菊焚く（きくたく）	293
桔梗（ききょう）	302
帰雁（きがん）	72
聞く雨（きくあめ）	172
菌園（きのこえん）	124
木の葉雨（このはあめ）	195

き

麒麟草（きりんそう）	214
切山椒（きりざんしょう）	356
桐一葉（きりひとは）	288
桐の花（きりのはな）	200
きりたんぽ	250
切子燈籠（きりことうろう）	408
霧（きり）	279
蟲（きりぎりす）	242
虚子忌（きょしき）	66
夾竹桃（きょうちくとう）	193
胡桃（くるみ）	208
胡桃の花（くるみのはな）	260
広島忌（ひろしまき）	157

草の実（くさのみ）	298
草の穂（くさのほ）	298
草の花（くさのはな）	264
草の市（くさのいち）	153
草取（くさとり）	257
草刈る（くさかる）	174
臭木の花（くさぎのはな）	211
草田男忌（くさたおき）	290
草茂る（くさしげる）	153
草時雨（くさしぐれ）	187
草いきれ（くさいきれ）	211
草市（くさいち）	95
草餅（くさもち）	344
草矢（くさや）	228
草の花（くさのはな）	222
茎漬（くきづけ）	408

く

勤労感謝の日（きんろうかんしゃのひ）	367
銀杏散る（いちょうちる）	290
金盞花（きんせんか）	93
金魚（きんぎょ）	159
金魚の玉（きんぎょのたま）	158
金魚売（きんぎょうり）	180
銀河（ぎんが）	236

索引・四三七

け

こ

栗も鮭も蔵も蚋も熊も崩れ薬も葛も葛も葛も鯰も草も嘯も草も草 284 268 417 204 183 117 189 100 193 258 348 347 141 142 256 300 356 142 300 379 161 298 44 362 161 298 97
馬も鬨も解ぅグ水も雲も蚓も熊も幅も崩れ葛も葛も葛も餠も鯰も鱚も矢も紅も餠も草も草
の 鮎も開もラ が 合う子が湯も餠も簧も喘も切 染めも筆も草も草
火を 関ぅジ 母がう 頭とう花 花を
の く 峰 し 草 花 は
祭り オ を
ろ ス

205 353 110 342 342 173 263 292 344 168 16 415 121 416 202 50 96 119 94 181 22 285 194 372
賀が消すす毛も夏も蚊も競ぅ稽く薫く鍬く葵ゴ遊く暮く明く栗ヶ粟く
栗も炭を至し衣の皮を着き奈を糸を の 始の 鯔と摘く始び南も口 も暮も明け栗も桃も
の 染を渡し彊し始 す の くッ 鯛ィも桃 ノ
花は そ 古り 祭 美 の 花ゥ
は の に し 風 舞 花はマ
日 え く ウ
ス

143 41 337 340 345 287 175 213 81 390 148 373 167 269 60 166 59 98 318 157 280 184 262 205 419
氷も氷ヶ氷はコ 甲が蔓が蝙ぅ河ぅ紅き春ぇ香き耕さ蠅き蟬き蝿き蟬き繭ぅ螢き螢き蕨き月の懸くリ
解ぁ夏 ー 虫の羹の蝠の童で葉の祭ミ美く建の記くん 蛤の虫の 美 が想 か

さ

ち

つ

田を種たね蒔まく夢ゆめ ... 264 48 161 304 209 357 244 173 205 235 205 351 255 182 53 291 120 208 203 92 212 256 259 360 154 66
蝶ちょうは夕ゆう井い戸どの花は ... 78

暖だん炉ろは暖だん炉ろ端ばたは短みじかく編あむ ... 352 98 352 359 317 167 204 91 379 133 185 209 424 347 343 48 49 48 256 48
好このむ房ふさ梅うめに手てづぐり英はぜ ...
榾ほた鱈たら田でんぼ王おうで吉よし寄よせ酒さけ漬づけ ...
水みづ田だに茂しげ り ...

文ちちふみ逢ふ月つき月つき見みる代よ末すゑ ... 408 262 417 269 79 94 384 50 142 368 172
鯛たひ裏ら紅べに紅べにの葉は ... 88 29 290 97 290 98 305 212 258 233 49 232 368
闇やみと ...

な

に

ね

へ

ほ

ま

あとがき

▽本『選句集』は、沖創刊四十五周年記念行事の一環として企図されたもので、二十周年記念『沖季語別俳句集』、三十周年記念『沖歳時記』に続く三冊目の歳時記である。

▽書名を、『選句集』としたのは、能村登四郎・林翔ならびに物故者、沖僚誌の主宰者等の作品を、前記二冊の歳時記から選句委員（A）が選句し、本集の例句として再録したことによる。

▽沖会員・同人の作品は、会員十五句、同人三十句の自選応募作品（平成十一年〜二十五年沖誌掲載）の中から選句委員（B）の選により掲載した。

▽なるべく多くの季語と例句を掲載することに務めたが、同一季語についての例句は、一作者一作品にとどめた。したがって、人口に膾炙した句も落さざるを得ない苦渋の選定となった。

▽本書によって、創刊時のこころざし「伝統と新しさ」を追究した作品、また能村研三主宰提唱の「沖ルネッ

サンス」の大概を示し得たのではなかろうか。本書が
俳句実作の深化に寄与する一助となれば幸いである。

平成二十七年八月

編集・刊行委員長　千田　敬

*

◯選句委員（A）＝能村研三・北川英子・大畑善昭・上谷昌憲〈能村登四郎・林翔、物故者並びに傑誌主宰等の作品〉

◯選句委員（B）＝能村研三・千田百里・菅谷たけし・森岡正作〈沖同人・会員作品〉

◯編集・刊行委員＝千田敬・田所節子・吉田政江・楠原幹子・町山公孝・千田百里

◯編集・刊行スタッフ＝菊地光子・荒井千瑳子・五十嵐章子・馬場由紀子・平松うさぎ・神戸やすを

沖季語別選句集

編集――沖俳句会
〒二七二-〇〇二一
千葉県市川市八幡六-一六-一九
発行――平成二十七年十月二十六日
発行所――ふらんす堂
〒一八二-〇〇〇二
東京都調布市仙川町一-一五-三八-2F
発行人――山岡喜美子
印刷・製本――三和印刷株式会社
定価――本体三五〇〇円＋税

ISBN978-4-7814-0706-7 C0092 ¥3500E